NETHERGRIM

OTCHŁANNY

Matthew Jobin

NETHERGRIM
OTCHŁANNY

Tłumaczenie
Paulina Braiter

Tytuł oryginału: *The Nethergrim. Book 1*

Redakcja: Ewa Holewińska, Anna Pawłowicz
Skład i łamanie: EKART
Ilustracja i projekt okładki: Bart Bus

ISBN 978-83-7686-387-0

Wydanie pierwsze, Wydawnictwo Jaguar, Warszawa 2015

Adres do korespondencji:
Wydawnictwo Jaguar Sp. Jawna
ul. Kazimierzowska 52 lok. 104
02-546 Warszawa
www.wydawnictwo-jaguar.pl

Druk i oprawa: Abedik

Dla Tiny

Prolog

Najlepszym koniem, jakiego znałem, był gniady ogier z białą gwiazdką na czole. Nazywał się Janowiec – dziwne miano dla bojowego rumaka, ale tak go ochrzczono tuż po narodzinach, a jeździec nigdy nie zmienił mu imienia. Jeźdźcem owym był czwarty syn lorda z małego majątku na południu. Chłopiec chłonął wszystkie opowieści o dawnych bohaterach, a gdy dobiegały końca, pragnął znów ich słuchać, w przeciwieństwie do innych chłopców, którzy zaczynali z nich szydzić. Ojciec podarował mu Janowca na szesnaste urodziny, bo nie miał już żadnej ziemi do rozdania. I tak chłopiec – nosił imię Tristan – podziękował ojcu za wierzchowca, zbroję oraz miecz i opuścił dom. Miał zbyt wielu braci, by ktokolwiek za nim tęsknił.

Tristan i Janowiec wiele miesięcy krążyli po gościńcach, szukając okazji do spełnienia dobrych uczynków. Po jakimś czasie nawet je znaleźli – samotne, ciche, w maleńkich wioskach i dworach przy granicy kraju. Tarcza Tristana często gięła się od ciosów i często ją naprawiano. Miecz, mimo coraz liczniejszych szczerb, pozostawał ostry. Janowiec stał się najbardziej nieulękłym z koni i wieść o ich przybyciu sprawiała, że straszne stwory umykały do nor.

Ale świat to nie opowieść, a jeśli nią jest, ma bardzo dziwną treść. Tristan zazwyczaj pomagał biedakom, a choć z wdzięcznością dziękowali mu, gdy zabił quiggana albo złapał bandytę, trudno było przeżyć na tym, co od nich dostawał. Wraz z Janowcem stawali się coraz twardsi i coraz bardziej dzicy, a w bezpieczniejszych okolicach, gdzie stwory nie kłopotały nikogo, Tristan odkrył szybko, że ludzie go nie potrzebują. Po jakimś czasie zaczął marzyć o innym życiu – ciepłym palenisku, smakowitej strawie, pogodnych przyjaciołach. Pewnego dnia, gdy podróżował przez krainę na południe i zachód od nas, nieopodal wielkiego górskiego łuku spotkał na gościńcu lorda i jego rycerzy, tęgich mężów w lśniących zbrojach na grzbietach wielkich rumaków. Polecili, by się zatrzymał, słyszeli bowiem opowieści o młodzieńcu, który krąży po marchiach, dokonując najdzielniejszych czynów dla najbiedniejszych ludzi.

Lord rozkazał Tristanowi, by przybył na jego dwór. Tam Tristan z wdziękiem i szczerością opowiedział o swych przygodach. Dworzanie słuchali do późnej nocy, a kiedy skończył, lord wzniósł kielich i powitał go jako swojego rycerza. Tristan z ogromną radością złożył świętą przysięgę, że będzie służyć swemu władcy po kres dni.

W końcu wszystko zaczęło układać się jak trzeba. Tristan był dzielnym młodym rycerzem, służącym potężnemu panu, galopującym w lśniącej zbroi na czele jego straży. Lecz w miarę upływu miesięcy zaczął odkrywać coś, co mu się nie spodobało. Tak jak wcześniej, słyszał historie o kłopotach na granicy: bogganach w młyńskich stawach, złodziejach i rzezimieszkach na gościńcach – problemach, które zawsze starał się naprawiać, gdy podróżował samotnie. Teraz jednak pozostawał związany przysięgą, a jego lord nie pozwalał mu na pomaganie innym. Pan Tristana bardzo chciał zdobyć więcej ziemi, choć i tak miał już jej tyle, że tydzień jazdy nie wystarczyłby, by przebyć ją całą. Spiskował zatem i knuł miesiącami, w sekrecie szykując plany i kupując sobie sojuszników kuframi pełnymi złota. Inni lordowie często odwiedzali zamek – niektórzy zalęknieni, inni rozgniewani, jeszcze inni uśmiechający się złowrogo i łapczywie.

Wkrótce wybuchła wojna. Wojna, do której doszło tylko dlatego, że lord, któremu służył Tristan, pragnął rządzić większą częścią świata. Tristan złożył przysięgę, co oznaczało, że nie mógł odejść, nieważne jak bardzo był nieszczęśliwy – wychowano go bowiem tak, by dotrzymywał słowa, zwłaszcza gdy wspierała je święta przysięga. Jego lord poprowadził atak na pobliską krainę, wyrąbując sobie drogę. Zamiast potworów, Tristan walczył w ogniu bitwy z ludźmi, którzy nic złego mu nie zrobili. Starał się pozostać miłosierny, kiedy tylko mógł, ale od jego miecza wciąż ginęli ludzie – dobrzy ludzie, niezasługujący na śmierć. Czasami w nocy nie mógł zasnąć i cichy głos w głowie pytał, czy nie lepiej byłoby, gdyby to on zginął. W końcu rozpoczęli oblężenie jednej z wielkich warowni wroga. Pan Tristana sądził, że jeśli zaatakuje szybko i mocno, zdoła zwyciężyć, toteż w pewną letnią upalną noc rozkazał części swych ludzi przystawić drabiny do muru i spróbować szturmem zająć zamek. Żołnierze wspięli się na bramę i opuścili most zwodzony pod deszczem strzał. Sądząc, że zwycięstwo jest tuż, lord Tristana poprowadził atak, wiodąc swoich rycerzy daleko przed piechotę. Popełnił błąd, albowiem nieprzyjaciel w zamku okazał się znacznie liczebniejszy, niż lord przypuszczał. Żołnierze wylali się ze wszystkich wież, więżąc rycerzy na dziedzińcu. Tristan próbował chronić swego pana, rzucając się przed każdego wroga, który podszedł bliżej. Nadaremnie. Strzała trafiła lorda w szyję i runął z konia martwy.

Atak się załamał, dziedziniec zaściełały ciała zmarłych i umierających. Tristan opuścił miecz, patrząc przed siebie jak człowiek pogrążony we śnie, i tylko Janowiec, uskakujący tu i tam w zamęcie, ocalił życie tak swoje, jak i jeźdźca. Tristan z hukiem upuścił miecz na kamienie, tuż za nim o bruk uderzyła tarcza. Chwycił wodze i umknął z dziedzińca pośród gradu strzał, mijając własną armię i galopując w noc. Nigdy więcej nie widziano go w tym kraju.

Pory roku leniwie ustępowały miejsca następnym. Tristan i Janowiec, znów samotni, wędrowali po gościńcach, lecz tym razem Tristan bał się i wstydził, i nie chciał już być bohaterem. By kupić jedzenie, sprzedał siodło Janowca i pierścień, który podarowała mu matka. Mimo to nadal brakowało im jadła. Krążyli tak wiele miesięcy, obdarty młodzian i wielki kudłaty koń, aż w końcu w środku zimy takiej jak ta trafili na północ. Owej zimy w miejscu niedaleko stąd leżała niewielka wioska, która znalazła się w straszliwych opałach. Stała na samym skraju królestwa, daleka i samotna, przy drodze tak starej, że nikt nie wiedział, kto ją zbudował. Kiedy Tristan wjechał do wioski na grzbiecie Janowca, właśnie zapadał zmrok. Przekradali się od domu do domu, nie widząc nikogo, aż w końcu dotarli na rozstaje, gdzie stała maleńka gospoda. Z wnętrza nie dobiegał żaden głos, ale przez przesłonięte okiennicami okna przeświecał blask ognia. Tristan zarzucił koc na grzbiet wierzchowca i poprowadził go do pustej stajni na tyłach, po czym otworzył frontowe drzwi.

– Robisz przeciąg – rozległ się czyjś głos.

Jego właściciel okazał się jedynym człowiekiem w środku. Siedział z uniesionymi nogami przy ogniu, kaptur drogiego, ciemnego płaszcza osłaniał mu głowę. Choć to nieprawdopodobne w taką noc, wyglądało na to, że coś czyta.

– Dlaczego nie jesteś w domu spotkań z całą resztą? – spytał zakapturzony nieznajomy, nie odwracając głowy.

Tristan przekroczył próg i zamknął drzwi.

– Jestem tylko podróżnym, nie wiem, gdzie powinienem się znaleźć. Na dworze jest bardzo zimno.

Tamten odwrócił głowę, by na niego spojrzeć.

– Przyjacielu, musisz być najbardziej pechowym podróżnym na świecie.

Tristan podszedł bliżej jasnego, ciepłego ognia. Widział teraz, że tamten ma go za żebraka bądź zbiegłego niewolnika, i nawet tak wyglądał: obszarpaną starą tunikę uszyto na kogoś znacznie niższego, a kilka miesięcy temu sprzedał nawet buty. Stopy miał owiązane szmatami, a podczas długich miesięcy rozpaczy urosła mu długa broda, oczy zaś zapadły się w głąb czaszki.

Mężczyzna schylił się, by dorzucić do ognia.

– Karczmarz jest w domu spotkań z innymi. Jeśli dołączysz do nich, może przeżyjesz.

Tristan wyciągnął ręce ku płomieniom.

– Co się tu dzieje?

Nieznajomy spojrzał na niego z rozbawieniem i zdumieniem.

– Powiedz mi, wędrowcze, dokąd zmierzasz?

– Nie wiem. Jadę, dokąd mnie zawiedzie droga.

– Nie zajechałbyś nią dużo dalej. Za tą wsią leżało kiedyś kilka farm, teraz wszystkie obróciły się w popiół. Sam gościniec wiedzie dalej w góry, ale nigdy byś do nich nie dotarł. Przybył Otchłanny, znalazł tych ludzi na swym progu i wpadł w gniew.

– Otchłanny? – Tristan usiadł obok nieznajomego, grzejąc się przy ogniu. – Sądziłem, że to tylko bajka.

– Och, gdybyż tak było. – Mężczyzna zaczął przerzucać kartki, przeszukując każdą wzrokiem, aż do końca książki. Zamknął ją z westchnieniem. – Nic. Żadnej wskazówki.

– Co czytasz? – spytał Tristan.

– Dzienniki mojego mistrza, po raz trzeci – wyjaśnił tamten. – Szukałem jakiejś tajemnej wiedzy na temat Otchłannego, słabości, którą mógłbym wykorzystać.

– Gdzie zatem jest twój mistrz?

– Nie żyje – wraz ze swą strażą, służbą, wierzchowcami, przewodnikami i wszystkimi uczniami prócz mnie. Tylko ja wróciłem tu żywy. – Mężczyzna w płaszczu zaśmiał się, krótko, gorzko. – Badaliśmy przełęcz, szukając jakichś śladów sławetnego Otchłannego. Tristan wstał i wyjrzał przez szczelinę w okiennicy. Nie ujrzał niczego, prócz zaśnieżonej drogi i ciemnych domów.

– I on tu przyjdzie?

– Owszem. Istnieją zapiski o podobnych wydarzeniach, z bardzo dawnych czasów. Wieśniacy wiedzą znacznie mniej niż ja, ale legendy wystarczą, by podsycić ich strach. Teraz zebrali się w domu spotkań, by postanowić, co dalej.

– Czemu cię tam nie ma?

Mężczyzna obejrzał się na cienie na ścianach tawerny.

– Nie lubię tłumu. Równie dobrze mogę przecież umrzeć tutaj.

Tristan poczuł dreszcz, bo umiał rozpoznać rozpacz.

– Jesteś pewien, że nie ma nadziei?

Mężczyzna zmierzył go wzrokiem.

– Jak się nazywasz?

Tristan zawahał się, bo od dawna nie posługiwał się swoim prawdziwym imieniem. Najpierw ze strachu, potem ze wstydu, po jakimś czasie – bo stracił nadzieję. We wzroku tamtego wyczuł jednak coś, co sprawiło, że zapragnął wyznać prawdę.

– Jestem Tristan.

– Mnie możesz mówić Vithric – oznajmił mężczyzna. – Posłuż mi zatem radą, Tristanie. Otchłanny powstał i zabił mego mistrza, potężnego maga. Słuchają go najróżniejsze ohydne stwory. Dziś wtargną do tej wioski, by ją nękać – wątpię, by do jutra ktokolwiek z nas pozostał przy życiu. W domu spotkań zebrała się może setka ludzi, w tym czterdzieścioro dzieci i z tuzin starców bądź chorych. Niewielu z nich ma broń, a nikt porządnej. Co kazałbyś im zrobić?

Tristan zdumiał się, bo od dawna nikt nie oczekiwał od niego słów mądrości.

– Wioskowy dom spotkań... jakiej jest budowy?

– Drewno na kamiennych fundamentach i wysoka strzecha.

Tristan pokręcił głową.

– Nie wytrzyma. – Zastanowił się chwilę. – Może wieśniacy mogliby kupić sobie wolność. Gdyby zgromadzili cały swój dobytek i zaoferowali w dani, może Otchłanny by ich wypuścił.

– Tu, na północy, Otchłanny nosi wiele imion – odparł Vithric. – Nazywają go Starcem z Gór, Kołyskowym Złodziejem, Klątwą Matek. Mówią, że ceni sobie jedynie ciało dzieci.

Myśl o nieszczęsnych działkach, uwięzionych w pułapce i czekających na podobną śmierć, okazała się dla Tristana nie do zniesienia.

– Musimy coś zrobić!

– Niczego nie można zrobić – odparł Vithric. – Wieśniacy równie dobrze mogą już zacząć kopać sobie groby. Może Otchłanny zechce łaskawie wrzucić do nich kości, kiedy już z nimi skończy.

– Mogą uciec. – Tristan wstał. – Mogą uciec! Jeśli będą trzymać się razem...

– Najbliższa wioska leży czterdzieści mil stąd, najbliższy zamek – w Northend, sześćdziesiąt – oznajmił Vithric. – Oni już nie żyją.

Tristan zaczął krążyć po izbie.

– Ile mają koni?

– Żadnych. Mój mistrz wynajął wszystkie. Do tej pory zostały pożarte albo uciekły w góry. – Vithric uniósł ręce, po czym je opuścił. – Gdyby był ranek i gdyby szybcy nie czekali na powolnych, część z nich mogłaby dotrzeć w bezpieczne miejsce, ale mamy noc, a matki będą nieść dzieci, synowie dźwigać na grzbietach sędziwych ojców i wszyscy zginą w drodze. Część z tych stworów umie poruszać się w mroku bardzo chyżo.

– Wiem o tym.

Usta Vithrica wygięły się w ponurym uśmiechu.

– Zatem nie chcesz już dłużej odgrywać wędrownego pielgrzyma? Nie byłeś w tym zbyt przekonujący, panie rycerzu.

– Po cóż mam się kryć, skoro to istotnie moja ostatnia noc na tym świecie?

Tristan wbił wzrok w ogień, Vithric patrzył wraz z nim. Żaden nie spoglądał na drugiego.

– Powiedz mi – zagadnął Vithric – kiedy jeszcze walczyłeś, to o co?

– Kiedyś służyłem wielkiemu panu – odparł Tristan. – Myślałem, że walczę o honor, ale tak naprawdę walczyłem w imieniu chciwości. Zabijałem dobrych ludzi, ich żony czyniłem wdowami i dzieci sierotami, bym mógł usłyszeć, jak mój pan mówi, że dobrze się spisałem.

– Szczerością przewyższasz wszystkich znanych mi rycerzy – oznajmił Vithric. – I o nic więcej?

– Kiedyś – przyznał Tristan – zdaje się, że dawno temu, wędrowałem od wsi do wsi, osłaniając swą tarczą biedaków niemających innej nadziei. Nigdy nie żądałem więcej, niż mogli dać, a nie było tego zbyt wiele. Miałem jednak swój miecz, tarczę, konia i honor.

– I ich wdzięczność – dodał Vithric. – Ich pochwały i miłość, a z czasem, gdy ratowałeś życie coraz liczniejszych poczciwych biedaków, zacząłeś się zastanawiać...

Tristan uniósł wzrok ku powale.

– Zacząłem się zastanawiać, czy robię to wszystko dlatego, że mnie potrzebują, czy też dlatego, że mnie wychwalają.

Jego towarzysz tylko raz skinął głową.

– W istocie, oto jest pytanie. Chętnie spędziłbym kilka dni na dyskusji na ten temat, bo myśli twoje płyną korytem głębszym niż u większości mężów. Lękam się jednak, że brak nam czasu.

– Prawdę rzeczesz. – Tristan podniósł się z miejsca przy ogniu. – Chodź ze mną.

– Co zamierzasz zrobić? – przemówił ostro Vithric.

– Już to omówiliśmy. Nie ma wyjścia.

Tristan otworzył drzwi.

– Utraciłem miecz i tarczę, i może też honor, ale nie konia. Chodź.

Poprowadził ogłupiałego Vithrica do stajni.

– Będziesz musiał jechać na oklep. – Dotknął pyska Janowca. – Żegnaj, drogi przyjacielu. Zanieś tego człowieka w bezpieczne miejsce.

Vithric wbił wzrok w Tristana.

– Mogłeś uciec. Mogłeś wsiąść na konia i pogalopować w dal, gdy usłyszałeś, że grozi ci niebezpieczeństwo.

– Nazywa się Janowiec. – Tristan wyprowadził ich na gościniec. – Proszę tylko, byś dobrze go traktował.

– Dajesz mi nadzieję przeżycia. Skąd wiesz, że jestem godzien tego daru?

Tristan pomógł mu wsiąść na grzbiet konia.

– Spraw, żebyś był godzien.

Vithric ujął wodze, spojrzał z góry na Tristana, a potem w dal.

– A ty? Co poczniesz?

– Jeśli tylko zdołam, pomogę ludziom z wioski uniknąć ich losu albo też zginę u ich boku. – Tristan klepnął bok Janowca. – A teraz jedź i nie oglądaj się za siebie.

Janowiec puścił się galopem zimną, pustą drogą. Tristan zawrócił, samotnie kierując się do domu spotkań. Nim jednak dotarł bliżej, poczuł dreszcz na plecach. Obejrzał się – od zagrody, przez ogród, do stodoły słudzy Otchłannego podążali za nim, a teraz się zbliżali. Wiedział, że żywy nie dotrze do celu.

Choć pojmował, że nie ma to sensu, przybrał bojową postawę.

– Wiem, czym jesteście: już wcześniej zabijałem wam podobnych. Nie wystraszycie mnie na śmierć. Chodźcie i weźcie mnie, jeśli zdołacie.

Stwory podeszły bliżej, wyłaniając się z cieni pod domem i stogami. Nim wypełzły na drogę i nabrały kształtów wyraźniejszych niż tylko przeczucie grozy, Tristan usłyszał tętent galopującego konia. Z początku uznał, że śni, potem pomyślał, że to wieśniacy. Lecz łoskot dobiegał z przeciwnej strony. Zerknął w dal i nie uwierzył własnym oczom.

Tak. To był Janowiec – a także Vithric. Pędzili jak grzmot, o włos wyprzedzając stwory Otchłannego.

– Przychodzę zwrócić ci twój dar!

Vithric pochylił się, chwycił rękę Tristana i tak największy z rycerzy i największy z magów, jakich zna ten świat, zostali przyjaciółmi. Bo widzicie, zanim mogli ocalić maleńką wioskę, całe królestwo i świat, najpierw musieli ocalić siebie nawzajem.

Rozdział 1

Edmund Bale zszedł późno na śniadanie, zbyt oszołomiony, by dostrzec osobliwą ciszę – a potem było
już za późno. Szurając sennie nogami, pokonał skrzy-
piące schody tawerny, ziewając raz po raz. Jego rodzina jadła poranny posiłek przy najlepszym stole tuż
obok kominka. Resztę izby wypełniały powywracane
ławy, pozostawione po nocnych zabawach ostatnich
gości.

Horsa znów zostawił skrzypki. Edmund odsunął je
kopniakiem. Dopiero gdy dotarł do krzesła, zorientował się, że rodzina nie rozmawia ani nie je. Między nimi, na blacie, pośród bochenków chleba, porów
i misek owsianki leżała sterta pergaminów – obwiązanych wstążkami zwojów i luźnych kart ciśniętych
niedbale na parę starych ksiąg.

Edmund poczuł, jak z twarzy odpływa mu krew.

– Gdzie...

– Tam, gdzie je ukryłeś – odparł ojciec. – Siadaj.

Matka przygwoździła go zranionym spojrzeniem.

– Synu, mówiliśmy już o tym i to wiele razy. Ile trzeba, Edmundzie? Ile trzeba, by to do ciebie dotarło?

– Mamo...

– Chce ci się spać, co? – Ojciec Edmunda zazgrzytał zębami. – Siedziałeś do późna?

– Nie, ja... Nie, to nie... – Edmund nie zdołał znaleźć porządnego kłamstwa. – Po prostu...

Ojciec złapał go za ramię.

– Siadaj. Już!

Był taki ostrożny, tak bardzo uważał, by wybierać właściwe chwile, w których ukradkiem sięgał po swe tajne księgi. Matka westchnęła, odwróciła wzrok, pokręciła głową i znów westchnęła. Siedzący po drugiej stronie stołu jego młodszy brat, Geoffrey, wykrzywił zadartonosą, piegowatą buzię w złośliwy grymas.

– Masz przechlapane – wymówił bezdźwięcznie.

Edmund odpowiedział tak samo, poruszając wargami powoli, by brat dokładnie zrozumiał.

– Jeśli to twoja sprawka...

Zacisnął dłoń w pięść. Nie był zbyt rosły, wzrostu nieco niższego niż przeciętny w jego wieku, był też chuderlawy w porównaniu z umięśnionymi uczniami i synami rolników, mieszkającymi w wiosce. Mógł jednak z łatwością pokonać dwunastoletniego brata i poczuł lekką radość, widząc, jak uśmiech znika z twarzy Geoffreya.

Ojciec sięgnął do stosu i wyciągnął cienką broszurkę, zaledwie kilka wyświeconych stronic złożonych razem i obwiązanych sznurkiem. Otworzył je i przeczytał.

– *Pieśń o Ingomerze.*

– To tylko bajka, tato. – Edmund starał się dostrzec, jakie księgi leżą pod pergaminami; jeśli znaleźli tylko zbiór pieśni i stare legendy, może uniknie najgorszego. – Ingomer był słynnym magiem z dalekiego Południa, to tylko historia jego życia, podróży i ...

– Tak, wiem, kto to był. – Ojciec odłożył broszurkę i uniósł teraz zwój, rozwinął go. – *Odkrycie Wschodu, czyli relacja Plegmunda ze Sparrrock, z jego wyprawy poza Morze Białe.* – Cisnął zwój na bok i pokręcił głową.

– Edmundzie, ile razy musimy o tym rozmawiać? – Twarz matki posmutniała. – Ile razy? Czemu tak się zachowujesz?

– *Opar albo błysk* – odczytał z kolejnego zwoju ojciec. – *Debaty Tancreda z Oferstocke i Carlomana Niskiego na temat ognia, transformacji i magicznych związków przeciwieństw.*

– Co za marnotrawstwo, Edmundzie. – Matka uniosła ręce. – Spierałam się z twoim ojcem, powiedziałam, że jeśli pozwoli ci zatrzymać napiwki, zaczniesz oszczędzać. To cię nauczy wartości grosza. Przez ciebie twoja matka wyszła na głupią. Zadowolonyś, synu? Jesteś rad?

– *Bestie z Zachodniego Pasa* – odczytał ojciec Edmunda z kolejnego zwoju. Odrzucił go i sięgnął po następny. – *Przepływ Harmonii. Iluminacje Thodeberta.*

– On stale czyta, ojcze. – Geoffrey podskoczył na krześle, ale nie zdołał ściągnąć na siebie wzroku ojca. Z rezygnacją odwrócił się na bok. – Zawsze czyta, mamo, same głupie rzeczy, kiedy nie patrzycie.
– A to co? – Ojciec Edmunda odkrył płaską, mocno podrapaną kartę pergaminu, na której widniało kilka wersetów, pokreślonych i pełnych poprawek. Edmund sapnął głośno i spróbował wyrwać mu kartkę, ale ojciec chwycił ją i wstał, posyłając mu gniewne spojrzenie. – Wygląda na to, że nasz chłopak sam też zaczął gryzmolić. – Przebiegł wzrokiem pergamin, udał, że kaszle, i uniósł go, czytając na głos:

Katherine, Katherine, zawsze piękna,
Burza włosów pasa sięga,
Oczu wielbię blask uroczy
I o ustach wciąż śnię w nocy.
Katherine, Katherine, doskonała,
Pełna zalet ducha, ciała.
Rzeknij ze swej wysokości,
Jak być godnym twej miłości?

Edmund poczuł falę gorąca wznoszącą się od szyi aż po czubki uszu. Geoffrey ryknął paskudnym śmiechem, drwiąco kiwając palcami.
– Zostaw to, Harmanie – wtrąciła matka. – To akurat zupełnie normalne.
– Wątpię, czy o tym możesz powiedzieć to samo. – Ojciec podniósł cięższą z dwóch ksiąg i Edmund stracił resztę nadziei. Znaleźli obie jego kryjówki.

Harman Bale otworzył miękką okładkę, nie zwracając uwagi na nowe pęknięcie grzbietu. Przycisnął książkę do blatu i zaczął przerzucać zapisane stronice, gęste fragmenty tekstu, przetykane stronami pełnymi geometrycznych kształtów, rysunków lutni, fletów i skrzypek, otoczonych zapiskami i słowami pieśni. Potem seria numerów i symboli, spis akordów w kręgach, długa lista słów i kolejne fragmenty pisma. Z każdą kolejną stroną na jego twarzy odbijał się coraz większy gniew. Z łoskotem rzucił książkę przed Edmunda.

– Co to takiego?

Edmund zerknął na niego i szybko odwrócił wzrok.

– Nazywa się *Siedem Dróg*.

Harman pochylił się bliżej.

– Siedem dróg do czego?

– To... – Edmund przełknął ślinę. – To kurs przygotowawczy.

– A do czego przygotowuje?

Żołądek Edmunda zacisnął się boleśnie. Chłopak nie odpowiedział.

Ojciec przysunął się jeszcze bliżej.

– Gadaj.

– Do magii – wymamrotał Edmund.

Harman uniósł mniejszą książkę i zamachnął się nią, jakby chciał uderzyć syna w twarz.

– A ta? To samo?

– Tak, ojcze.

Harman wyciągnął rękę i zaczął raz po raz stukać mocno palcem w skroń Edmunda.

– Jakbyś miał dziurę w głowie: wszystko, co mówię, wlatuje jednym uchem, wylatuje drugim. Niedobrze mi od tego.

Edmund siedział bez ruchu, kołysząc się po każdym pchnięciu palca w głowę. Z twarzy Geoffreya zaczął znikać wyraz złośliwego tryumfu.

Ojciec rąbnął drugą książką o blat.

– To koniec, Sarro, napiwki trafiają do mnie, póki nie dorośnie dostatecznie, by na nie zasłużyć.

– Miałeś rację, mój drogi. – Matka Edmunda pokręciła głową. – To wciąż niemądry chłopiec.

– Sama ta książka jest warta prawie markę. – Harman odwrócił się do Edmunda. – Jeśli dowiem się, że ją ukradłeś...

– Zapłaciłem za nią – przerwał mu Edmund. – Kupiłem za własne pieniądze.

– Synu, ten stos musiał cię kosztować każdą monetę, którą zarobiłeś przez ostatni rok! – zawołała Sarra. – Co ty sobie myślałeś? Dlaczego to zrobiłeś?

– Lubię to. Oto, co myślałem.

Harman uniósł groźnie rękę.

– Nie waż się podnosić głosu na matkę!

Edmund wzdrygnął się. Ojciec zaczął przemowę na jeden ze swych ulubionych tematów – mimo strachu Edmund odkrył, że powtarza bezdźwięcznie aż nadto znajome słowa.

– Myślisz, że przeniosłem rodzinę do tej dziury, do tej sennej mieściny pośrodku pustkowia dla własnej wygody? – Ojciec podkreślał słowa, waląc pięścią w „Pieśń o Ingomerze" tak mocno, że Edmund usłyszał, jak pergamin pęka. – Myślisz, że co wieczór znoszę cuchnących pijaków, bo lubię ich towarzystwo? Przeniosłem nas tu, abyś znalazł się w miejscu, które mógłbyś odziedziczyć, miał coś, co przetrwa, a oto, co dostaję w zamian.

– Nie prosiłem, żebyś nas tu przenosił – wymamrotał Edmund.

Jego brat spuścił wzrok – ojciec nigdy nie wspomniał choć słowem, co miałby odziedziczyć Geoffrey.

Harman zabębnił palcami po stole, krzywiąc się na widok nowego dnia, wschodzącego za oknem. Sięgnął po kufel piwa, pociągnął łyk, po czym przygwoździł wzrokiem matkę Edmunda.

– To twoja wina.

– Moja wina? – zaprotestowała Sarra.

– Traktujesz chłopaka jak dziecko, pozwalasz mu robić, co chce. I zobacz, do czego to doprowadziło.

– Ma zaledwie czternaście lat.

– Czternaście to dość dużo, by zaczął zachowywać się jak mężczyzna!

– Cóż, może gdybyś zwracał na synów więcej uwagi, wiedzielibyśmy, czego chcesz!

– Nie zaczynaj, kobieto! Chłopak jest dość duży, by wiedzieć, czego od niego oczekuję! A co on robi? Bazgroli śmieszne symbole po księdze rachunkowej. Bawi się z osieroconym niewolnikiem i z tą wielką krową.

Edmund zacisnął dłonie na brzegu stołu.

– Katherine Marshall to dobra dziewczyna – rzuciła matka Edmunda. – Może trochę wysoka, ale figurę ma. I porządne biodra.

Harman parsknął.

– To tylko chłopczyca, jak większość wysokich dziewcząt – dodała Sarra. – Wyrośnie z tego.

– Cóż, ma przynajmniej spore wiano, więc skoro tak bardzo ją lubi, powinien poprosić o jej rękę – odparował ojciec. – A wiesz, czego do tego trzeba, chłopcze? Wiesz, czego potrzebujesz, by przekonać Johna Marshala, aby oddał ci jedyną córkę? Potrzebujesz dobytku, przyszłości, pieniędzy, które miałeś, nim wyrzuciłeś je w błoto na te bzdury. Spróbuj znaleźć sobie żonę ze stertą pergaminów i zobacz, jak ci pójdzie. Lubisz tego sierotę? W takim razie oszczędź dość, by odkupić go od jego pana. To cię nauczy handlować.

Edmund wstał, zaciskając pięści. Cały dygotał.

– Nie mów tak o moich przyjaciołach.

Harman podniósł się z krzesła; Edmund skulił się, ale cios nie padł. Ojciec zerknął na stół, po czym jednym szybkim ruchem zgarnął wszystkie książki i zwoje i cisnął je w ogień. Równie dobrze mógł wrzucić tam samego Edmunda. Pergamin natychmiast zajął się płomieniem, posyłając w górę kłąb cuchnącego dymu.

– Harmanie! – Sarra zakasłała i zaczęła machać rękami przed twarzą.

Ojciec Edmunda okrążył stół, złapał syna za ucho i powlókł do wiszącego nad dymiącym paleniskiem kociołka z wodą. Pociągnął głowę Edmunda, tak że chłopak ujrzał w wodzie swoje odbicie, oczy łzawiące od dymu z płonących książek.

– Przyjrzyj się – rzucił. – Co widzisz? Czym jesteś?

Edmund spojrzał na odbicie własnej twarzy, a potem na stojącego nad nim ojca. Nosy mieli identyczne, podbródki zupełnie inne. Miał oczy ojca, ale nie jego czoło. Jego własne włosy sterczały naokoło jak kupa żółtego siana, ojca – zaczynały rzednąć, tworząc cienką koronkę na czaszce.

Pofalowany Harman patrzył na niego z wody.

– Czy jesteś szlachcicem?

– Nie, ojcze.

– Jesteś bogaty?

– Nie, ojcze.

– Mieszkasz w mieście z inną bogatą szlachtą?

– Nie, ojcze.

– Czy wyjedziesz, by studiować u wielkiego, wspaniałego maga i całymi dniami wsadzać nos w książki?

W wodę plusnęła łza.

– Nie, ojcze.

– Nie, chłopcze. – Harman puścił szyję syna i odepchnął go od ognia. – Wiesz, czym jesteś? Niewdzięcznym smarkaczem, który nie ma pojęcia, jak mu dobrze. Masz dach nad głową, porządne posiłki i dziedziczny fach, a zachowujesz się, jakby to ci nie wystarczało. Jesteś synem karczmarza. Podajesz piwo. Liczysz baryłki. Gotujesz i serwujesz. Jesteś chłopem i powinieneś pamiętać, że masz się lepiej niż większość.

Edward cofnął się chwiejnie kilka kroków, przyciskając dłoń do obolałego ucha.

Harman zajął miejsce przy stole i wrócił do posiłku.

– Dorośnij – rzucił z ustami pełnymi owsianki. – Nie powtórzę tego więcej.

– Chodź do stołu, Edmundzie – poprosiła matka. –
Zjedz śniadanie.

– Nie jestem dzisiaj głodny, mamo.

Ojciec odwrócił się i popatrzył srogo. Edmund usiadł.

Rozdział 2

Hej, ty tam, chłopcze! Daj no tu więcej piwa! Edmund napełnił do pełna kufel siedzącego przed nim mężczyzny i spojrzał w głąb zadymionej sali. Brudna ręka uniosła się, wzywając go do stołu w najdalszym kącie. Kilka innych podniosło się wraz z nią.

– Sześć piw, byle szybko!

Otarł z czoła krople potu, zajrzał do dzbanka – znów zostały tylko farfocle.

– Zaraz podaję! – zawołał. – Muszę je tylko przynieść!

Nigdy dotąd nie widział podobnego wieczoru. Tawerna trzeszczała i pękała w szwach: ludzie śmiali się i przepychali, wygadując bzdury. Nicky Bird i Horsa Blackcalf grali przy ogniu na flecie i skrzypkach i wyglądało na to, że Wat i Bella Cooperowie mają znów lepsze dni, bo tańczyli i figlowali razem pośrodku sali.

Edmund przecisnął się obok i pospieszył w dół wąskich stopni do piwnicy, wilgotnej nory cuchnącej piwem i pleśnią. Wzdłuż jednej ze ścian stały trzy baryłki, naprzeciwko nich półki, na których czekałyby zapasowe kufle, gdyby wszystkie nie powędrowały już na górę.

– Ta jest już prawie pusta. – Geoffrey schylił się przy kraniku środkowej beczki, patrząc na wąski, powolny strumyk piwa ściekający do dzbana. Zamrugał i potarł ręką opuchnięte oczy.

Edmund przycisnął plecy do chłodnej bielonej ściany. Odetchnął ze znużeniem.

– Gdzie ojciec?

Geoffrey wzruszył ramionami. Z góry dobiegł kolejny krzyk domagający się piwa.

– To przedostatnia beczka – zauważył Edmund. – Jeśli tak dalej pójdzie, wkrótce będziemy musieli odbić ciemne.

– Nikt go nie lubi w upały.

– Sam zobaczysz. Jeżeli opróżnią i tę beczkę, będą tak pijani, że równie dobrze można by im podać deszczówkę.

Geoffrey prychnął i tupiąc głośno, pobiegł na górę, ściskając w obu dłoniach pełniusieńki dzban. Edmund zajął jego miejsce przy kraniku. Poczekał, aż zimne, brązowe piwo wypełni dzbanek, zdmuchnął pianę, a potem pospieszył do głównej sali, nim krzyki stały się zbyt głośne.

– Powiadam wam, wszystkie zniknęły! Kuma, Bessy, Kaczeniec – wszystkie, bez śladu! – Hugh Jocelyn siedział zgarbiony nad kuflem na końcu stołu przy schodach. Zawsze nosił sfatygowaną czapkę wciśniętą głęboko na uszy, zdejmował ją tylko wtedy, gdy wyjątkowo się martwił. – Coś jest nie tak, powiadam wam, coś jest nie tak. – Kiedy się martwił, ściągał czapkę z ogolonej na łyso głowy i raz po raz wykręcał ją w dłoniach.

– Zaglądałeś do chlewika?

Hob Hollows pochylił się bliżej Hugh na ławie, machnął palcami przed twarzą Edmunda i postukał w kufel.

– Oczywiście, że zaglądałem do chlewika! To przecież świnie! – Podniesiony głos Hugh zabrzmiał ochryple i piskliwie. – Sprawdzałem wszędzie, wszędzie! A Kuma wkrótce będzie się prosić, zawsze daje takie dobre, porządne, tłuste prosiaki. Co ja teraz zrobię?

– Na pewno ich nie zarżnąłeś i o tym nie zapomniałeś? Jadłeś może ostatnio boczek? – Hob spuścił wzrok, przekonał się, że kufel wciąż jest pusty, i spojrzał na Edmunda.

Ten przycisnął dzbanek do piersi.

– Kto płaci?

Hob demonstracyjnie sięgnął do pasa. Zerknął na swego brata, Boba, który z głupawym uśmieszkiem wzruszył ramionami.

– Niestety, zostawiliśmy pieniądze w domu – oznajmił Hob. – Ale nie pozwolisz chyba, by zaschło nam w gardłach? A już na pewno nie dzisiaj!

Edmund westchnął i dolał mu piwa.

– Grzeczny chłopak. – Hob klepnął go po ramieniu. – Jutro przyniosę tłustą kurę i wyrównam rachunki.

Edmund spojrzał na umęczoną twarz Hugh i zdecydował, że Hob stawia mu piwo.

– Kiedy zniknęły?

– Och, kilka dni temu – tamten westchnął. – Wypuściłem je, żeby popasły się w lesie, no wiesz, poszukały żołędzi. Kuma uwielbia żołędzie. Pozwalam im pobiegać, a potem same wracają. Kuma zna drogę, mądra z niej maciora. Zawsze wraca do domu. – Zakrył twarz czapką. – A teraz nigdzie nie mogę ich znaleźć. Och, co ja zrobiłem?

Hob mrugnął do Edmunda i lekko popukał się palcem w skroń. Następnie stuknął swym kuflem o kufel brata.

– Zdrowie Kumy! Gdziekolwiek jest!

– Chłopcze! Ty tam! – Krzyk z drugiej strony sali zabrzmiał głośniej. – Prosiłem o piwo!

– Chwileczkę! – Edmund uniósł dzban nad głowę i manewrując wokół tancerzy, przecisnął się dłuższą drogą obok drzwi i przebiegł przed kominkiem, zmierzając do najdalszego stołu. Dokładał wszelkich starań, by nie patrzeć w oczy nikomu, kto sprawiał wrażenie spragnionego. Po drodze jego uszy wychwytywały urywki rozmów:

– ...a tamtejsi ludziska wciąż nie wspinają się wyżej niż na pogórza. Mówią, że dzierzbce wcale się nie wyniosły i...

– Och, po prostu się zamknij. Od trzydziestu lat nie widziano w okolicy dzierzbca ani bolguga, ani innych podobnych stworów, a ty myślisz, że akurat dziś wieczór możesz powtarzać te bajdy...

– ...a następnego dnia po prostu zniknęły. Tak właśnie mówili, zniknęły, całe stado. Ludzie szukali wszędzie, ale nie znaleźli nawet skrawka skóry. Jeśli chcesz znać moje zdanie...

– ...wywiózł cały ładunek z miasta, ukrył w jaskini, odczekał tydzień i przywiózł z powrotem. Sprzedał co do sztuki, po pięć każdy. Cwany był ten nasz Bill...

– ...ale przecież nie mogłem, co nie? Bo widzisz, już byłem żonaty, więc...

– Tego się nie da pić.

Ktoś podsunął Edmundowi pod nos kielich – prawdziwy, porządny kielich zrobiony z cyny czy może nawet srebra. Jego właściciel wyglądał młodziej, niż brzmiał jego głos, miał krótkie, ciemne włosy, dopiero zaczynające siwieć i mocny podbródek ogolony jak u mieszczanina.

– Najgorsze wino, jakiego zdarzyło mi się kosztować! – Nieznajomy wymachiwał kielichem przed twarzą Edmunda. – Najgorsze. To wyjątkowe osiągnięcie, biorąc pod uwagę zaciętą i różnorodną konkurencję. Mam szczerą nadzieję, że piwo okaże się lepsze.

Edmund jedynie gapił się bez słowa. Cały blat stołu nieznajomego pokrywały zwoje, księgi i pergaminy – skarbiec dziesięć razy większy i wolał nawet nie zgadywać, ile razy droższy od skromnego zbioru, jaki tego ranka cisnął w ogień jego ojciec. Stronice księgi, którą trzymał w dłoniach nieznajomy, pokrywało krągłe i wdzięczne eleganckie pismo zdobione inicjałami pełnymi wielokolorowych zawijasów, złoconych prawdziwym złotem. Para oczu zdawała się spoglądać wszędzie, nakreślona niezwykle misternie nad zarysem gwiazdy, na której spoczywało siedmioro ludzi – nie, siedmioro dzieci, każde ułożone w jednym z promieni. Okalały je rzędy symboli, każdy połączony z następnym; żaden nie powtarzał się na całej stronicy. Edmund poznał je dostatecznie dobrze, by odczytać drobny fragment: *Przynieś klingę Temu-Który-Przemawia-Ze-Szczytu-Góry...*

Nieznajomy stanowczym gestem położył dłoń na księdze i posłał Edmundowi kąśliwe spojrzenie. Zabolało zupełnie jak policzek.

– Bardzo przepraszam. – Edmund wziął szybko kielich i wylał wino na słomę. – Po prostu nigdy nie widziałem, by ktoś tu to robił... to znaczy czytał.

– W istocie? Nigdy bym się nie domyślił. – Nieznajomy oblizał palec, by przewrócić stronę, po czym zakasłał. Znów kaszlnął, pochylił się i zwymiotował na kawałek drogiej tkaniny. Pozostawił kartki odsłonięte i Edmund nie zdołał się powstrzymać przed kolejnym zerknięciem. W górnym rogu z mrożącą krew w żyłach zręcznością ktoś naszkicował stwora zrobionego wyłącznie z cierni. Jego pędy owijały się wokół pierwszej litery wykaligrafowanego akapitu: *Tak jak quiggan służy Otchłannemu w mętnej wodzie, a kamieniupór w górskiej...*

Mężczyzna obiema dłońmi zasłonił pismo.

– Powiedziałem, piwa.

Edmund napełnił kielich, jednocześnie czytając symbole wypisane wokół krawędzi kartki: *Wiatr, Grzmot,*

Dziesięć Tysięcy Pór Roku. Przyjrzał się nieznajomemu: nie był stary, ale też nie wyglądał szczególnie zdrowo. Jego skóra przypominała spoczywające na stole pergaminy, pożółkła i połyskująca chorobliwie. Nie starł drobinki krwi na wargach i kolejnej na brodzie.

Edmund odwrócił się, wodząc wzrokiem po siedzących w tawernie sąsiadach i podróżnych. Atak kaszlu nieznajomego zabrzmiał ogłuszająco, jego ubranie kosztowało więcej niż mieli wszyscy zebrani, a jednak nikt nawet na niego nie zerknął.

Nagle uderzyła go myśl.

– Nikt inny pana nie widzi.

Wargi obcego wygięły się w słabym uśmiechu.

– Ależ nie, widzą mnie doskonale. Przewrócił kartkę. – Tyle że mnie nie dostrzegają. Nie mogą o mnie myśleć, nie mogą zapamiętać mojego widoku między jedną chwilą a drugą. Kiedy odejdziesz od tego stołu, ty też zapomnisz.

Wyciągnął rękę, nie patrząc; Edmund podał mu kielich wypełniony po brzegi spienionym piwem.

Z odległego kąta zabrzmiał kolejny donośny krzyk:

– Do wszystkich piorunów, chłopcze, co cię tam zatrzymało?! Piwa, do diaska!

– Tak, tak, już pędzę! Jedną chwilkę!

Odwrócił się i przecisnął między zatłoczonymi ławami, starając się jak najdokładniej odcisnąć w pamięci twarz i głos nieznajomego. Anna Maybell próbowała pociągnąć go do tańca, on jednak odtrącił ją i przepchnął się przez rozgadanych miejscowych do grupy podróżnych kupców w kącie.

– No, nareszcie. – Brudnoręki mężczyzna przesunął po stole pusty kufel.

– Bardzo przepraszam. – Edmund podniósł naczynie i napełnił je piwem. – Straszny dziś ruch.

– Zamówiliśmy też rybę. Myślałem, że ten nadąsany rudzielec poda ją do tego czasu.

Edmund przeczesał wzrokiem tłum.

– Mamo, gdzie jest Geoffrey?

– Musiał zejść do piwnicy. – Matka minęła go z tacą smażonego kurczaka. Gdy odwróciła głowę, jej mysi warkocz zakołysał się jak lina. – Kiedy skończysz, mógłbyś podać Twintreesom?

Edmund sięgnął po następny kufel, mamrocząc pod nosem przekleństwa pod adresem tego leniwego bachora, swego brata. Nagle ogarnęło go ogromne zmęczenie, ziewnięcie, od którego świat na moment poszarzał. Nie pamiętał, od jak dawna był na nogach. Czy tak właśnie czują się starzy ludzie? – pomyślał.

– Takie są plotki, ojcze. – Młody kupiec, który się odezwał, bez wątpienia musiał być synem Brudnych Rąk; był równie tłusty i odziany w równie krzykliwą koszulę. – Powiadają, że lord Tristan nie zjawi się na jarmarku.

– Co? A czemuż to Tristan miałby nie przybyć? – Kobieta siedząca pomiędzy dwoma mężczyznami opróżniła jednym haustem kufel i uniosła go w stronę Edmunda. – Przecież całe to święto odbywa się w dużej mierze na jego cześć?

– Lord Tristan posunął się w latach – oznajmił Brudne Ręce z roztropną miną, kiwając przy tym głową. –

Musi już być po sześćdziesiątce i pewnie chce pożyć w spokoju.

– Ale on żyje, prawda? W takim razie dobre wychowanie nakazuje, by zjawił się na uczcie na swoją cześć. Edmund szybko powiódł wzrokiem po sali. Wieści rozchodziły się wśród gości, psując humory w całej tawernie. Horsa Blackcalf zostawił Nicky'ego Birda samotnie wygrywającego refren skocznej piosenki i zaintonował na skrzypkach tęskną, powolną melodię.

– To dla nas kiepskie perspektywy, ojcze, bez dwóch zdań – oznajmił młodszy kupiec. – Marne dla interesów. Nie będzie Vithrica, a teraz też Tristana.

Kobieta, niemile zaskoczona, popatrzyła po twarzach męża i syna.

– Chcesz powiedzieć, że Vithric też nie przyjdzie?

– Och, nie słyszałaś? – Brudne Ręce zeskrobał łyżką resztki owsianki. – Vithric umarł wiele lat temu.

– Wielka strata – dodał młodszy kupiec. – Najlepszy czarodziej swoich czasów. Niektórzy twierdzą nawet, że wszech czasów.

– Cóż, trochę późno jak na jarmark i mniejsza o rocznicę – powiedziała kobieta. – Zapamiętacie moje słowa: handel pójdzie kiepsko i sporo stracimy na tej wyprawie.

Tłustą twarz Brudnych Rąk rozjaśnił pełen satysfakcji uśmiech.

– I dlatego, moja droga, to ja wybieram nam cele podróży. – Odwrócił się do Edmunda. – Ta wioska, jak się nazywa?

– Moorvale – odparł Edmund.

– Właśnie, Moorvale. Ta mała dziura jest tak blisko Pasa, że założę się, iż ponad połowa ludzi straciła w tych górach brata albo ojca, walczących z Otchłannym przez te wszystkie lata. Piją nie tylko zdrowie Tristana, ale też na cześć swoich zmarłych. A jutro przyniosą każdą monetę, jaką zdołają wyskrobać – i tak, wydadzą je, zamienią byki na kozły, byle tylko uczcić ten dzień. Zapamiętajcie moje słowa – nieważni bohaterowie, przez cały rok tyle nie zarobimy.

– Och, przestań paplać, nie jestem klientką. – Kobieta odwróciła się od niego. – Przejechaliśmy taki kawał drogi, żeby handlować na rocznicowym jarmarku ku czci dwóch starych bohaterów, a tu okazuje się, że jeden z nich od lat nie żyje, a drugi nawet się nie pojawi. Co za głupi pomysł. Nie mam pojęcia, czemu cię posłuchałam.

– Ona może mieć rację, ojcze. – Młodszy kupiec podrapał się po obwisłym podbródku. – Bez Tristana i Vithrica jaki cel ma to święto? To wielcy bohaterowie – jedyni, którzy wrócili.

– Trzech ich wróciło – powiedział Edmund bez zastanowienia. „Nigdy nie poprawiaj gościa", brzmiała jedna z wielu zasad ojca. „Póki płaci, może mówić, że niebo jest zielone".

Brudne Ręce przyjrzał mu się, mrużąc oczy.

– Co to miało znaczyć?

– Proszę wybaczyć, ale trzech wróciło. – Edmund zabrał ostatni kufel ze stołu. – Sześćdziesięciu ludzi pojechało wówczas w góry, ale tylko trzech wróciło. Tristan i Vrithric, i John Marshal.

– Nie słyszałem o tym trzecim. – Brudne Ręce powiedział to tak, jakby fakt, że o czymś nie słyszał, oznaczał, że to nie może być prawda. – Gdzie zatem jest teraz ów John Marshal?

– Mieszka w wiosce, no, na farmie pod wioską. – Edmund nalał z nieco większym impetem, by piwo spieniło się mocniej i ukryło fakt, że zabrakło mu pół kufla. – Jest masztalerzem w stajniach lorda Aelfrica, wychowuje i szkoli bojowe rumaki.

– Hm, no cóż… – Brudne Ręce wzruszył ramionami, patrząc na syna. – To chyba lepsze niż nic.

– Dla was, tutejszych, musi być prawdziwym bohaterem. – Kobieta nie wydawała się aż tak nadęta jak jej towarzysze. – Założę się, że opowiada świetne historie.

Edmund pokręcił głową.

– Wcale nie.

– Przyjaciele! Stawiam kolejkę! – Henry Twintree wstał i rzucił na stół sztukę srebra. – A kiedy będziecie pić, wypijcie za pamięć Vithrica, wielkiego i mądrego, który ongiś ocalił nas wszystkich przed Otchłannym!

Chóralny ryk, który mu odpowiedział, niemal ogłuszył Edmunda. Chłopak rozejrzał się gorączkowo, szukając Geoffreya i mimo wszystko licząc na pomoc, zamiast tego dostrzegł jednak ojca patrzącego gniewnie z drugiej strony sali. Harman Bale oderwał się na moment od wesołej rozmowy ze starszyzną wioski i znacząco machnął głową w stronę piwnicy.

– Wypijcie, przyjaciele i sąsiedzi, za Vithrica, za lorda Tristana i za naszego Johna Marshala! – Oczy

Henry'ego Twintree zalśniły wilgotnym blaskiem; zdawał się kierować swoją przemowę w róg powały. – Ale przede wszystkim wypijcie za tych, którzy oddali wszystko, bo stoicie na ziemi, którą dała wam ich odwaga! Jego sąsiedzi ryknęli na znak zgody. Ze wszystkich stron wzniosły się kufle, lśniąc w blasku ognia. Dziesiątki kufli spragnionych, wyczekujących.

– No idź! – Matka Edmunda szturchnęła go w plecy. – To pół marki!

Zabrała monetę i szybko schowała do fartucha. Edmund zbiegł po schodach piwnicznych i ujrzał pusty dzbanek brata walający się na podłodze. Z przekleństwem kopnął go pod ścianę i podsunął swój dzban pod kranik.

Nim wrócił, na górze rozpoczęły się hałaśliwe, tupiące tańce, jeszcze bardziej utrudniające przedarcie się do stolików przez wirujący gąszcz rąk i nóg. Potrzebował siedmiu chwiejnych, pełnych uników wycieczek do piwnicy, by obsłużyć całą tawernę – wystarczyłoby sześć, gdyby Wat Cooper nie wybrał akurat tej chwili, by zakręcić gwałtownie swoją żoną wprost pod nogi Edmunda. Tym razem nie zdołał uskoczyć – i oczywiście ojciec wszystko widział.

– Czy każdy dostał swoją kolejkę? Macie? W takim razie wypijmy! – Nicky Bird wskoczył na stół. – Podnieście kufle, a żwawo, wypijmy za Tristana i Johna, za Dziesięciu i pięćdziesięciu, za Vithrica!

Edmund przystanął, ogarnięty mdlącym, przelotnym uczuciem, że bardzo chce coś sobie przypomnieć, ale nie może. Rozejrzał się po sali, myśląc, że może przeoczył klienta w kącie. Przez chwilę coś prześlizgnęło mu się przez myśli, pozostawiając jedynie wspomnienie pary oczu patrzących z zimną pogardą. Wzruszył ramionami – bądź zadrżał – a potem wlał spienioną resztkę z dzbana do kufla starego Roberta Winglee, który jak dotąd zdołał przespać cały gwar.

– Za Tristana i Vithirca! – wykrzyknęli wszyscy, nawet Brudne Ręce, i był to najgłośniejszy krzyk, jaki Edmund kiedykolwiek słyszał. – Za Dziesięciu i pięćdziesięciu, mężów, którzy zabili Otchłannego!

Rozdział 3

E dmund leżał na swojej pryczy w pełnym przyodziewku. Odkąd pamiętał, zasypiał do wtóru odległych gromkich rozmów i pijackich śpiewów, i w sumie powinien być tak zmęczony, by przespać tydzień, a przecież nigdy nie czuł się mniej senny i bardziej zniecierpliwiony. Zabijał czas, obserwując wiązki światła przenikające przez wiele szczelin w podłogowych deskach i tańczące na mocno skośnym suficie sypialni. Światła przygasały i znów jaśniały, gdy przed paleniskiem w dole przeszedł kolejny żądny zabawy gość tawerny. Wciąż świętowali, dawno minęła pora, kiedy to ojciec zwykle wyrzucał miejscowych i zakręcał kraniki na noc. Teraz Horsa Blackcalf grał zawzięcie frywolną pijacką piosenkę, a wieśniacy i podróżni, bełkocząc i wykrzykując, odśpiewywali refren, tłukąc kuflami o blaty mniej więcej do rytmu. Edmund słyszał, jak ojciec krąży po sali, nadając ton swym melodyjnym, mocnym barytonem. Przystawał tylko, by zachęcić gości do głośniejszego śpiewu, większej radości i przede wszystkim dalszego kupowania piwa.

Na sąsiednim sienniku coś zaszeleściło, Edmund zamknął oczy i wypuścił powietrze przez nos, oddychając głęboko jak pogrążony we śnie.

– Edmundzie? Edmundzie! – Geoffrey nachylił się nad szczeliną między ich łóżkami, jego oddech cuchnął cebulą, której Edmund unikał podczas kolacji. – Dlaczego jesteś ubrany?

Horsa zakończył piosenkę nierównym akordem, po którym zabrzmiały rubaszne wiwaty i głuchy brzęk monet wrzucanych do kapelusza. Edmund rozkoszował się znajomym, radosnym napięciem w brzuchu; raz po raz odtwarzał w głowie słowa, które tak często ćwiczył.

Geoffrey złapał go za ramię.

– Wiem, że nie śpisz!

– Puszczaj! – Edmund odtrącił ręką brata i wstał.

Geoffrey ruszył za nim do okna.

– Dokąd idziesz?

Edmund otworzył okiennice, do środka wpadły ukośne promienie księżyca. Nic nie poruszało się wśród cieni w dole. Odwrócił się od okna i otworzył stojącą u stóp łóżka skrzynię.

Geoffrey skrzyżował ręce na piersi obleczonej w odziedziczoną po bracie nocną koszulę.

– Powiem mamie.

Edmund posłał bratu miażdżąco wzgardliwe spojrzenie. Wyciągnął pasek, upuścił i pomacał w poszukiwaniu drugiego.

– Powiem ojcu!

– Przemyśl to jeszcze. – Edmund zapiął pas wokół talii. – Słyszałem, że masz teraz nawet przyjaciół – Milesa Twintree, Emmę Russet i tego dzieciaka zza rzeki, jak mu tam.

– Mam mnóstwo przyjaciół, więcej niż ty!

Edmund przysunął do okna miskę z wodą.

– Mieszkamy w jednym pokoju. Jest tak od czasu, gdy przeprowadziliśmy się tu cztery lata temu, i pozostaniemy w nim, póki jeden z nas nie ucieknie albo ojciec nie umrze. Muszę mówić dalej?

Obejrzał swoje falujące odbicie w blasku księżyca i spróbował przygładzić kilka sterczących kosmyków włosów. Ludziska na dole bawili się dalej, jakby była to ostatnia noc ich życia.

– Zatem myślę, że się rozumiemy. – Edmund poczochrał włosy brata. – Prawda?

Geoffrey odtrącił jego rękę.

– Czekasz na tę dziewczynę?

– Nie. – Edmund poprawił buty. – Jaką dziewczynę?

– No wiesz, tę wielką.

– Nie jest wcale wielka! – Edmund opanował się, nim jego głos zabrzmiał zbyt donośnie. – Jest po prostu wysoka.

– O głowę wyższa od ciebie! Mogłaby cię podnieść i rzucić jak worek jabłek. – Geoffrey wysunął zaczepnie brodę. – Ojciec ma rację, to krowa!

– Kto jest krową?

Edmund podskoczył. Znad parapetu obok niego wyłoniła się głowa. Oczy Katherine miały barwę tak ciemnego brązu, że w blasku księżyca przypominały studnię bez dna roziskrzoną wesołością.

– Dobry wieczór. – Oparła ręce na drewnianym parapecie, jakby miała dwanaście stóp wzrostu i po prostu przechodziła koło okna. – Piękną mamy pogodę.

Wszystkie gładkie, mądre zdania, których wyuczył się Edmund, po prostu wyparowały mu z głowy.

Geoffrey zmarszczył piegowatą twarz.

– Jak tu wlazłaś?

– Hej, to boli! – Z podwórka w dole dobiegł ich łagodny głos chłopaka. – Nie wiem, jak długo cię utrzymam.

– Przepraszam, Tom. – Katherine zniknęła z okna.

Edmund wychylił się i ujrzał, jak dziewczyna zeskakuje z chudych ramion chłopaka, lądując w stogu siana obok pustych beczek i z radosnym okrzykiem zjeżdża na podwórko. Psy Wata Coopera w sąsiedniej zagrodzie rozszczekały się gwałtownie, ale one szczekały w zasadzie na wszystko.

– To Tom? – Geoffrey przecisnął się obok Edmunda. – Oho, nie wolno mu wychodzić!

Tom z powrotem wcisnął się w cienie pod spichlerzem. Edmund westchnął cicho. Chciałby, żeby choć raz, kiedy poprosi Katherine, aby wykradła się w nocy, poszła wyłącznie z nim – jeden jedyny raz.

– Jeśli pan Toma go przyłapie, z pewnością każe go wychłostać – oznajmił Geoffrey. – Emma Russet mówi, że jego pan cały czas go chłoszcze!

Edmund złapał brata za koszulę.

– A jeśli go przyłapią, będziemy wiedzieć, kto wygadał, prawda?

Geoffrey wyrwał mu się i wychylił przez okno.

– Hej, Katherine? Katherine!

– Tak, Geoffreyu, witaj! – Katherine uderzeniami dłoni strząsała kawałki plew z płaszcza. – Edmundzie, schodzisz?

– Katherine, widziałem, co Edmund o tobie napisał! – Geoffrey wychylił się. – Pisał...

– Ty mała żmijo! – Edmund szarpnięciem oderwał brata od okna. Geoffrey wyswobodził się z jego uchwytu i chichocząc, pomknął w głąb pokoju.

– Napisał wiersz! – zawołał niebezpiecznie głośno, niemal tak donośnie jak śpiewający w tawernie na dole goście. – Pisał, że masz włosy jak...

– Zamknij gębę! Zamknij gębę! – Edmund chwycił brata za kołnierz, cisnął nim mocno na łóżko i uniósł pięść.

Geoffrey wykrzywił się drwiąco.

– No dalej. Będę krzyczał.

– Edmundzie? Powiedz Geoffreyowi, że widziałam, jak dziś wieczór bawił się nad strumieniem z Milesem Twintree i Peterem Overbournem. – Katherine mówiła dość głośno, by usłyszał ją w tym hałasie. – Uznałam, że to trochę dziwne, skoro mieliście taki ruch w tawernie. Mój papa też to widział i pomyślał to samo.

Twarz Geoffreya wykrzywił grymas świadczący o niewątpliwej winie.

Edmund uśmiechnął się, wypuścił koszulę brata i pociągnął go za nos.

– Śpij smacznie, mała żmijko. – Przełożył nogę przez parapet i zawisł, celując w siano.

Geoffrey usiadł na łóżku.

– Czemu ja też nie mogę pójść?

Edmund udał, że nie słyszy; przesunął się, próbując ustawić się tak, by wylądować w miękkim środku stogu.

– Skacz! – Katherine pomachała mu z uśmiechem.

– To niewysoko.

Edmund puścił się parapetu i natychmiast zorientował się, że nie trafił. Wylądował jedną stopą twardo na ciasno zwiniętej beli słomy, potknął się i poleciał naprzód przez podwórko, lądując u stóp Katherine.

– Ups! – Dziewczyna pochyliła się nad nim. – Nic ci nie jest?

Jej długie włosy opadły mu na twarz – pachniały jabłkami i przyprawami. Pragnął leżeć tak całą wieczność.

– No proszę! – Złapała go za rękę i podniosła szarpnięciem. W wysokie buty wsunęła bryczesy, narzuciła koszulę skrojoną jak dla mężczyzny, lecz haftowaną przy kołnierzu w róże. – Chodź, ruszajmy, zanim nas złapią. Tom?

– Jestem. – Chłopak wyłonił się z cienia. Był wyższy od Katherine, o pół głowy przerastał większość dorosłych mężczyzn. O ile jednak Katherine, mimo wzrostu, poruszała się z gracją i wdziękiem, Tom przypominał chuderlawą tyczkę. Czasami, zwłaszcza w słabym świetle, wyglądali niemal jak brat i siostra, ale złudzenie pryskało, gdy tylko poruszyli się bądź odezwali. Katherine zawsze przewodziła, a Tom posłusznie podążał za nią, trzymając się jej niczym rzep psiego ogona. Katherine przez chwilę nasłuchiwała na rogu gospody, potem pokręciła głową i wskazała ręką na północ. Przekradała się przed swymi przyjaciółmi, prowadząc ich między wysokimi zabudowaniami psiarni Wata i zaniedbanym ogrodem Knocky'ego Turnera, a potem między domkami, na skraj placu. Wychyliła się, żeby wyjrzeć, i uniosła kciuk.

– Czysto.

Edmund podreptał za nią na plac, który tak naprawdę stanowił jedynie niewielkie rozszerzenie zachodniego gościńca w miejscu, gdzie łączył się z drogami do Dorham i Longsettle. Pomiędzy pozostawionymi przez koła wozów głębokimi koleinami stał posąg jakiegoś starego rycerza, spoglądający ponad mostem na wschód, ku ciemnym, pustym wrzosowiskom. Nikt nie wiedział, kto to i czy ów ktoś unosił miecz w geście pozdrowienia, czy też groźby, bo dawno już stracił głowę i prawą rękę.

Katherine powiodła ich łukiem za posąg, skradając się pod cisami strzegącymi pysznych i cichych wrót wioskowego domu spotkań. Edmund obejrzał się w głąb gościńca wiodącego z Longsettle. W słabym świetle dostrzegł gospodę i niewyraźne sylwetki ludzi stojących na schodach. Nicky Bird wyraźnie opowiadał właśnie jedną ze swych długaśnych historii i nikt nie zwrócił uwagi na trójkę przyjaciół, póki bezpiecznie nie znikęli w ciemności.

Tom miał na sobie obszarpaną tunikę skrojoną na mężczyznę jego wzrostu, ale dwakroć większej wagi, przez co przypominał biegnącego stracha na wróble. Choć wyglądał absurdalnie, poruszał się wyćwiczonym, oszczędnym krokiem kogoś, kto stale podróżuje pieszo, i od czasu do czasu Edmund musiał puszczać się biegiem, by nie stracić go z oczu. Tupot ich stóp niósł się nieprzyjemnie daleko po pustych polach dokoła, lecz zostawili już za sobą wieś i nikt nie mógł ich zobaczyć.

– No dobra, Tom, nie będziemy biegli całą drogę. – Katherine zwolniła, zrównując się z Edmundem. Obdarzyła go uśmiechem, od którego serce chłopaka zabiło szaleńczo. – Dlaczego wymykanie się jest takie fajne?

Edmund spojrzał w gwiazdy. Kilka ciężkich chmur przesunęło się przed tarczą księżyca, wiatr był dość zimny, by wywołać gęsią skórkę. Chłopak miał niezrozumiałe przeczucie, że cuda nagle stały się możliwe.

– Twój ojciec musi się cieszyć na jutro. – Wyćwiczył z dziesięć różnych sposobów zagadnięcia Katherine i to uznał za najlepsze.

– Papa? Nie, nie cierpi tego zamieszania. Gdyby nie ja, wątpię, czy w ogóle by poszedł, choć przypuszczam, że lord Aelfric pewnie by mu kazał. – Katherine zatrzymała się, patrząc przed siebie, a potem na południe, poza linię drzew rosnących wzdłuż gościńca. – Tom?

– Tutaj. – Głos dobiegł zza pierwszych kilku pni. – To skrót.

Katherine zaczęła macać stopą przed sobą i zbiegła z drogi, Edmund maszerował tuż za nią, wciągając w płuca jej zapach; błogosławił ciemność pozwalającą mu trzymać się tak blisko. Całkiem nieźle widział własne ręce i od czasu do czasu ruchy Katherine, ale wszystko inne pochłonęły sugestywne cienie. Ich ubrania szeleściły i łopotały, gdy parli naprzód w mrok zbocza Wzgórza Życzeń.

– Ale planujecie pójść na wszystkie uroczystości? Pytam, bo, no wiesz, słyszałem, że potem odbędzie się uczta i potańcówka... – Edmund nie zdołał złapać gałęzi, którą wcześniej odgięła Katherine. Nadludzkim wysiłkiem powstrzymał jęk i tylko syknął boleśnie.

To nie była najkrótsza droga. Katherine przecisnęła się na ścieżkę wiodącą na szczyt wzgórza, zrównała się z przyjacielem, po czym błyskawicznie skoczyła naprzód i popędziła dróżką.

– Ścigamy się na górę?

Tom odprowadził ją wzrokiem, po czym odwrócił się do Edmunda.

– Nie chcesz mnie tutaj.

– Nieprawda. – Edmund starał się skłamać, ale przyjaciel spojrzał na niego przenikliwie i wzruszył ramionami.

– Jeśli wolisz, możesz iść przodem – zaproponował Tom.

– Uwierzyłaby, że cię prześcignąłem, tylko gdybyś złamał nogę.

Tom przytaknął i nagle jakby zniknął w ciemności – poruszał się tak szybko i cicho.

Edmund zebrał się w sobie i popędził naprzód najszybciej, jak umiał, zdecydowany zająć przynajmniej trzecie miejsce, godne, choć przecież ostatnie.

Ziemię na północnym zboczu wzgórza ułożono ongiś w ostro falujące wały, zmuszające każdego, kto wspinał się na górę, do ciągłego skręcania. Z czasem wały zapadły się, tworząc łagodne, sięgające pasa wzniesienia, porośnięte gąszczem świerków i klonów. Pozostała wśród nich niewyraźna ścieżka, zatarasowana gdzieniegdzie zwalonymi pniami. Pokonując kolejne zakola, Edmund coraz wyraźniej dostrzegał ruiny starej twierdzy na szczycie, najpierw najwyższą wieżę, potem zębaty mur. Tom stał na skale na skraju polany i spoglądał na dolinę.

– Przyjdziecie tutaj? – Głos Katherine dobiegał ze szczerby w murze, w której niegdyś stała strażnica.

Twarz Toma przybrała dziwny wyraz, oczy miał nieobecne. Zdarzało mu się to dość często, a większość ludzi uważała to za dowód, że ma nie po kolei w głowie.

– Tylko patrzę na drzewa.

– Możesz na nie patrzeć, kiedy zechcesz.

Edmund przecisnął się obok Toma, wspinając się na sięgającą pasa stertę kamieni zagradzającą wejście. Znalazł Katherine na dziedzińcu – siedziała na wysokim, ciemnym kamieniu stojącym pośrodku na samym szczycie Wzgórza Życzeń.

– Uwielbiam to miejsce. – Dziewczyna pomajtała nogami, uderzając piętami w kamień.

– Ja także. – Edmund zeskoczył na twardy grunt. Dziedziniec za zniszczoną bramą był niemal pusty, tkwił zbyt głęboko w cieniu muru, by cokolwiek na nim rosło. – Wygrałaś?

– Wyścig? – Zaśmiała się melodyjnie, księżyc oświetlał ją, połyskując srebrzyście na długich, rozpuszczonych włosach. – No chodź, Tom! – Katherine zeskoczyła z kamienia, odwróciła się i położyła na nim dłoń.

– Pomyśl życzenie.

– Nie potrzebuję kamienia, żeby je pomyśleć – odparł Tom gdzieś zza muru.

– No dobra. – Katherine zerknęła na Edmunda. – Ale ty to zrobisz?

– Jasne. – Edmund położył dłoń na zimnym, błękitnoszarym głazie, tak starym, że cokolwiek na nim wyrzeźbiono, już zwietrzało, pozostawiając jedynie zarysy sylwetek. Edmundowi zawsze się jednak zdawało, że dostrzega kształty kilku najstarszych i najdziwniejszych znanych sobie symboli.

– Dziś rano ojciec spalił wszystkie moje książki – powiedział szybko i zaklął w duchu. Ostatnią rzeczą, jakiej pragnął, było wyjść na mięczaka przed dziewczyną trenującą rumaki bojowe. Jeszcze uzna go za cherlaka, którego obchodzą wyłącznie książki – i w tym momencie ból po karze ojca zniknął bez śladu.

– Och, Edmundzie, to okropne! Chciałabym, żeby cię rozumiał. Och, nie! – Katherine puściła kamień. – Właśnie wypowiedziałam życzenie!

– Mnie wciąż zostało.

– No, dalej.

Edmund zamknął oczy, uznał, że nieuczciwie byłoby powiedzieć na głos to, czego sobie życzył.

– I mam nadzieję, że ci się spełni. – Katherine cofnęła się od kamienia, patrząc na najbliższą wieżę. – Zapomniałam... Zamierzałam tym razem przynieść linę. Chciałabym się tam kiedyś wspiąć.

Edmund odetchnął głęboko. Uniósł ramiona i wyprostował się na całą swą wysokość.

– Katherine... – Głos załamał mu się w pisku.

– Ale będziemy musieli uważać. Tak właśnie zyskał sobie swój przydomek Nicky Bird*, kiedy był w naszym wieku. Mówią, że to cud, że przetrwał upadek. – Katherine podniosła zwietrzały odłamek muru, podrzuciła go w dłoni, a potem uniosła rękę i posłała go w przestrzeń długim, wysokim łukiem. Kamień uderzył o resztki umocnień, a jego trzask odbił się echem od murów.

– Co do jutrzejszej uczty po jarmarku... – Edmund zdołał zapanować nad głosem. – Ponieważ ojciec zasiada teraz w radzie wioski, został zaproszony – więc i ja mogę pójść.

– Och, świetnie! – Katherine pogrzebała w trawie i podniosła kolejny kamień. – Bałam się, że się tam zanudzę.

– I jest też potańcówka.

– Wiesz, że powinniśmy się wystroić. – Katherine wycelowała w najwyższą wieżę.

Edmund podszedł do niej, zerknął szybko na Kamień Życzeń.

– No i tak sobie pomyślałem, że skoro już tam będziemy...

---

* Bird po angielsku znaczy ptak. (przyp. red.)

Katherine uważnie oceniła cel i rzuciła, trafiając w wieżę kilka stóp od wierzchołka.

– Ha! Naprawdę blisko. – Sięgnęła po następny. – Celuję w okienko łucznika, chcesz spróbować?

– Skoro już tam będziemy... – Edmund wykręcił dłonie, po czym pospiesznie schował je za plecami. – Gdybyś zechciała uczynić mi zaszczyt... Wielki zaszczyt i pozwolić się poprosić...

– Katherine! – Głos Toma zagłuszył słowa Edmunda. Tom nigdy aż tak głośno nie mówił, teraz niemal krzyczał i w jego głosie dźwięczała nuta strachu. – Edmundzie, proszę, chodźcie tutaj! Pospieszcie się, proszę!

– O co chodzi? – Katherine odwróciła się, by pomknąć ku wejściu. Zdołała już pokonać stertę kamieni i zniknąć, nim dodała: – Tom, gdzie jesteś?

Edmund zacisnął pięści – przez moment zapragnął zepchnąć Toma w przepaść. Pospieszył za Katherine, gramoląc się na kamienie, ale po drugiej stronie nie znalazł żadnego ze swoich przyjaciół, chociaż szukał ich, zagubiony. Ścieżka zaczynała opadać, nim ktokolwiek z jego domu mógł ją dostrzec, i dlatego zdecydował się tu przyjść. Dolina zalana była srebrnym blaskiem bijącym od szerokiego koryta rzeki Tander, ale o tej porze miejsce to wydawało się całkowicie wyludnione, nie było widać żadnego światełka, nie dochodził żaden dźwięk.

Rzeka skręcała tuż przed wioską, spływając z zachodnich, wyniosłych, odległych szczytów Pasa na leniwsze południowe równiny; prawie, choć nie do końca, dało się po niej pływać łodzią. Na wschodzie księżyc oświetlał tron z chmur nad płaskim pustkowiem wrzosowiska. Na północy, za ostatnimi polami, tuż przy horyzoncie świat okalała puszcza Dorwood. Jej widok zawsze budził u Edmunda pragnienie, by spakować zapasy, ruszyć naprzód i przekonać się, co leży poza granicami znanego mu świata – w tym momencie jednak poczuł się odsłonięty niczym niemądra myszka pokazująca się sowom. Wietrzyk wiał silniej, niósł z sobą ziąb.

– Tutaj! – Głos Katherine dobiegł z okolic muru. – Masz może nóż?

– Po co? – Edmund dobył noża zza pasa. Zaczął wymacywać sobie drogę w niemal nieprzeniknionej ciemności, idąc ocienionym pasem ziemi między murem i gałęziami najbliższych drzew. Znalazł przyjaciół przykucniętych przy zwalonej ruinie północno-wschodniej wieży, nad stertą czegoś niemal białego.

– Kości. – Katherine podniosła jedną nich. – Świńskie kości.

Edmund ukląkł u jej boku.

– Nie dzika?

Tom pokręcił głową.

– Świń.

– Czyli martwa świnia. – Edmund wzruszył ramionami. – Od dawna martwa świnia.

– Świnie, było ich trzy. I prosięta, jeszcze nienarodzone.

Tom wsunął mu do ręki kość.

– Pomacaj.

Edmund przesunął kciukiem po jej powierzchni.

– O co chodzi?

– Jest tłusta, nie sucha – wyjaśnił Tom. – Ta świnia jeszcze wczoraj żyła.

Edmund uważniej przyjrzał się kościanemu kopczykowi. Nawet w słabym świetle kości miały żółtawy odcień świeżo zabitego zwierzęcia – ale nie pozostał na nich nawet skrawek mięsa.

– Kuma – oznajmił. – Bessy i Kaczeniec.

Katherine popatrzyła na niego.

– Świnie Hugh Jocelyna?

– Szukał ich, mówił, że zginęły. – Edmund zacisnął dłoń na rękojeści noża i rozejrzał się dookoła. – Musiały to zrobić wilki!

– To nie wilki – zaprzeczył Tom. – Te ślady zębów są za duże jak na wilki, a poza tym wilki nie usypują z kości stosu po posiłku, lubią rozwłóczyć kawałki dookoła.

Resztki podniecenia opuściły Edmunda, zastąpił je szczery, mocny strach.

– Co ty mówisz?

– Spójrz na to. – Katherine uniosła czaszkę. – Jest rozłupana na pół i wybrano z niej mózg. To ślady rąbania – siekierą bądź mieczem.

– Ktoś strzaskał każdą kość, żeby dostać się do szpiku. – Tom upuścił trzymane w rękach szczątki. – Zmiażdżył prosięta na kawałki.

Edmund głośno przełknął ślinę, przyjaciele sprawiali wrażenie tak przerażonych, jak i on sam.

Katherine wstała pierwsza.

– Powinniśmy już iść.

Rozdział 4

Wejrzyj w płomień.
Edmund patrzył. Próbował. Świeca przed nim migotała, płomyk pryskał i podskakiwał, niemal niewidoczny w blasku słońca wpadającego przez otwarte okno pokoju. *Wejrzyj w płomień.* W jakiś sposób musiał ujrzeć płomień i go zrozumieć. Czarodziej potrafił, jedynie patrząc dokładnie, pojąć, co robi płomień, jak porusza się w każdej chwili. Prawdziwy czarodziej umiał zażądać, by się zmienił, a płomień go słuchał.

Usilnie starał się sobie przypomnieć, czego uczyły go książki:

Ogień to prawa strona Koła Substancji. Kolor ma czerwony, jest zarówno suchy, jak i gorący. W swej prawdziwej postaci jest całkowicie czerwony, całkowicie suchy i gorący – jedynie w zagubionym i zmęt-

niałym świecie, w którym żyjemy, daje się postrzec jako niedoskonały. *Nie postrzegaj płomienia przed tobą. Zobacz Ogień.*
– Zobacz Ogień. Zobacz Ogień. – Edmund wbijał wzrok w świecę tak mocno, że rozbolały go oczy. – Zobacz Ogień i zobacz Światło. Ogień czyni Światło, ale nim nie jest.

Chybotliwe schody za drzwiami sypialni zaskrzypiały, Edmund mimowolnie rejestrował w myślach rozbrzmiewające i cichnące dźwięki.

Kolejno powracały do niego fragmenty następnej lekcji, coś, co odczytał na ostatnich stronicach „Siedmiu Dróg": *Światło w swej prawdziwej postaci to wyłom w ciemności. Jest jak skaza w doskonałym planie tyrana. To nadzieja wnikająca wraz z ostatnim oddechem umierającego. To dźwięk, harmonia. Kiedy pragniesz przywołać Światło, nie patrz na to, co widzą oczy. Ujrzyj Światło, Znak wieńczący Koło Esencji.*

Chwileczkę – może zadziałało. Płomień zdawał się poruszać, tak jak odgadywał Edmund. Uniósł prawą dłoń w znaku Ognia, lewą w znaku Światła.

Schody znów niepokojąco zaskrzypiały, Edmund zerknął w bok.

Nie! Znów się skupił. Miał to – już prawie miał! Czuł, jak jego umysł porusza się w rytm tańca płomienia. Tym razem musiał tego dokonać – porządne łojowe świece kosztowały całego pensa za funt i nie mógł wykraść z piwnicy zbyt wielu, zanim ojciec się zorientuje.

Jeszcze jeden znak: *Przyspieszenie. Pierwsze kopnięcie dziecka w łonie matki. Zaskoczenie radością.*

Świat przepływa obok w nieustannym pędzie – przyspieszenie, prawy znak Koła Zmiany.

Prawie już miał! Był pewien – teraz potrzebował tylko słów. Słowa wszystko przypieczętują, dadzą mu władzę.

– Ogień to szybkość. Ogień... – Edmund zastanowił się. – Ogień wewnątrz sprawia...

Do pokoju wsunęła się ręka. Edmund dostrzegł ją kątem oka, nie zdołał się powstrzymać.

Dłoń chwyciła jego łuk ze ściany, a potem kołczan pełen strzał.

Zerwał się z miejsca.

– Hej! – Zgasił świecę i wybiegł z sypialni, przeskakując po trzy stopnie. – Dokąd się z tym wybierasz?

Geoffrey dotarł już do frontowych drzwi gospody. Skrzywił się wyzywająco, wyciągnął rękę, by uchylić drzwi.

– To moje! – Edmund wiedział, że nie ma po co stać i krzyczeć; ruszył szybko przez salę. – Oddawaj.

– Strzelam lepiej od ciebie! – Geoffrey unosił przed sobą pozbawiony cięciwy łuk Edmunda niczym miecz, na plecach miał jego kołczan. – Jesteś marnym łucznikiem, nawet nie ćwiczysz. Dlaczego ty miałbyś go mieć?

– Bo ty jesteś jeszcze dzieckiem. – Edmund zbliżył się na odległość skoku. – Chcesz mieć własny łuk, to go sobie kup, jak będziesz starszy.

Geoffrey pogroził mu giętkim drzewcem.

– Ty go nie kupiłeś! Ojciec ci dał!

– Co znaczy, że jest mój, więc oddawaj.

- Wszystko ci daje. - Geoffrey rzucił łuk i kołczan do stóp Edmunda, a potem pchnął drzwi i tupiąc gniewnie, wymaszerował na zewnątrz.

Ostre, białe promienie słońca wpadły do środka tawerny.

- Zamknij je, dobra? - Wat Cooper uniósł rękę, by osłonić oczy. Siedział przy ogniu z Hobem Hollowsem, stopy wsparli na ławach, w rękach trzymali kufle.

Edmund szarpnięciem zamknął drzwi, odgradzając się od radosnego gwaru i tupotu stóp na gościńcu do Longsettle. Schylił się, by pozbierać do kołczana rozsypane strzały, położył je na najlepszym stole. Przez chwilę wahał się, czy jeszcze raz nie wypróbować zaklęcia, ale potem zmienił zdanie i sięgnął po swoje najlepsze buty, stojące przy drzwiach, te, o które tak zawzięcie targował się z kupcem. Nade wszystko nie chciał, by Katherine na niego czekała.

- Ogień przygasa. - Hob machnął ręką, wskazując palenisko. - Przynieś nam trochę drew, chłopcze.

Edmund uniósł pokrywkę garnka wiszącego nad paleniskiem, w nos uderzyła go woń czosnku i cebuli.

- Mamo! - krzyknął, kierując się w stronę zamkniętych drzwi kuchni. - Wychodzę wcześniej.

- Edmundzie, wymłóciłeś chmiel? - dobiegł go dochodzący z głębi domu głos matki. - Ojciec powiedział, że zanim wyjdziesz, musisz to zrobić.

- Geoffrey nic nie zrobił, a już go nie ma!

Sięgnął po zapasową miskę i nabrał z kotła kilka łyżek krupniku. Nowe buty piły w palcach, boleśnie ciasne, ale najwyraźniej taka panowała moda.

– Nie możesz zostawić tak chmielu, Edmundzie! – zaprotestowała matka pośród szczękania garnków. – Wymłóć go albo kiedy wrócisz, ojciec wymłóci ci skórę! – Już dobrze, dobrze. – Edmund zjadł, stojąc przy palenisku, przełykając zupę najszybciej, jak się dało. Trącił stopą skrawek zwęglonej skóry – oprawę jednej ze swych książek. Wypadła z paleniska wraz z oddartym, przypalonym narożnikiem jednej stronicy. Hob Hollows odtrącił go na bok i sięgnął po chochlę.

– I co, Edmundzie! – Nabrał sobie hojną porcję krupniku. – Wybierasz się na dzisiejszy turniej łuczniczy?

Edmund zmierzył go wzrokiem.

– Może i tak.

Hob popatrzył na Wata, obaj ryknęli pijackim śmiechem.

Edmund przeżuwał gumiasty jęczmień, wycelował w Hoba łyżką.

– Zapłacisz za to?

Hob nabrał jeszcze jedną łyżkę, wsunął do ust i beknął.

– Nie martw się, chłopcze, nie ma sprawy. – Z powrotem zajął miejsce przy ogniu. – Jutro przyniosę porządną kurkę i wszystko spłacę.

– To samo mówiłeś wczoraj.

– Naprawdę?

– Edmundzie! – Głos matki zabrzmiał donośniej i bliżej, wśród brzęku naczyń szykowanych do umycia. – Słyszałeś mnie?

Edmund dojadł śniadanie i sięgnął po łuk i kołczan.

– Tak, mamo!

– Młócka, Edmundzie. Załatw to, zanim ojciec wróci, bo jeśli cię złapie...

– Już idę!

Nie czekał, by usłyszeć więcej; pchnął szybko drzwi i wyskoczył na słońce. Niemal wszyscy zmierzali na południe, odziani w odświętne stroje. Edmund jednak skręcił na północ, przecinając plac. Niski, kędzierzawy Nicky Bird rozsiadł się wygodnie na schodach domu spotkań. O jeden z cisów opierał się Martin Upfield – kuzyn Katherine ze strony matki, potężny mężczyzna o wielkiej, krzaczastej brodzie, niemal dwa razy wyższy od Nicky'ego.

– Nie, siedzi tylko i ściska rękami głowę. – Nicky niespiesznie strugał patyk. – Nie da się mu pomóc.

Martin spojrzał ponad dachem Baldwina Taylora w stronę odległego wierzchołka Wzgórza Życzeń.

– No to kto je znalazł?

– Twoja kuzynka Katherine. Mówi, że dziś rano przejeżdżała jednego z koni i... Edmund! Słyszałeś o świniach?

– Nie. – Edmund szedł dalej; wolał się nie zatrzymywać, by przypadkiem nie zdradzić, jak wiele wie. Dzień zapowiadał się pięknie jak na tak późną porę roku i nie zamierzał tracić ani chwili.

Po przejściu pół mili gościńcem do Dorham zaczął naprawdę szczerze żałować wyboru butów. Jakiś czas biegł, potem truchtał, w końcu szedł. Na północ od wioski ciągnęły się wzgórza, równe rzędy plonów opadały ku rzece na wschód, a pastwiska sięgały na zachód aż do podnóży Pasa. Wieś była w trakcie żniw: połowa pól zamieniła się w rżyska, lecz na pozostałych wciąż czekały plony – kolejne akry pszenicy, owsa i jęczmienia zmieszane z długimi rzędami fasoli i rzepy. Jutro wszyscy wrócą do harówki, najpierw na polach lorda, a potem na własnych, ze wszystkich sił będą starali się zebrać, związać i wymłócić dość, by starczyło aż do wiosny. Świadomość ta dodawała temu dniowi jeszcze większego uroku – z czystej, niemądrej radości Edmund nałożył i wypuścił strzałę. Świsnęła, obracając się na wietrze i wylądowała bokiem na pastwisku. Pobliskie bydło posłało mu niechętne spojrzenie, a potem znów zaczęło skubać trawę.

Edmund maszerował wewnętrznym skrajem drogi między dwoma pagórkami, na których pasły się krowy. Oba wzniesienia wieńczyły korony dębów lśniących szkarłatem w ostatnich dniach przed nastaniem pory zimowego spoczynku. Tuż za nimi chłopak dostrzegł jakiś ruch – Katherine pędziła po pastwisku w pełnym galopie na grzbiecie ciemnoszarego konia. Włosy frunęły za nią, miały niemal ten sam odcień co końska grzywa i ogon – potrójny proporzec najlepiej świadczący o szybkości, z jaką mknęli. W zgięciu ręki ściskała kopię – opuściła ją jednym płynnym ruchem, celując w stojący na końcu pastwiska przedmiot w kształcie krzyża. Z jednego ramienia krzyża zwisał obciążony worek, do drugiego przykręcono okrągłą tarczę z czerwoną kropką namalowaną pośrodku. Katherine uniosła się w siodle, uginając nogi w strzemionach, i trafiła w sam środek celu, odtrącając na bok ciężar, który śmignął jej nad pochyloną głową, gdy przemykała obok.

Koń pierwszy zobaczył Edmunda, zastrzygł uszami i parsknął, uderzając wielkim kopytem o trawę. Katherine podniosła wolną rękę.

– Edmundzie! Wybacz, chyba się spóźniłam. – Podciągnęła wodze i podjechała do poprzeczki.

Edmund obejrzał się na krzyż, wciąż wirujący po zderzeniu.

– Co się dzieje, kiedy chybisz?

– Nie mam zwyczaju chybiać. – Podała mu kopię, rękojeścią naprzód. – Pamiętasz Indygo, prawda?

Potężne boki ogiera unosiły się i opadały, mokra od potu grzywa oblepiała muskularną szyję. W pełnym słońcu końska sierść połyskiwała jak niebieski łupek, sprawiały to białe włoski wyrastające wśród czerni. Edmund znał się na koniach nie lepiej niż większość chłopów, ale potrafił docenić doskonałość. Zastanawiał się, czy nie pogładzić długiego, prostego pyska konia, lecz jedno spojrzenie w jego oczy wystarczyło, by zrozumiał, że to bardzo kiepski pomysł.

Katherine zeskoczyła.

– Ładne buty. – Pociągnęła palcem wodze i poprowadziła Indygo przez pastwiska do stajni i domku pośrodku farmy. Edmund maszerował obok, napawając się dotykiem kopii, wciąż ciepłej od mocnych dłoni dziewczyny.

– Papo, Edmund przyszedł! – Katherine pchnęła drzwi stajni.

– Tutaj, dziecko.

Ojciec Katherine, John, masztalerz Elverainu, stał pośrodku padoku, oprowadzając bardzo młodego konia szerokim kręgiem na końcu liny. Poruszył lekko batem i koń zmienił chód, unosząc wysoko kopyta w pięknym stępie.

– Papo. – Katherine westchnęła. – Jeszcze nie ubrałeś się na jarmark?

– Nie, idź pierwsza, z Edmundem.

– To na twoją cześć, papo!

– Tak, tak. – John zacmokał. Koń natychmiast zmienił kierunek, cofając się w kręgu w przeciwną stronę. Indygo zarżał i uderzył kopytem. Zastrzygł uszami w stronę stajni, potem pochylił głowę i sam ruszył naprzód.

– No dobrze, ale nie zwlekaj zbyt długo. – Katherine podążyła za ogierem. – Zaczekaj chwilkę, Edmundzie, zaraz wrócę.

Edmund oparł kopię o drzwi, w myślach wirowało mu mnóstwo dorosłych i męskich tematów do rozmów. Choć przy Katherine zwykle brakowało mu słów, jeszcze większe problemy miał z jej ojcem, prawdziwym, autentycznym bohaterem z czasów młodości, choć z jego obecnego wyglądu nikt by tego nie odgadł.

– Dobrego dnia, Edmundzie. – John Marshal strzelił lekko z bata za zadem konia, by poprawić jego chód. – Widzę, że chcesz wziąć udział w turnieju.

– Och. No cóż, zastanawiałem się nad tym. – Edmund zabrał łuk tylko dlatego, by wyrwać go z chciwych łap brata. Nie pomyślał nawet, co oznaczał ten fakt.

– Żałuję, że nie mam czasu popatrzeć, ale lord Aelfric z pewnością będzie mnie ze sobą ciągał cały dzień, próbując zmusić, bym uścisnął dłoń wszystkich szlachetnych gości w domu spotkań. – John uniósł bat i polecił koniowi się zatrzymać. Spojrzał na buty Edmunda. – Muszę powiedzieć, że nie zachwyca mnie ta dzisiejsza moda, jaka panuje wśród was, młodych. Mógłbyś tym wybić komuś oko.

Edmund przestąpił z nogi na nogę.

– Podobał mi się ten koń, na którym jechała Katherine, mości Marshalu. Wygląda, jakby był gotów zostać rumakiem bojowym jakiegoś rycerza.

– Och, bo jest. – John Marshal poprowadził konia do bramy paddocku. – Tylko raz w życiu widziałem podobnego. Ma jednak dopiero cztery lata, a zazwyczaj przekazujemy je lordowi Aelfricowi, kiedy skończą pięć. – Sięgnął do płóciennego worka i poczęstował konia marchewką. – Tak miedzy nami, kiedy nadejdzie ten dzień, Katherine ciężko go przeżyje. Ten koń ją kocha, nie dba o nikogo innego na świecie. Lękam się tylko, że rycerz, który w końcu go dostanie, przekona się, iż otrzymał wierzchowca, który do końca życia będzie go nienawidził.

Katherine wyszła z boku stajni ścieżką wiodącą do domku.

– Nie miałam czasu ułożyć porządnie włosów. Dobrze wyglądam?

Wplotła w warkocz jasnobłękitną wstążkę pasującą kolorem do sukienki. Edmund próbował coś powiedzieć, przez chwilę szukał odpowiednich słów, jakiegoś komplementu, który nie zabrzmi głupio i dziecinnie, chwila się przeciągała.

– Nie? – Katherine przygładziła sukienkę.

– Wyglądasz ślicznie, dziecko. – John poprowadził roczniaka do stajni. – Wy dwoje idźcie naprzód i dobrze się bawcie.

– Ślicznie. – Edmund uczepił się tego słowa. – Ślicznie, bez wątpienia.

– Och, to dobrze, dziękuję. Bałam się, że wyglądam jak głupia.

Odwróciła się i ruszyła przeskoczyć ogrodzenie, potem jednak zmieniła zdanie i wyszła furtką.

– Papo, wyjęłam ci najlepszą koszulę i spodnie. Załóż je i nie spóźnij się zbytnio!

– Tak, dziecko.

John zamknął drzwi. Katherine posłała Edmundowi cierpiętniczy uśmiech i w podskokach wybiegła na drogę, skacząc tak wysoko, jak tylko pozwalała jej na to spódnica. Edmund miał ochotę poskakać obok niej, ale mężczyznom to nie uchodzi, a nigdy jeszcze nie czuł się tak bardzo męsko.

– Mam niespodziankę! – zawołała przez ramię Katherine.

– Naprawdę? – Każda niespodzianka wydawała się radosnym cudem, nieważne, czym była. – Jaką?

– To Tom! Idzie z nami!

Och, no nie, okazuje się, że niektóre niespodzianki nie są takie miłe.

– Ale.... jak? Dlaczego?

– Jego pan znów nadwerężył sobie plecy, więc posyła Toma, żeby sprzedał wełnę. Czyż to nie cudowne? Pierwszy raz będzie mógł obejrzeć jarmark!

– To... – Edmund nie ufał własnemu głosowi, bał się, że powie coś, czego Katherine nie chciałaby usłyszeć. – Będziemy musieli dołożyć wszelkich starań, aby dobrze się bawił. – Katherine pokazała ręką. – O, tam, tam czeka.

Tom stał w miejscu, gdzie droga łączyła się ze ścieżką wiodącą z zachodnich pastwisk; u jego stóp leżały dwa worki, każdy większy od niego samego. Nawet z daleka wyglądał na wyczerpanego, ale też zwykle tak wyglądał.

– Słyszałem krążącą we wsi historię o tym, jak znalazłaś świnie Hugh. – Tom z trudem zarzucił sobie jeden z worków na chude ramiona. – Najwyraźniej wszyscy w to uwierzyli. Dziękuję.

– Biedny, stary Hugh. On kochał te świnie, zwłaszcza Kumę.

Katherine chwyciła drugi worek, nim Edmund zdążył zareagować.

– Ale nie myślmy o tym dzisiaj! Zabawmy się!

Pomaszerowali gościńcem do Dorham, okrążając wzgórza. Do tej pory tłum zdążył już zgęstnieć i w pewnym momencie Edmund miał wrażenie, że na trakcie jest co najmniej połowa ludzi, jakich znał na tym świecie. Wszyscy ciągnęli na południe – niektórzy na wozach, kilku konno, większość pokonywała pieszo siedem mil dzielących ich od Longsettle i od zamku.

– Naprawdę powinienem wziąć worek. – Edmund nie mógł znieść myśli, że sąsiedzi zobaczą, jak idzie z pustymi rękami, podczas gdy Katherine, odziana w odświętną sukienkę, dźwiga ciężar.

– No to weź od Toma. On niesie swój dłużej.

Edmund westchnął, zwolnił kroku, zrównując się z Tomem, i podał mu swój łuk w zamian za wór.

– Przepraszam. – Tom narzucił mu ciężar na plecy.

– Nie wiedziałem, że będę musiał przyjść.

Gniewanie się na Toma miałoby w sobie coś z kopania zagłodzonego szczeniaka. Edmund, robiąc dobrą minę, dźwignął ciężar.

– To, że twój pan uważa za oczywiste, że może cię wykorzystywać, ma może jakiś sens, ale złości mnie, że tak samo traktuje nas.

– Muszę sprzedać to wszystko za co najmniej dwie marki. – Tom przeciągnął się, nie zwalniając kroku. – Ale nie pamiętam, ile jest pensów w marce.

– Pomożemy ci. – Katherine obejrzała się przez ramię. – Edmund świetnie sobie radzi z pieniędzmi.

Po prawdzie ciężar okazał się nie taki straszny.

– Oczywiście, że pomogę.

Przecięli plac i zachodni gościniec, po czym skręcili na południe, mijając stopnie gospody. Edmund wstrzymał oddech, ale nie dostrzegł ani śladu matki. Wat i Hob najwyraźniej uznali, że mają ciekawsze zajęcia, niż cały dzień picia w tawernie – maszerowali naprzód, podając sobie bukłaczek z winem. Gościniec do Longsettle zataczał łuk wokół prywatnego lasu lorda Aelfrica, po czym zagłębiał się między pola w szerokiej rynnie doliny. Strumień Swanborne pluskał wesoło pod mostem, bulgocząc i rwąc na spotkanie z Tamber. W podobne dni nawet odległe wrzosowiska wydawały się chłodne i majestatyczne.

– Katherine, Katherine! – zabrzmiał z tyłu czyjś piskliwy głos.

Edmund przesunął się, przepuszczając wóz i ujrzał rozpartego na tylnym siedzeniu brata w towarzystwie swych durnych przyjaciół. Wszyscy, rozbawieni, machali nogami.

– Katherine, podjęłaś już decyzję?

Emma Russet była stanowczo za ładna jak na ledwie trzynastolatkę i do tego wredna jak borsuk.

Katherine wymamrotała coś pod nosem, wyprostowała plecy, patrząc przed siebie.

– Dzień dobry, Emmo. Jaką decyzję?

– No oczywiście, którego wybierasz. – Emma wskazała ręką Toma i Edmunda. – Niewolnika czy mizeraka?

Katherine zarumieniła się mocno, otworzyła usta, ale nic nie powiedziała, tylko spuściła wzrok.

– Och, to na pewno kościsty Tom, bez dwóch zdań! – Tilly Miller zasłoniła dłonią usta i zachichotała. Była najlepszą przyjaciółką Emmy, jej cieniem, jej echem.

– Płaci jej pocałunkiem za każdy gorący posiłek!

Najmłodsza z bandy przyjaciół Geoffreya łaziła za Emmą, odkąd Edmund pamiętał.

Geoffrey szturchnął swojego najlepszego kolegę, myszowatego Milesa Twintree, a potem cisnął mokrym ogryzkiem na wpół zjedzonego jabłka pod nogi Edmunda. Miles zrobił to samo, choć z pewnym poczuciem winy. Dzieciak zza rzeki, Peter Overbourne, nie celował pod nogi i rzucił nie tylko ogryzkiem lecz nadgryzionym jabłkiem

– Auć! – Edmund, zaskoczony, upuścił worek Toma. Część wełny wysypała się na drogę.

– Śliczna sukienka, Katherine. – Starsza siostra Milesa, Luilda, minęła ich na kolejnym wozie, trzymając się za ręce z Lefricem Greenem. – Odziedziczyłaś ją?

– Co? Ty... – Katherine zacisnęła pięści, wbijając gniewny wzrok w tył głowy Luildy.

Wóz i wózek odjechały między drzewa.

Katherine westchnęła.

– Czemu nigdy nie potrafię im odpowiedzieć? – Uklękła, żeby pomóc Tomowi wszystko pozbierać.

– Ten smarkacz, Peter, jest z nich najgorszy. – Edmund pomasował pierś, w którą trafiło go jabłko. – Odkąd Geoffrey zaczął się z nimi zadawać, zamienił się w nieznośnego bachora.

Tom otrzepał się z wełnianego pyłu.

– Wiem, czemu ludzie wyśmiewają się ze mnie, ale nie potrafię zrozumieć, dlaczego traktują tak was.

– Ja jestem za wysoka, a Edmund za niski – wyjaśniła Katherine. – Zazwyczaj chodzę ubrana po męsku, on trochę za bardzo lubi książki jak na kogoś z wioski, w której niemal nikt nie potrafi czytać.

– Nie pasujemy do reszty. – Edmund podniósł worek. – I nigdy nie będziemy pasować.

– Nie przeszkadza mi to, póki trzymamy się razem.

– Katherine poprowadziła ich dalej gościńcem. Jej słowa zawisły w powietrzu i po jakimś czasie pozostało tylko „razem".

Rozdział 5

Przeprowadziwszy się do wioski, Edmund odkrył, że wszyscy tu nie znoszą miasta, które wyrosło wokół zamku. Tak właśnie mówili – „wyrosło", choć z tego, co wiedział, wydarzyło się to już ponad sto lat temu. Ludzie w Elverainie mieli długą pamięć, dość długą, by opowiadać mętne historie z czasów, gdy wszystko było inaczej, choć przy życiu nie pozostał już nikt, kto byłby ich świadkiem. Najbardziej przeszkadzała im nazwa – miasto nazywano Northend, Północnym Krańcem, przez co sprawiało wrażenie, jakby było kresem wszystkiego, choć oczywiście dalej na północy, przy królewskim gościńcu i starych drogach, leżało jeszcze kilka wsi. Edmund nie darzył Northend niechęcią – było to dobrze utrzymane i bogate miasteczko, pełne wysokich, wąskich domów z drewna i gipsu, stłoczonych ciasno przy jeszcze węższych ulicach i uliczkach. Pośrodku mieścił się duży, brukowany plac, do którego dochodził gościniec, wiodący z żyznych pól północnego Quail, łączący się z traktem z Longsettle. Na placu rozwieszono kolorowe proporce i chorągwie w barwach baronii: ciemnej zieleni i srebrzystej bieli. Niżej kłębił się rozgadany tłum, zebrany wokół dopiero co rozstawionych kramów. Zamek lorda Aelfrica widniał na północ od miasta: stary, masywny i przycupnięty samotnie na szczycie pozbawionego drzew wzgórza.

Tom zatrzymał się gwałtownie przy pierwszym z domów; Edmund skorzystał z przerwy, by postawić worek na ziemi.

– Wszystko w porządku?

Tom nie wyglądał, jakby wszystko z nim było w porządku, wręcz przeciwnie.

– Nigdy nie widziałem tak wielu ludzi.

– Wszystko będzie dobrze. Zaopiekujemy się tobą.

– Katherine wzięła go za rękę.

Pomaszerowali drogą między najelegantszymi domami w Elverainie. Wkrótce otoczyli ich naganiacze i kupcy wszelkiej maści.

– Najlepsze płótna! – ryknął ze swego kramu niski mężczyzna o brodzie splecionej w warkoczyki. – Halki, suknie i naczółki albo bele materiału! Najwspanialszy len z Westry, tkany w płótno leciutkie jak piórko. Zatwierdzony przez słynną gildię tkaczy z Tambridge! Zapraszam!

– Świece! – krzyczała młoda kobieta, wskazując stół pełen eleganckich świec. – Cudowny biały wosk, jasne światło! Pochodzą ze słynnych amsterskich uli. Chodźcie po świece!

– Miodowniki! – nawoływał mężczyzna z sąsiedniego kramu, wyglądający na ojca młodej kobiety sprzedającej świece. – Smakowite ciastka polane słodkim amsterskim miodem! Nie ma nic pyszniejszego na tym świecie!

Katherine zatrzymała się i sięgnęła do paska.

– Och, uwielbiam je!

– Ja kupię! – Edmund wyciągnął kawałeczek srebra, będący fragmentem pensa rozciętego na czworo. Kupił dwa ciastka i w przypływie geniuszu wręczył pierwsze Tomowi. Katherine obdarzyła go promiennym uśmiechem, gdy podał jej drugie.

– Mikstury! – huknął mężczyzna, który wszedł prosto między trójkę przyjaciół. W rękach dźwigał pudło pełne najróżniejszych słojów i flakonów. – Mikstury wszelkich rodzajów, o najróżniejszym działaniu! Jedne pomagają zasnąć, inne całą noc chronią przed snem! Ty, mój chłopcze... – Zmierzył Edmunda wzrokiem, po czym spojrzał na Katherine i odciągnął go na bok. – Mam coś akurat dla ciebie. Wyglądasz, jakby mogło ci się przydać. – Zakołysał w palcach kryształową fiolką pełną ciemnoczerwonego płynu. – Kilka kropel w jej kielichu i nim się zorientujesz, będzie czekać na twoją rękę. Zaledwie sześć pensów za całe życie radości. Co powiesz?

Katherine podeszła do nich szybko i odciągnęła Edmunda za rękaw.

– Cokolwiek by to było, on tego nie potrzebuje!

Mężczyzna posłał jej nieprzychylne spojrzenie.

– Uważaj, chłopcze. Ona nie jest warta takiego zachodu.

Odwrócił się, nim Edmund zdążył wymyślić stosowną ripostę.

Tom nerwowo rozglądał się dookoła, jakby szukał drogi ucieczki.

– Nie wiem, jak mam się zachować.

– Po pierwsze, musisz trzymać ręce na sakiewce. – Edmund wyciągnął go z najgęstszego tłumu.

– Czemu? Nie mam w niej jeszcze pieniędzy.

– To po prostu taki nawyk. – Edmund rozejrzał się. Układ kramów wyglądał inaczej niż podczas zwykłego wiosennego jarmarku. Wydawał się bardziej szalony, chaotyczny, więcej tu było namiotów z piwem i pawilonów gier niż prawdziwych kupców. Po placu wałęsało się mnóstwo ludzi, którzy jedynie gapili się dookoła, nic nie kupując ani nie sprzedając. Być może zjawili się tu w bardziej niecnych celach.

– Ten wygląda nieźle. – Katherine wspięła się na palce. – Tam! – Zarzuciła worek na ramię i zaczęła się przepychać w stronę skąpanego w słońcu kąta placu. Tom wyciągnął szyję, rozglądając się dokoła okrągłymi ze zdziwienia oczami, po czym wskazał coś ręką.

– Co to? – spytał.

– To sztuka. No wiesz, ludzie grają w przedstawieniu. To akurat opowiada o założeniu królestwa, nudziarstwo.

– Aha. – Tom pokiwał głową. – Nie wiedziałem, że też śpiewają. A to tam? Także sztuka?

– Ci dwaj kłócą się o cenę beczki solonych śledzi. W sumie, gdybyś chciał, mógłbyś to też uznać za rozrywkę.

– A tamto?

Edmund spróbował spojrzeć Katherine w oczy, by uśmiechnąć się złośliwie, ale dziewczyna była skupiona na przeciskaniu się przez tłum. Odwrócił więc głowę, podążając wzrokiem za ręką Toma.

– Na co patrzysz?

– Na ten wielki namiot, gdzie w środku krzyczy kobieta.

– A, tamto. To jest sąd. – Edmund przystanął, miał wrażenie, że coś ociera mu się o bok. Przycisnął dłoń do pasa i rozejrzał się gniewnie, ale okazało się, że to tylko wół prowadzony na sprzedaż. Popatrzył na Toma. – Sąd Zakurzonych Stóp. Lord Aelfric urządza go podczas każdego jarmarku. Tego jednego dnia wysłuchuje więcej skarg niż przez cały rok.

– ...ukradł mi świnie! – Przez klapę w namiocie widzieli krzyczącą kobietę, nie widzieli jednak osoby, którą ta pokazywała palcem. – Przysięgam ci, panie, i sprowadziłam dziesięciu uczciwych ludzi, by przysięgli w moim imieniu, że nie kłamię! Moje świnie, porządne tuczniki! Nie ma ich, zniknęły!

Edmund zaśmiał się.

– O nie! Znów zaginione świnie.

– Zatem jest tam lord Aelfric? – Tom schylił się, by zajrzeć pod poły namiotu. – Nigdy go nie widziałem. Często opuszcza zamek?

– Muszę ci przypomnieć, dobra niewiasto, że jedynie zasiadam tu w imieniu mojego ojca. – Głos, który odpowiedział kobiecie, miał dostojne brzmienie, choć jednocześnie wydawało się, że należy do kogoś bardzo młodego. – Osądzam w imieniu twojego pana, ale nim nie jestem. Ponownie proszę, byś zwracała się do mnie: dziedzicu, jak nakazuje zwyczaj. Niechaj pisarz sądowy zapisze skargę tej niewiasty i zanotuje imiona tych, którzy ją potwierdzają.

Edmund popatrzył w głąb namiotu. Kobietę otaczał pierścień rozwścieczonych krewnych, wszyscy gapili się gniewnie na przykurzonego po podróży mężczyznę, na oko wędrownego druciarza. Na drugim końcu namiotu stało drewniane podwyższenie, na którym ustawiono ciężkie dębowe krzesło. Siedzącego na nim można by nazwać równie dobrze chłopcem, jak i mężczyzną. Miał szesnaście lat i jasne włosy, a także, jak oceniał Edmund, wyglądającą dość żałośnie, skąpą brodę.

Edmund dopiero teraz odpowiedział na zadane przez Toma pytanie:

– Nie, to jego syn, Harold. Aelfric musi go uczyć prawa. Pozwala, aby dziś to on sądził, by wiedział, jak to działa, kiedy odziedziczy tytuł.

Nagle Katherine bez słowa ostrzeżenia wcisnęła Edmundowi w objęcia swój worek.

– Och, chodźmy tam na trochę.

– Co? Po co? – Chłopak zachwiał się pod nieoczekiwanym ciężarem. – Czemu, u licha, chciałabyś gapić się na sąd? Mamy do obejrzenia cały jarmark!

– Chodźmy tylko na chwilkę, no chodźmy! Dobrze wyglądam?

- W ogóle cię nie widzę, ten głupi worek wszystko mi zasłania. – Edmund opuścił worek na ziemię, nie wysypując zawartości. – Może najpierw sprzedamy towar Toma, żebyśmy nie musieli go wszędzie nosić?
– Dobry pomysł, zrób to, świetnie sobie radzisz z pieniędzmi, najlepiej z naszej trójki. – Katherine poprawiła spódnicę i odrzuciła włosy na plecy. – Chcę tylko dowiedzieć się czegoś więcej o świniach, to może być ważne. Do zobaczenia! – Wpadła do namiotu.
Edmund wzruszył ramionami i zerknął na Toma.
– Nie rozumiem. Świnie? Kogo to może obchodzić?
– Naprawdę mi przykro – odparł Tom. – Wiem, że chciałeś przyjść tu z nią sam.
– Daj spokój, przed nami jeszcze uczta i potańcówka. – Edmund podniósł worki i odebrał Tomowi łuk.
– Myślę, że sprytnie postąpiłem z tymi ciastkami, jak sądzisz?
– Nie mam pojęcia, ale ciastko było bardzo smaczne. W ogóle to dziękuję.
Sprzedaż runa nie trwała długo, kiedy już Edmund przekonał Toma, by pozwolił mu udawać, że towar należy do niego, i zaczekał gdzieś na uboczu. Tom przejawiał niepokojącą skłonność do zgadzania się ze wszystkim, co wmawiał mu każdy załgany kupiec. Kiwał tylko głową jak niewinne jagniątko i powtarzał: Tak, kiedy już pan o tym wspomniał, faktycznie runo wygląda kiepsko. Albo: Nie, to faktycznie nieuczciwe z mojej strony wmuszać takie śmieci komuś starszemu ode mnie za tak wygórowaną cenę.

Edmund łagodnie odsunął przyjaciela na bok i wziął się do pracy. Nim usłyszał fanfarę trębaczy z pola na północ od miasta, trzymał już w dłoni dwie marki, trzy pensy i groszaka oraz dwa puste worki.

Zobaczył Katherine i demonstracyjnie wysypał pieniądze na otwartą dłoń Toma w chwili, w której się zjawiła.

– I co z tymi zaginionymi świniami?

– To wszystko jest podejrzane. Ludziom w niejasnych okolicznościach ginie bydło, koty, kozy, a także ulubione psy. – Katherine ruszyła wraz z przyjaciółmi ulicą prowadzącą z miasta do zamku. – Jeden człowiek z Roughy mówi nawet, że zaginęła jego córka i dwóch synów.

– E tam, przypadkowa zbieranina. – Edmund wzruszył ramionami. – Nic ich nie łączy.

– Harry twierdzi inaczej.

Edmund zerknął na nią szybko.

– Harry?

Katherine zaczęła się bawić frędzelkiem zwisającym przy pasku.

– Słyszałam, że przyjaciele mówią mu Harry.

– Nie przychodzi mi do głowy nic, co mogłoby pożreć zarówno krowy, jak i psy, nie mówiąc już o dzieciach – wtrącił Tom. – Co mówią o tym ludzie?

– No cóż, ktoś wspomniał o Otchłannym, ale wszyscy go wyśmiali. – Katherine brzmiała dziwnie, zupełnie niepodobnie do siebie, jak rozchichotana dziewczyna; Edmund nigdy nie słyszał u niej takiego tonu głosu. – Harry bardzo się rozgniewał, mówił, że nie powinno się wspominać takich rzeczy, zwłaszcza dzisiaj, gdy zebraliśmy się, by uczcić ludzi, którzy zabili Otchłannego i zapewnili bezpieczeństwo całej Północy. Chyba nawet spojrzał na mnie, kiedy to mówił. Trzeba było go widzieć – zachował się świetnie, bardzo mądrze wszystko podsumował. Zamierza opowiedzieć o tym swojemu ojcu, obiecał wszystkim, że dopilnuje, by kraj pozostał bezpieczny, i żeby się nie martwili. Trzeba go było widzieć.

Edmund popatrzył w górę, by sprawdzić, czy nie nadeszły chmury. Słońce świeciło równie jasno jak przedtem, niebo nadal pozostawało oślepiająco błękitne, świat dokoła tańczył w świątecznym nastroju, ale on sam nie czuł już radości.

– O, spójrzcie, jest papa! – Katherine pomachała. Ojciec jednak jej nie zauważył. Stał pod jaskrawokolorowym baldachimem obok surowego, zgarbionego lorda Aelfrica z Elverainu, wyraźnie skrępowany otaczającym go tłumem dostojnych gości, którzy zgromadzili się wokół, by opromieniła ich jego niechciana sława. Lord Aelfric wygłaszał mowę, lecz jego skrzeczący, starczy głos nie niósł się zbyt daleko.

– Powinniśmy pójść posłuchać. – Katherine złapała Toma i odwróciła się, gotowa wpaść w tłum. – A potem, kiedy dołączy do nich Harry, możemy mu opowiedzieć o tym, co znaleźliśmy wczoraj w nocy na wzgórzu. Mogłabym nawet zaprowadzić go tam osobiście i...

– Nie, nie! – Edmund nade wszystko pragnął uniknąć kolejnego kontaktu z Harrym. – Powinniśmy za-

brać Toma na turniej łuczniczy, nigdy go nie widział!
– Pociągnął przyjaciela w kierunku kilkunastu celów
ustawionych na płaskim gruncie pod zamkiem.

Tom wodził wzrokiem od jednego do drugiego, przyjaciele ciągnęli go za długie ręce w przeciwne strony.
Wyraźnie nie obchodziło go, dokąd trafi.

– No dobrze. – Katherine ustąpiła. – Zrobię to dla
Toma.

Zawrócili i szybko znaleźli sobie miejsce wzdłuż szeregu drzew obok stanowisk łuczniczych. Duża gru-
pa ludzi, zwykłych, bez szlachty ani bogaczy, stała
po drugiej stronie z łukami w dłoniach. Po kilku pod-
chodzili do stanowisk, wystrzeliwali trzy strzały w cel
i przyjmowali pochwały bądź żartobliwe drwiny towarzyszy.

– Całkiem niezły dzień. – Katherine uniosła nieco
spódnicę, by usiąść na trawie. – Prawie nie wieje.

Tom usiadł obok, opierając się o pień orzecha, zerwał źdźbło trawy i zaczął przeżuwać. Edmund znalazł sobie nagrzany kamień i przycupnął na nim, kładąc na kolanach łuk. Jeden z sąsiadów, Jordan Dyer,
podszedł do linii, uniósł łuk, napiął cięciwę i trafił
o włos od środka.

– Piękny strzał, Jordanie! – Edmund zaklaskał wraz
z resztą zebranych.

Przez moment pożałował, że sam więcej nie ćwiczył, przynajmniej tyle, by móc wziąć udział w turnieju i nie wyjść na głupca. Problem w tym, że niemal wszyscy w wiosce świetnie strzelali – zaczynali
trenować raz w tygodniu we wczesnym dzieciństwie,

a prawo lorda Aelfrica nakazywało mężczyznom ćwiczyć aż do sześćdziesiątki. W Bale, mieście, w którym Edmund mieszkał, póki nie skończył dziesięciu lat, nie obowiązywały podobne prawa. Kiedy przeniósł się do Moorvale wraz z rodziną, wszyscy jego rówieśnicy strzelali tak dobrze, że uznał, iż nie ma sensu próbować.

– Masz rację, to lepsze niż przemowy. – Katherine oparła się o głaz, niemal dotykając ramieniem stopy Edmunda. – Zatem na pewno przyjdziesz na ucztę?

– W życiu bym jej nie opuścił, za żadne skarby.

– Szczerze mówiąc, trochę się obawiam. No wiesz, potańcówki.

– Czemu?

– Będą tam bogate, szlachetne dziewczęta o drobnych, białych dłoniach, odziane w suknie kosztujące tyle, co cały dom papy. – Katherine spojrzała na własne ręce i spróbowała je ukryć w rękawach sukienki. – Wiem, co mówią o mnie ludzie. Boję się, że cały wieczór będę stała pod ścianą.

Edmund nie mógł sobie wyobrazić ani wyśnić przez tysiąc nocy lepszej okazji. Tak bardzo zaskoczyła go jej doskonałość, że omal nie przeoczył chwili. Odetchnął głęboko.

– No cóż, gdybyś chciała, ucieszyłbym się, nie, byłbym głęboko zaszczycony, gdybyś...

Popatrzyła na niego. Zaschło mu w ustach.

– Ach... ty jesteś Katherine, zgadza się?

Katherine sapnęła i zerwała się z ziemi, dygnęła.

– Panie mój!

– Jeszcze nie panie... – Harry machnął ręką. – Właśnie rozmawiałem z twoim ojcem, Katherine. Co to musi być dla niego za dzień!

Edmund patrzył w miejsce, gdzie dopiero co siedziała dziewczyna. Tom obudził się, zamrugał i ujrzawszy Harry'ego, ukrył się niepostrzeżenie za drzewem.

– Od dawna cię nie widziałem, Katherine, musiało minąć kilka lat. – Harry dorównywał jej wzrostem, a może nawet był nieco wyższy, jego zielonkawe oczy w promieniach słońca połyskiwały złotem. – Czy nie było to podczas zimowego święta?

Katherine zająknęła się i znów dygnęła.

– Miałam wtedy dopiero jedenaście lat, szlachetny dziedzicu.

– Tak, zgadza się. Zaprosiliśmy twojego ojca i ty też się zjawiłaś. – Buty Harry'ego uszyto z najlepszej koźlej skórki, jego ubranie idealnie opinało ciało. – Graliśmy wtedy w berka w korytarzu, z innymi dziećmi. Pamiętam, zdaje się, że owego dnia spłatałaś mi niezłego psikusa.

– Miałam nadzieję, że zapomniałeś, szlachetny dziedzicu. – Katherine zarumieniła się mocno.

– Jak mógłbym zapomnieć? Przez kilka dni wymywałem z włosów ten kit! – Harry roześmiał się. Edmund chciałby udawać, że ów śmiech zabrzmiał fałszywie i wzgardliwie, ale nie. – Byłaś wtedy straszną psotnicą. Wyrosłaś.

Dziewczyna wbiła wzrok w ziemię.

– Wszyscy mi to mówią.

– Zastanawiam się, czy mają na myśli to samo co ja.

Katherine uniosła głowę, Edmundowi zrobiło się niedobrze na widok tęsknoty, która zagościła na jej twarzy.

Zdawało się, że Harry dopiero wtedy go dostrzegł. – Och. – Uniósł jedną elegancką brew. – A któż to taki? Twój przyjaciel?

– Tak, szlachetny dziedzicu – odparła Katherine. – To Edmund Bale, mój przyjaciel.

Edmund zerwał się z głazu i ukłonił.

– Szlachetny dziedzicu.

– A, tak, z Moorvale, prawda? Syn karczmarza. – Harry pochylił się i uśmiechnął do Edmunda, ręce trzymał za plecami i zachowywał się, jakby miał do czynienia z dzieckiem, które czeka, aż poklepie je po główce. – Wiesz, właśnie opowiadałem naszym dostojnym gościom, że tu, w Elverainie, mamy najlepszych łuczników w całym królestwie, a najlepsi łucznicy w Elverainie pochodzą z wioski Moorvale.

Edmund pokiwał głową.

– Najlepsi, szlachetny dziedzicu, bez dwóch zdań.

– Zatem, młody Edmundzie – zagadnął Harry – kiedy twoja kolej?

– Kolej? – Edmund zamrugał.

– W turnieju łuczniczym! – Harry postukał palcem łuk w jego dłoniach.

Edmund oniemiał, gapiąc się najpierw na łuk, potem na Harry'ego.

– Och. Ja nie...

– No dalej – rzucił tamten. – Daj nam przykład swych zabójczych umiejętności.

– Moich zabójczych... – Edmund przełknął głośno.

– Tak, szlachetny dziedzicu.

Odwrócił się i szurając nogami, wyszedł na pole. Zajął miejsce w kolejce, co chwila zerkając na Harry'ego i Katherine.

– Musisz być bardzo dumna ze swego ojca, Katherine. – Głos Harry'ego niósł się daleko. – A wszyscy jesteśmy wdzięczni za to, co robisz. John często podkreśla, że konie, które nam przysyła, są w równym stopniu twoim dziełem.

Twarz Katherine przybrała mocno różowy kolor.

Edmund podszedł do stanowiska i ocenił wiatr. Powiódł wzrokiem po zgromadzonym tłumie i ujrzał niemal wszystkich sąsiadów z wioski, którzy co tydzień stali obok niego podczas ćwiczeń. Spróbował sobie przypomnieć wszystko, co mu pokazywali. Najpierw postawa. Rozstawić stopy na szerokość ramion, równomiernie obciążając obie nogi. Stopy powinny stać w linii z celem. Nałożyć strzałę, przytrzymać ją palcami, ale nie ściskać, bo zboczy z celu. Przyjrzał się tarczy – może jednak się uda.

– Pudło! Pudło, pudło, pudło!

Obejrzawszy się, ujrzał Geoffreya i jego durnych kolegów. Stali pod drzewami. Zarazili swoją piosenką inne, nieznane mu dzieci, które ochoczo podjęły nutę, nie przejmując się, czemu właściwie Edmund miałby chybić.

– Widziałem cię wcześniej, kiedy orzekałem w sądzie na placu. – Harry pociągnął Katherine za ramię.

– Cieszę się, że znów cię znalazłem.

Jeśli nawet odpowiedziała, to zbyt cichym głosem, by Edmund usłyszał. Ocenił odległość – jeden dobry strzał, a może wiwaty przyciągnęłyby jej wzrok. Jeden dobry strzał.

– Dziś wieczór oddajemy cześć twemu ojcu, myślę zatem, że także powinnaś zasiąść na honorowym miejscu. – Nerwowy, pełen nadziei ton głosu Harry'ego jeszcze bardziej raził ucho Edmunda. – Każę przygotować ci miejsce wśród szlachty przy najwyższym stole.

Edmund usilnie starał się udawać głuchego. Połóż drugą dłoń na łuku, chwytając go u nasady kciuka – to następny krok. Naciągnął łuk. W dziesiątkę, proszę, tylko raz, trafić w dziesiątkę.

– Wcale nie będziesz nie na miejscu, uwierz. Siądź obok mnie, będziemy mogli porozmawiać o koniach. Będzie naprawdę przyjemnie. A później, jeśli zechcesz... – Harry przygotował się do zadania zabójczego ciosu. – Katherine, czy mogę prosić o zaszczyt pierwszego tańca podczas dzisiejszej uczty?

Edmund wypuścił strzałę. Zdążył już się zgarbić, nim wylądowała w piasku kilka jardów od celu.

– Ja? – Zdawało się, że głos Katherine lada chwila odmówi współpracy. – Ja zechcę, tak, to byłoby, tak, proszę, szlachetny dziedzicu.

– Ha! – Stojący z boku Geoffrey zaczął podskakiwać. – Niezły strzał, Edmundzie!

Jego przyjaciele ryknęli śmiechem. Nikt inny nie komentował – większość dorosłych nie była aż tak okrutna.

Edmund pomyślał, że wszystko to wygląda jak zły sen, choć nie mógł sobie przypomnieć żadnego aż tak okropnego. Przez moment przemknęło mu przez głowę, że równie dobrze mógłby zdjąć z siebie ubranie i stanąć nago przed wszystkimi, by jeszcze pogorszyć sytuację.

Harry spojrzał na pole łucznicze.

– Och... – Odwrócił się do Katherine. – Twój przyjaciel nie jest najlepszym strzelcem, prawda?

Edmund poczuł szturchańca na plecach.

– Ej, masz jeszcze jedną próbę.

– Zapomnij. – Szurając nogami, Edmund zszedł ze stanowiska. Zerknął na Katherine i odkrył, że wciąż patrzy na Harry'ego, jej oczy błyszczały, na policzki wystąpiły rumieńce. Widok ten sprawił mu nieznośny ból.

Edmund znalazł Toma po drugiej stronie rosłego orzecha.

– Jeśli chcesz, pójdę z tobą do domu.

– Ale co z ucztą? – Tom odwrócił się do niego. – Nie idziesz na potańcówkę?

Edmund nie potrafił zmusić się do odpowiedzi. Wbijał wzrok w ziemię, prześlizgując się przez tłum i nie widząc nikogo. Jedynie z odgłosu kroków zorientował się, że Tom także ruszył, by wraz z nim wrócić do domu.

Rozdział 6

Papo, obniżyłeś gardę. – Katherine wymierzyła cios w skraj tarczy ojca.

Odparował go.

– Miej litość nad staruszkiem!

Odskoczył o krok i zmienił pozycję.

O tak późnej porze pod koniec roku rzadko bywa ciepło, ale przynajmniej jasne słońce zdołało przebić się ponad warstwę chmur. Głuchy łoskot uderzeń drewnianego miecza powrócił, odbity echem, rozbrzmiewając w rozległej pustce. Konie, skubiące trawę na pastwisku, od dawna przestały się już przejmować podobnymi odgłosami. Im dłużej Katherine ćwiczyła, im bardziej skupiała się na zmianach pozycji, atakach i ripostach, tym łatwiej udawało jej się choć na moment zapomnieć o koszmarze poprzedniego wieczoru.

– Spociłeś się, papo. – Dźgnęła mieczem w broń ojca przy jelcu. – Chciałbyś odpocząć?

John odtrącił klingę córki.

– To dziwne, dziecko, bo miałem cię właśnie spytać o to samo. Wyprostuj rękę, wychodzisz z pozycji.

– Ha! Jak sobie chcesz!

Skoczyła naprzód, tnąc wysoko przez ramiona. Odpowiedziała na każdą ripostę, zmuszając ojca do wycofania się na szczyt wzgórza. Tuż za rozłożystym dębem John zatrzymał się, potknął o korzenie i, jak się zdawało, ledwie zdołał odeprzeć atak córki – ale ani na moment z jego twarzy nie znikał uśmiech.

Zbyt późno zorientowała się, że to podstęp.

Ojciec zwabił ją, a potem oparł mocniej stopę i już się nie potykając, przełamał jej przewagę.

– Wyszłaś z pozycji, dziecko. Za bardzo zależało ci na zwycięstwie.

Nie udawał, naprawdę się zdyszał – podeszła bardzo blisko. Katherine uskoczyła i tym razem to ona ustąpiła pola, póki nie odzyskała równowagi.

– Hej tam, na górze!

Głos dobiegał z dołu wzgórza. Katherine i jej ojciec cofnęli się jednocześnie i opuścili broń. Na gościńcu do Dorham ujrzeli dwie postacie na pysznych koniach: pierwszą, młodą, wysoką i noszącą się z dumą, drugą dosiadającą wierzchowca bokiem, odzianą w długą suknię. Pierwszy jeździec zsiadł, by otworzyć furtkę na pastwisko, i Katherine zachłysnęła się, odrzucając miecz.

John zmrużył oczy, bacznie przyglądając się obojgu przybyszom.

– Kto to?

– Harry. Harold, papo. – Odpięła tarczę i upuściła na trawę.

– Z ojcem?

– Nie, z matką.

Starała się otrzepać z tuniki kurz i źdźbła trawy. Sprawdziła, jak wygląda – źle, bardzo źle. Miała plamy potu na spodniach i ubłocone buty. Uniosła rękę, by wpleść w warkocz niesforne kosmyki włosów. Cichy głos w głowie spytał, czemu w ogóle się tym przejmuje, ale nie potrafiła się powstrzymać.

John oparł miecz o pień dębu.

– Nie martw się, dziecko. Hodujemy i szkolimy dla nich konie – nie oczekują, że będziemy przesadnie czyści.

Harry pierwszy wjechał na wzgórze. Dosiadał gniadego ogiera, w którego porodzie Katherine pomagała sześć lat wcześniej. Odwrócił się i zawołał za siebie:

– Są tutaj, matko!

Ześliznął się z siodła. Katherine wciąż pochylała głowę, wbijając wzrok w trawę u jego stóp. Cisza rozdziawiła paszczę.

– Szlachetny dziedzicu, jesteś tu mile widziany – ojciec odezwał się pierwszy. – Mam nadzieję, że uczta przypadła ci do gustu?

– O tak, i to bardzo – odparł Harry. – A panu?

– To był zaszczyt, szlachetny dziedzicu.

– To świetnie. Doskonale. A... pańskiej córce?

Katherine nie mogła się zmusić, by wypowiedzieć choć słowo – jej marzenia umarły bolesną śmiercią.

– Nie było potrzeby przyjeżdżać aż tutaj, Haroldzie. – Lady Isabeau dotarła na szczyt na grzbiecie śnieżnobiałego dzianeta. – Jeśli chciałeś zwiedzić stajnie swego ojca, wystarczyło jedynie rozkazać sługom, by zeszli i cię oprowadzili.

Nie była młoda ani stara, szczupła ani gruba, włosy nosiła upięte pod misternym naczółkiem, od dziesięciu lat niemodnym.

– Pani. – John ukłonił się nisko.

Katherine dygnęła za jego plecami, unosząc dłonie, by podtrzymać wyimaginowaną spódnicę.

– Johnie Marshalu... – Lady Isabeau zerknęła na broń i skrzywiła się z dezaprobatą. – Od jak dawna uczysz swą córkę sztuki robienia mieczem?

– Odkąd skończyła osiem lat, pani.

– W jakim celu?

John Marshal spojrzał na nią i spuścił wzrok. Nie odpowiedział. Po twarzy Harry'ego przebiegł zbolały grymas, Katherine zarumieniła się, zgrzana i nieszczęśliwa.

– No cóż, Haroldzie, proszę. Stajnie twojego ojca, a pewnego dnia twoje. – Lady Isabeau zawróciła wierzchowca. – Johnie, przejdź się ze mną. Chcę zasięgnąć twojej rady w kilku drobnych kwestiach.

– Moja pani. – John ruszył za lady Isabeau w dół zbocza; musiał podbiec, by zrównać się z koniem.

– Ja zostanę tutaj, matko! – zawołał za nimi Harry. – Popodziwiam widoki.

– Rób, jak zechcesz, synu. Każ dziewczynie przynieść nam jakiś napitek.

– Tak, matko. – Odprowadził ich wzrokiem, po czym spojrzał na Katherine, raz, drugi.

Nie potrafiła zmusić się do uśmiechu.

Harry zeskoczył z siodła. Podniósł oparty o pień dębu ćwiczebny miecz.

– To co, dobra jesteś?

– Tylko zabijamy w ten sposób czas, ja i papa. Oczywiście, kiedy skończymy już z pracą dla twego dostojnego ojca.

Chciała, żeby sobie poszedł. Nigdy nie przypuszczała, że będzie sobie tego życzyć, a jednak.

– No to chodź. – Harry skinął ręką, nakazując, by wzięła miecz. – Przekonajmy się.

Nie potrafiła wymyślić żadnej wymówki. Podniosła broń, ale pozwoliła, by zwisła jej w dłoni, luźno oplatając palcami rękojeść.

Harry roześmiał się.

– Nie oszukasz mnie: widziałem cię z daleka i wiem, że jesteś znacznie lepsza. – Żartobliwie pchnął mieczem. Wbrew samej sobie Katherine odruchowo odparowała. – Tak już lepiej. – Harry znów spróbował, zadając serię powolnych, leniwych ciosów, z rozmysłem niecelnych, a potem jeden szybki, mający musnąć ją w bok. Katherine z łatwością odbijała każde cięcie, a przy ostatnim odtrąciła jego broń na bok i odpowiedziała starannie wyliczoną ripostą. Nagle odkryła, że przyjęła pozycję, balansując na piętach i stąpając lekko. Widziała uśmiech Harry'ego ponad rękojeścią miecza. – A teraz, czy mam ci powiedzieć, po co tu dziś przyjechałem? – Próbował ciąć z boku, ale tak mocno wysunął przed siebie stopę, że Katherine przewidziała, co zamierza. Właściwa riposta wymagałaby pchnięcia w twarz, zadowoliła się więc zwykłą blokadą.

– Po co, szlachetny dziedzicu?

– Mów mi Harry. – Ruszył naprzód, uskakując i wymierzając ciosy. – Przyjechałem tutaj z przeprosinami. Marny ze mnie tancerz.

– Ale to była moja wina. – Katherine zablokowała kolejne pchnięcie. – To ja nadepnęłam ci na nogę. I to ja potrąciłam lady Tand, tak że wpadła między minstreli.

Harry nachylił się nad złączonymi mieczami.

– Ja prowadziłem i ja zawiniłem. – Jego oczy miały barwę pola pszenicy w lecie. – Denerwowałem się.

– Denerwowałeś? Przeze mnie? – Katherine odskoczyła i przyjęła pozycję. – Zatem nie wydaję ci się... dziwna?

– Nie, natomiast twoją obronę bardzo trudno pokonać. – Harry odgarnął za ucho kosmyk włosów; zarumieniony od wysiłku wyglądał jeszcze piękniej, jeżeli to w ogóle możliwe. Katherine szukała na jego twarzy oznak niecnych zamiarów bądź okrutnej drwiny, ujrzała jednak tylko pełne nadziei napięcie. Znacznie łatwiej przychodziło jej odczytać jego styl walki: znał większość podstawowych pozycji i ciosów, ale nie umiał poruszać się między nimi. Odtwarzał wszystko z pamięci do tego stopnia, że potrafiła niemal recytować kolejne ruchy. Odgadła, że szkolący go rycerze musieli mu pobłażać. – Ale założę się, że tego ruchu nie znasz! – Spróbował kolejnego ataku, tym razem bardziej bezpośredniego.

Nim Katherine zorientowała się, co robi, przesunęła klingą nad jego mieczem i szarpnęła mocno na bok, wyrywając mu broń z ręki i posyłając daleko poza szczyt wzgórza.

Poczuła ucisk w żołądku.

Właśnie pokonała chłopca, którego uwielbiała – nie tylko pokonała, ale rozbroiła i zawstydziła. Przez nią znów wyszedł na niezgrabiasza. Odprowadził wzrokiem odlatujący miecz.

– To był wypadek. – Katherine upuściła broń i zrobiła z siebie zupełną idiotkę, próbując znów dygnąć.

– Po prostu pech, nic więcej. – Wokół twarzy fruwały jej nieporządne kosmyki włosów, dyszała jak krowa. Nade wszystko miała ochotę odwrócić się i uciec do lasu.

– To... – Harry gapił się na nią ze zdumieniem. – To było cudowne!

Katherine zerknęła na niego spod rzęs.

– Naprawdę?

– Powinniśmy cię zatrudnić do uczenia rycerzy ojca. – Na twarzy Harry'ego nie było ani śladu goryczy.

– Nigdy nie widziałem podobnej riposty!

– Papa mnie jej nauczył. Jego nauczył Tristan.

– Oczywiście, że tak. Cóż – Harry skłonił się – zostałem uczciwie pokonany i błagam o litość. Zejdziesz ze mną ze wzgórza? Moja droga matka irytuje się, jeśli zbyt długo nie dostanie wina.

* * *

W drewnianym domku krytym strzechą, który dzieliła z ojcem, Katherine narzuciła na siebie sukienkę i przeczesała szczotką włosy, a potem wlała cały zapas wina do dzbana. Ze skrzyni przy drzwiach wyciągnęła trzy kielichy i okrążyła stajnie. Harry stał samotnie przy wybiegu i opierając się o ogrodzenie, obserwował bawiące się roczniaki. Wezwał ją gestem.

– Słuchaj, musisz mi powiedzieć, jak się nazywa ten koń, o tam.

Katherine napełniła mu puchar winem.

– Nie ma jeszcze właściwego imienia. Nazywamy go Indygo.

Indygo na dźwięk głosu dziewczyny przekrzywił głowę, przeżuł pęk siana, potem sięgnął po kolejny.

– Nigdy nie widziałem podobnego. – Harry przechylił się przez ogrodzenie. – Jakiego ma ojca?

– To Włócniołom ze stajni sir Ranulfa z Thicket.

– Ten jabłkowity z karą grzywą? Około szesnastu piędzi, białe skarpetki?

– Tak, to on, jeden z ulubieńców Ranulfa. Raz czy dwa wypożyczyliśmy go, żeby odświeżyć krew.

Katherine podała mu kielich. Ich palce zetknęły się na moment. Po dłoni dziewczyny przebiegł ciepły dreszcz.

– Jeśli mogę oceniać, znakomity wybór. – Harry powędrował wzrokiem po wschodnim pastwisku, do klaczy ze źrebakami i starszych źrebiąt – każdy biegał po własnym wybiegu i każdy w przyszłości miał zostać rumakiem bojowym. – To musi być dobre życie. Takie proste.

Powiał wiatr, mierzwiąc mu włosy, jakby go kochał, jakby go chciał popieścić. Katherine z całych sił starała się na niego nie gapić.

Indygo podszedł bliżej, przeżuwając ziarno. Sięgnęła, by pogładzić go po szyi i dzięki temu oprzytomnieć, póki jeszcze mogła.

– Spójrz, jak stąpa – Harry z podziwem zniżył głos.

– Podobny koń trafia się raz w życiu, jeśli w ogóle.

– Szkolę go dla ciebie – wypaliła Katherine.

Harry odwrócił się zdumiony.

Nie miała wyboru, musiała brnąć dalej.

– Wiem, że nie do nas należy decyzja, do kogo trafią rumaki, które przekazujemy do zamku, ale miałam nadzieję, że to ty go wybierzesz.

Przyglądał się długo, najpierw jej, potem ogierowi.

– Wiesz, to najmilsza rzecz, jaką kiedykolwiek ktoś dla mnie zrobił.

– Naprawdę? – Katherine nie potrafiła ukryć dźwięczącego w jej głosie niedowierzania.

– Wiem, że pewnie mnie wyśmiejesz, ale nie zawsze jest tak wspaniale być jedynym synem i dziedzicem. Czasami ja... – Harry pokręcił głową. – Nie, nie mam prawa narzekać.

– Mógłbyś nas tu odwiedzić, żeby odpocząć od tego wszystkiego. – Katherine przytuliła dzban do piersi.

– Możesz odwiedzić nas, kiedy zechcesz.

Odpowiedział uśmiechem, który przeszył jej serce.

– Bardzo bym chciał. Bardzo.

Stali w odległości kilku cali od siebie, patrząc sobie w oczy. Słowa wirowały w głowie Katherine, ale żadne nie uleciało z ust, ziemia zdawała się bardzo daleka.

Wyciągnął rękę, oderwała lewą od dzbana i splotła z nim palce.

– Haroldzie!

Odskoczyli oboje. Lady Isabeau, pochylając się, wyszła ze stajni za ich plecami.

– Och, matko, witaj. – Zakołysał głową. – Oglądaliśmy tylko konie.

– Czyżby? – Lady podeszła do ogrodzenia, Katherine podała jej puchar wina i cofnęła się, dygając niezgrabnie. – Katherine Marshal – lady Isabeau pociągnęła łyk, po czym skrzywiła się – zasmuciło mnie odkrycie, że nie jesteś jeszcze zamężna.

Katherine z ulgą pomyślała, że na szczęście nie musi odpowiadać. Wciąż odwracała wzrok.

Harry zakasłał.

– Matko, może nie wiesz, ale chłopskie dziewczęta często wychodzą za mąż nieco później niż damy szlachetnej krwi.

– Oburzająca praktyka, niebezpieczna dla niewieściej cnoty. – Lady Isabeau odwróciła się do Katherine. – Ogromnie cenimy sobie twego ojca. To świetny masztalerz, od dwudziestu lat nie mamy żadnych zastrzeżeń do stajni. Konie, które hoduje i szkoli, są doskonałe, rachunki ma zawsze w porządku. Tak człowiek zasługuje na córkę, która przynosi mu chlubę.

Katherine wydała zdławiony jęk.

- Tak, pani.
- Czy masz zalotnika?
- Nie, pani.
- Czas płynie. Pomyśl o miłości swego ojca.
- Myślę, pani. – Katherine uniosła twarz. – Codziennie.
- Harold to dobry syn. – Isabeau wbiła wzrok w dziewczynę. – Nasz jedyny syn. Mamy co do niego wielkie plany.

Katherine zapragnęła nagle przygwoździć ją spojrzeniem, ale w tym momencie ze stajni wyłonił się jej ojciec, dźwigając w ramionach siodło Harry'ego. Przypomniała sobie swoją pozycję oraz to, do kogo należy farma, na której mieszka, i dygnęła.

- Moja pani, proszę, wybacz, jeśli cię uraziłam.

Lady Isabeau upuściła kielich.

- Chodź, Haroldzie, chyba dość już tu zobaczyliśmy.
- Ruszyła w stronę czekającego konia.
- Matko... – Harry odwrócił się, wyciągając rękę. – Matko, my tylko rozmawialiśmy!

Katherine odebrała siodło ojcu i pospieszyła do wierzchowca Harry'ego, wdzięczna, że ma coś do roboty i nie musi stać tam, upokorzona.

- Uważaj, jak ją wychowujesz, Johnie. – Lady Isabeau naciągnęła rękawiczki. – Pewnego dnia będziesz musiał wydać ją za mąż.
- Pani? – Ojciec Katherine przypiął poduszkę do siodła konia lady Isabeau, jego twarz przypominała ostrożną maskę.

Lady pozwoliła mu pomóc sobie dosiąść rumaka.

– Ogrodzenia tej farmy nie będą wiecznie chronić twojej córki. Nim je opuści, musi poznać swoje miejsce na tym świecie.

John spojrzał na lady Isabeau. Jego oblicze pociemniało. Po sekundzie odwrócił wzrok.

– Tak, pani, dziękuję za twą życzliwą radę.

– Mówię to dla jej dobra, Johnie. – Lady Isabeau chwyciła wodze. – Musisz ukształtować ją na kobietę, póki jeszcze możesz.

Wbiła pięty w bok konia i kłusem opuściła farmę. Harry posłał Katherine zbolałe spojrzenie, po czym wskoczył na siodło i pogalopował za matką.

Katherine zwiesiła głowę. Łzy zapiekły ją w oczach, ściekając po rzęsach.

Twarz ojca wykrzywiła się gniewnie. Wciąż patrzył na znikającą sylwetkę lady Isabeau i dopiero po chwili odwrócił się do córki.

– Nic ci nie jest, dziecko? Co ona ci powiedziała?

– Czy przynoszę ci hańbę, papo? Czy wstydzisz się mnie?

– Nie, dziecko. – Ojciec ujął ją za ramię. – Wprost przeciwnie, jesteś moją radością.

Katherine otarła twarz. Patrząc na ojca, próbowała odpowiedzieć uśmiechem.

– No już, zapomnijmy o tym wszystkim. – Zebrał kielichy i ruszył w stronę domu. – Wiesz co, ja przyrządzę dziś wieczerzę.

– Papo? – Katherine próbowała, ale nie zdołała powstrzymać się przed pytaniem. – Czy wolałbyś, żebym była chłopcem?

– Co takiego? Nie! – Odwrócił się gwałtownie. – Nigdy tak nie myśl, dziecko. Przyrzeknij mi.

– Nie będę, tato.

Katherine poczuła ulgę, kiedy zniknął w środku. Nie znosiła go okłamywać.

Rozdział 7

To Otchłanny! Mówię wam, ludziska, on wrócił! Nigdy nie umarł!

– Och, zamknij się. – Kuzyn Katherine, Martin Upfield, odwrócił głowę wspartą na potężnej dłoni i posłał gniewne spojrzenie Brudnym Rękom z drugiej strony sali. Potem pokręcił głową i znów uniósł kubek. – Przepraszam, Edmundzie.

Jarmark rocznicowy stał się już tylko odległym wspomnieniem, zagubionym w pośpiechu żniw. Jak wszyscy w wiosce o tej porze roku Edmund musiał od świtu do zmroku pracować w polu, ale potem, gdy jego sąsiedzi przychodzili do gospody, aby wypić piwo przed snem, on chwytał tacę i dzbanek. Pocieszało go to tylko, że nikt nie miał dość sił, by siedzieć do późna.

– Wszyscy znacie legendy, wiecie, co się mówi. – Brudne Ręce najwyraźniej wzbudził zainteresowanie swoich kompanów i kilku miejscowych stłoczonych wokół stołu. – Otchłanny jest jako zima – zawsze powraca! Dla wiosny zima to tylko wspomnienie, a przecież zima znów nadchodzi. Lato bawi się, zima czeka, a kiedy jesień słabnie, nadchodzi chłód. Otchłanny jest zimą, jest wojną, podatkiem i śmiercią w kołysce. Jest starością i chorobą.

– To tylko kilka martwych świń! – Martin poddał się, odebrał Edmundowi kufel i pociągnął łyk piwa. Piana osiadła mu na brodzie. – Musi być miło przesiadywać w tawernach całymi dniami i wymyślać niestworzone historie, zamiast uczciwie pracować.

– Kupcy. Phi! – Nicky Bird niemal położył się na stole, podsuwając pod głowę zrolowany płaszcz. – Hej, Horsa, łap za skrzypki! Zagraj nam coś.

– Nie ma mowy. Nie czuję rąk.

Edmund rozlał do kufli resztkę piwa i ruszył przez tawernę, dyndając dzbankiem zaczepionym na zgiętym palcu. Nie musiał patrzeć, dokąd idzie – znał na pamięć każdą krzywiznę i szczelinę w podłodze, a tego wieczoru nie obawiał się, że wpadnie na tancerzy.

– I proszę, kogo widzimy? Śpią twardo w krzakach na końcu pola jak para włóczęgów. – Bella Cooper pochyliła się bliżej Idy, matrony rządzącej klanem Twintree. – Moim zdaniem źle to świadczy o Bale'ach i Overbourne'ach. Leniwych synów wychowują źli ojcowie. – Bella podskoczyła, gdy zauważyła przechodzącego blisko Edmunda. – Oczywiście, to nie o tobie, Edmundzie, ty zawsze byłeś dobrym chłopcem. – Zniżyła głos do szeptu. – Myślisz, że mnie usłyszał?

Edmund, potykając się, zszedł schodami do piwnicy. Jedną rękę przyciskał do starej bielonej ściany. Geoffrey pochylał się nad kranikiem środkowej beczki. Jako że wnętrze oświetlał jedynie blask przenikający z tawerny, czerwone loki przypominały aureolę.

– ...jeśli jeszcze raz przyłapię cię na tym, że się lenisz, tylko jeden raz, możesz spakować manatki i się wynosić. I nie obchodzi mnie, dokąd pójdziesz.

Edmund zamarł. Geoffrey kucał przy kraniku, ale nie nalewał. Ich ojciec stał w cieniu w kącie, obok regału z kuflami.

– Myślisz, że żartuję, prawda? – Harman Bale przemawiał cicho, zbyt cicho, by dało się go usłyszeć na górze. – Myślisz, że możesz migać się od pracy, spać w krzakach w dzień żniw i ośmieszać tę rodzinę? Młodsi od ciebie chłopcy żebrzą przy gościńcach. Sam się przekonasz, jak bardzo możesz mnie rozzłościć, jak niewiele trzeba, żebym cię stąd wyrzucił. I nie myśl nawet przez chwilę, że matka cię uratuje – wywalę cię na zbity zadek, jeśli tylko zapragnę, a ona może sobie marudzić i narzekać do woli.

Harman opuścił ręce i oderwał się od ściany; najwyraźniej dopiero w tym momencie zauważył Edmunda.

– Ojcze... – Edmund skinieniem głowy pozdrowił ojca, po czym mimowolnie przełknął ślinę. Odsunął się, żeby go przepuścić. Harman przystanął na jego stopniu, znacznie bliżej, niż syn by pragnął.

– To zależy od ciebie, synu, ale kiedy pewnego dnia odziedziczysz tę gospodę, na twoim miejscu dobrze bym się zastanowił, czy go tu zatrzymać. – Przecisnął się obok. Nim dotarł na górę, jego twarz i głos zmieniły się całkowicie – zawołał do Horsy, prosząc o wesołą piosenkę, tylko jedną, by dodać ducha ludziom po długim i ciężkim dniu.

Geoffrey zakręcił kranik środkowej beczki.

– Ta jest już prawie pusta. – Jego głos brzmiał słabo, żałośnie.

– On nie mówił serio. – Edmund zeskoczył z ostatniego stopnia. – Próbuje tylko cię przestraszyć.

Geoffrey dalej odwracał twarz. Skóra między piegami jaśniała nienaturalną bielą, z dzbanka ściekał strumyczek piwa.

Edmund z całych sił przycisnął plecy do zimnej ściany piwnicy.

– Wiesz, że nie chcę odziedziczyć tej gospody.

– Zamknij się! Po prostu zamknij tę swoją wielką gębę!

– Nigdy bym cię nie wyrzucił. Przysięgam.

Geoffrey, tupiąc gniewnie, pomaszerował na górę, tuląc oburącz pełen po wręby dzban. Edmund podsunął swój dzban pod kranik, ale strużka piwa zamarła, nim jeszcze naczynie napełniło się do połowy. Przekręcił kranik ostatniej beczki i odwrócił twarz, by uniknąć obłoku cuchnącego powietrza, które poprzedzało strumień ciemnego trunku. Starł z dzbana gęstą, żółtą pianę i zaniósł go na górę. Tam odkrył, że Brudne Ręce wciąż nie zmienił tematu i gada jeszcze głośniej niż przedtem.

– Szary jest, a gdziekolwiek stąpa, zalega mróz. – Wymachiwał dookoła tłustymi łapskami, rozchlapując część piwa na podłogę. – Wysoki jest, wysoki jak domy, oczy ma czarne i głębokie niczym koniec świata! Jego futro to sztylety, jego zęby są jak noże, ręce czerwone jak krew od tysięcy zbrodni i ani czas, ani miłość, ani odwaga nie ochronią przed ich uchwytem. Nie da się go zabić, jest bowiem głosem świata, kiedy mówi do nas: Nie kocham was.

Edmund zaczął krążyć w pewnej odległości, unikając stołu kupca – Brudne Ręce wypił już dość jak na jeden wieczór. Kiedy mijał kuchenne drzwi, usłyszał głosy kłócących się rodziców: matka błagała o coś i płakała, ojciec warczał, połykając końcówki słów.

– Czy kiedykolwiek opowiedzieli wam, czym on jest?

– Kolejny nieznajomy, zakurzony druciarz z jarmarku, pochylił się nad swym stołem. – To znaczy Otchłanny. Czy kiedykolwiek mówili, co widzieli, co zrobili?

– Tylko trzech mężów powróciło z tamtej góry. – Horsa Blackcalf splótł dłonie na brzuchu. – Tristan o mało nie zginął od ran, Vithric gorączkował całymi tygodniami, a John Marshal – gdybyś tylko widział wyraz jego twarzy. John oznajmił jedynie, że się stało. To wszystko; od tej pory nie wspomniał o tym więcej ani słowem.

– Nie, nie, powiedział, że Tristan przebił go mieczem! – Nicky sięgnął, by poczęstować się skromną kolacją Martina – kawałkiem chleba i cebulą, w którą wgryzł się jak w jabłko. – Tak właśnie powiedział, że Otchłanny zginął od miecza Tristana.

Horsa podrapał się po pokrytym licznymi brodawkami nosie.

– Nie widzę nawet cienia siwizny w twojej brodzie, Nicholasie Birdzie. Nie przypominam sobie, żebyś był już na tym świecie, kiedy oni wrócili.
– Tak mówiła moja babcia. – Nicky przerzucił cebulę z jednej ręki do drugiej. – Opowiadała mi o tym często, gdy wieczorami siadałem jej na kolanach: „Tristan zabił Otchłannego, o tak. Przebił mu serce mieczem i omal nie utonął w jego posoce".
– Twoja babcia była jedynie starą... – Horsa urwał, zerknął z ukosa na Nicky'ego i zadowolił się lekceważącym ruchem głowy.

Edmund przystanął przy ich stole.
– Czy Tristan opowiadał kiedyś sam, co zrobił?
– Jeśli nawet, skąd mielibyśmy wiedzieć? – Horsa położył skrzypki na kolanie, kilka razy przesunął po nich smyczkiem, po czym podkręcił kołki, by nastroić instrument. – W tym samym roku opuścił Elverain i nigdy już tu nie wrócił.

Zakurzony druciarz odważył się przeskoczyć od stołu do stołu i dołączyć do nich.
– Powiem wam jedno, każdy bard i minstrel w każdej tawernie stąd do Anster śpiewa o tym dokładnie tak samo: Tristan wystąpił naprzód i powalił Otchłannego. – Usiadł obok Martina. – Słyszałem tę pieśń. A wy nie? *I Tristan wraził swój miecz w środek jego oka, w środek oka, więc chwalcie dobrego Tristana, bo...*

Martin uniósł mięsistą dłoń.
– Wiesz co, nieznajomy, przestań śpiewać, a postawię następną kolejkę.

– Ale może tak właśnie się to rozeszło? – podsunął Edmund. – Może Tristan opowiedział tę historię w swoich własnych ziemiach albo zrobił to Vithric przed śmiercią.

Horsa zagrał gamę na skrzypkach.

– Nigdy nie naciskaliśmy, by John Marshal opisał nam, co zaszło, choć żyje wśród nas prawie trzydzieści lat. To nie byłoby właściwe.

Martin przytaknął.

– Jeśli ukrywanie prawdy pozwala mojemu wujowi Johnowi przetrwać, niechaj i tak będzie.

– Wy, młodzi, i wy, obcy, nie wiecie, jak wtedy było. – Horsa pomachał smyczkiem. – Zupełnie jakby wszystkie plagi ze wszystkich dawnych legend, jakie kiedykolwiek słyszeliście, powróciły jednocześnie, by nas dręczyć i zrujnować. Najpierw bydło, potem ludzie przyłapani samotnie, następnie farmy i całe wsie – żadnych wiadomości, litości, nie domagał się niczego oprócz naszej śmierci. Nie przypominało to wojny toczonej przez ludzi; nie mogliśmy błagać o zmiłowanie ani nawet się poddać. Mieliśmy zostać pokonani, wypędzeni na drogi i pola i wymordowani kolejno, a nasi panowie nie potrafili temu zaradzić. A potem zjawili się Tristan i Vithric, John i Dziesięciu. Walczyli za nas, umierali za nas, dali nam nadzieję. To prawda, nieznajomy, że nie wiemy, z czym starli się w tych górach, nie wiemy nawet dokładnie, gdzie mogą spoczywać ciała naszych ojców i braci, ale od dnia, gdy tamta trójka wróciła do domu, w zaludnionych krainach nie pojawił się nawet jeden grut ani bolgug, czy podobny stwór. Zasłużyli na wiarę, jaką w nich pokładamy, toteż darzymy nią ich chętnie.

– Ty tam, jasnowłosy! – Brudne Ręce walnął kuflem o stół. – Nalej jeszcze jedną kolejkę.

Edmund udał, że nie słyszy. Cofnął się w półmrok, obsługując stoły najdalej od ognia. Przeciął narożnik sali, a potem wpadł na puchar unoszony dokładnie na wysokości dzbana.

– Piwo, proszę.

Po karku Edmunda przebiegł kłujący dreszcz. Mężczyzna trzymający puchar był młodszy, niż brzmiał jego głos, miał gęste, krótkie włosy zaczynające siwieć i gładko wygolony podbródek. Nosił ciemny strój stosowny dla majętnego kupca, lecz bez kupieckiego upodobania do jaskrawych kolorów. W dłoni trzymał pergamin, który czytał w blasku świecy: Edmund dostrzegł, że wypisano na nim drzewo genealogiczne rodziny królewskiej. Na stole przed nim, obok tacy pełnej kurzych kości, walały się księgi i zwoje.

Nagły potok wspomnień oszołomił Edmunda. Dopiero co obsłużył tego człowieka – zobaczył go, podał mu strawę i napój, a potem w jakiś sposób zapomniał o jego obecności. Teraz przypomniał sobie, że tamten przebywa tu od wielu dni, a potem, że pamiętał to już wcześniej i raz po raz zapominał. Zasłana sitowiem ziemia pod stopami zakołysała się nagle. Nie wiedząc, co robi, uniósł dzban, by napełnić puchar.

– Zresztą, po namyśle, nie ma potrzeby. – Nieznajomy zamknął księgę. – Czy ci ludzie kiedykolwiek przestają pić?

– Czy... czy ja pana znam?

Nieznajomy obdarzył go zimnym uśmiechem.

– Nie znasz. – Zwinął swój pergamin i wsunął do kościanej tuby. – Przygotuj mojego konia.

Edmund znów powiódł wzrokiem po książkach.

– Pan... pan jest czarodziejem.

– A ty chłopem. Cóż za przemiła zabawa. A teraz idź, przygotuj mojego... – Nagle w gardle wezbrał mu kaszel; mężczyzna pochylił się i splunął krwią w chusteczkę.

Edmund rozejrzał się po tawernie. Nikt nie zwracał najmniejszej uwagi na nieznajomego mimo gwałtownego ataku kaszlu, pięknego kroju przyodziewku, a także sterty bogato oprawnych i zdobionych książek na stole, z których każda była zapewne warta więcej, niż wszyscy zebrani zdołaliby zarobić w ciągu miesiąca.

– ...mojego konia. – Mężczyzna zgarnął księgi do juków i zarzucił je Edmundowi na ramię.

– Tak, mój... panie?

– Masz się do mnie zwracać wasza eminencjo.

– Tak, wasza eminencjo. – Edmund pospieszył na zewnątrz.

Gwar rozmów i muzyki ucichł, kiedy zamknął drzwi. Słońce zachodziło nad odległymi szczytami Pasa, rzucając na ziemię długie cienie dachów sąsiednich domów. Juki ciążyły mu na ramieniu wypełnione po brzegi grubymi, kanciastymi kształtami.

Edmund pogładził palcami sfatygowany rzemień torby, a potem sięgnął pod klapę. Poczuł oprawę z de-

ski i skóry, szorstkie krawędzie stron, frędzelek za-
kładki. Spojrzał w rozbłyskujące na niebie gwiazdy,
myśląc, że może potrzebować chwili, by podjąć decyzję, choć wiedział, że już to uczynił.
Przyszłość wyciągnęła rękę i wezwała go do siebie.
Rozważył wszystko w jednej chwili – może nie będzie
go wiele lat, ale kiedy wróci, kiedy Katherine ujrzy,
kim się stał, z pewnością się w nim zakocha. Wyobraził sobie samego siebie, dorosłego, wysokiego i surowego, odzianego w ciemny, bogaty strój i koronę ciężko
zdobytej mądrości. Widział, jak wciska sakiewkę zło-
tych marek w pomarszczone dłonie pana Toma i prosi – nie, rozkazuje – by zwrócił wolność przyjacielo-
wi. Tak, o tak – a co najlepsze, Geoffrey będzie musiał
odziedziczyć gospodę. Ojciec nie będzie miał wyboru.
W drzwiach pojawił się nieznajomy. Edmund odwrócił się do niego, gotów zadać pytanie, które od-
mieni jego życie i na zawsze wytyczy przed nim nowy kurs.
– Wasza eminencjo...
– Nie – odparł nieznajomy.
Edmundowi opadła szczęka.
– Jak... jak? – wyjąkał.
– Przybrałeś pozę suplikanta. – Obcy wyminął go,
stając na gościńcu. – Widziałem już w swym życiu
wielu.
– Ale nie wie pan nawet, o co chcę poprosić. – Edmund ruszył za nim. – Proszę!
– A muszę to usłyszeć? – Nieznajomy pochylił się
i znów rozkasłał. – Twoje oczy mówią wszystko. Chcesz

ode mnie czegoś i nie masz nic do zaoferowania w zamian.

– Ale czytałem „Siedem Dróg"! Znam klucze i akordy Pięciu Kół, tajemne imiona Trzech Filarów! Poddaj mnie próbie, wasza eminencjo, błagam, znam je wszystkie!

Nieznajomy zmierzył Edmunda spojrzeniem.

– Cóż, nie zawsze mam rację. A już sądziłem, że błagasz, abym przyjął cię na służbę, ale nie, chcesz zostać moim uczniem! Ile masz lat?

– Czternaście, wasza eminencjo.

– Czternaście. – Czarodziej parsknął śmiechem, choć zabrzmiał on zbyt głucho, by można go było uznać za wynik rozbawienia. – Zanim skończyłem dwanaście lat, napisałem streszczenie komentarzy na temat każdej z Siedmiu Dróg. W wieku lat czternastu umiałem wzywać moce i rozkazywać mocom, których ty nawet nie potrafisz nazwać, wypowiadałem słowa, których znaczenia nie pojąłbyś nawet przez rok, posyłałem umysł do krain myśli, gdzie najmizerniejszy cień na zawsze pozostawałby dla ciebie nieznany. Masz ambicje wykraczające poza twoją pozycję w świecie. Gdybyś przyszedł do mnie pięć lat temu, może bym się zastanowił, ale teraz jesteś stanowczo za stary.

Pochylił się, by zakasłać i wyraźnie podsyciło to jeszcze jego gniew. Wyminął Edmunda i wyciągnął rękę, wskazując stajnię.

– A teraz idź, przyszykuj mi konia, zanim uznam, że zaczynasz mnie drażnić.

Edmund wycofał się.

– Tak, wasza eminencjo. Proszę o wybaczenie, wasza eminencjo. – Jego głos zabrzmiał dokładnie tak jak wcześniej Geoffreya – cichy, żałosny pisk kogoś, kto wie, że nie może wygrać.

Stajnia stała tuż przy gospodzie, nowsza i znacznie słabsza budowla, cofnięta od gościńca, obok wysokiego, starego żywopłotu Twintreech. Edmund nie musiał pytać, o którego konia chodzi, położył juki na słomie, którą wysypano boks.

Nagle rozkwitł w nim gniew, gorętszy od wstydu, który musiał przełknąć. Klapa jednej z toreb odsunęła się, odsłaniając srebrzyste krawędzie oprawy księgi. Spojrzał na nią, zaschło mu w ustach.

Wszystko stało się w mgnieniu oka. Poczuł, jak pocą mu się dłonie – otarł je o portki i zaczął macać po ścianie w poszukiwaniu uzdy.

– Jeszcze nie skończyłeś? – Nieznajomy przyszedł za nim i stał teraz w drzwiach stajni.

– Już prawie, wasza eminencjo. – Edmund zarzucił juki na grzbiet konia i nakrył je siodłem. Schylił się, by zapiąć popręg, nie trafił i znów spróbował.

– Chłopcze! Potrzebujesz światła?

– Nie, nie, już zrobione, wasza eminencjo.

Wyprowadził konia z boksu. Podając wodze nieznajomemu, nie mógł powstrzymać drżenia palców.

Mężczyzna wziął wodze nie patrząc, powiódł wzrokiem po ciemniejącej wiosce, posągu i domu spotkań na placu i znów po gospodzie, potem spojrzał na stojący po drugiej stronie drogi warsztat Jordana Dyera, jakby spodziewał się, że coś znajdzie, ale nie znalazł.

– Hm. Nieco nędzniejsza, niż ją zapamiętałem. Użył dłoni Edmunda jako stopnia, wskakując na siodło, po czym kłusem skierował się na plac i dalej w ciemność.

Edmund wciągnął powietrze przez nos i wypuścił powoli. Odczekał, aż tętent kopyt ucichnie w dali, potem popędził do stajni, wyjął spod słomy książkę i wśliznął się za gospodę. Czuł mrowienie skóry – stało się. Będzie musiał sobie znaleźć nową kryjówkę.

Rozdział 8

Porywisty wiatr świszczał nad polem. Słońce wzeszło za chmurami, które strzępiły się po brzegach nad horyzontem. Tom chwycił mocniej rączki pługa.

– Wiśta.

Woły ruszyły naprzód i pług zaczął rozcinać ziemię, wciąż ciężką po deszczu.

– Twój pan powinien był ci kazać zaorać to wiosną. Robotnik najemny Oswin dreptał tuż za nim, rozbijając młotem pozostawione przez pług bryły ziemi. Miał na sobie pelerynę z kapturem, ciasno okrywającym gęste, ciemne kędziory, na jego twarzy widoczne były blizny po ospie wietrznej. Koszula przypominała okrycie Toma, pozszywana i połatana.

Stare, za duże buty Toma nie chroniły go przed wilgocią i zimnem; przy każdej kolejnej kałuży woda dostawała się do środka i przemaczała mu nogi.

– Wiśta. Dalej.

Woły zniżyły głowy i ciągnęły, dysząc ciężko. Zmagając się z ciężarem, parły w stronę odległej miedzy na końcu pola w nadziei na krótki odpoczynek.

– Świetnie ci wychodzi. Jak ty to robisz? – rzucił Oswin. – Popatrz, jak idą! Nigdy nie widziałem, żeby tak szły bez bata.

Pług grzązł i podskakiwał na ubitej ziemi, Tom z wielkim trudem go utrzymywał. Dzień zwiastował pracę i nic więcej, skiba za skibą, póki nie padnie. Świat jest piękny, świat jest dobry – powtarzał to sobie, wstając każdego ranka. Zazwyczaj wystarczyło, aby przetrwać dzień.

Na drzewach obok niego rozśpiewała się samiczka kosa. Dotrzymywała mu kroku, polatując z gałęzi na gałąź wzdłuż pola, potem śmignęła i przysiadła na ramieniu Toma – poczuł, jak wbija pazurki, by nie spaść. Wiatr wiał z zachodu, przynosząc wieści: na jutro zapowiadał deszcz, najpóźniej w południe. Kos napuszył piórka i zaczął je przygładzać. Świat był piękny, świat był dobry.

– Hej, Tom! Masz ptaka na ramieniu!

Tom obejrzał się za siebie. Nie spodobał mu się wyraz twarzy Oswina.

– Ho, ho, całkiem tłuściutkiego... – Mężczyzna upuścił młot. – Nie ruszaj się. Kosy to smaczne ptaki.

Tom wzruszył ramionami.

– Leć.

Ptak zerwał się do lotu w samą porę, o cal od palców Oswina.

– Przeklętniku, po co się ruszałeś? – Mężczyzna skoczył i chwycił powietrze, ale nie zdołał złapać kosa. – Mogliśmy go wrzucić do garnka!

Dotarli do miedzy, pasma drzew i nierównej ziemi między polami. Tom poprowadził woły powolnym łukiem i ustawił pług na początku następnej skiby. Nagle zdał sobie sprawę, że żałuje, iż posłano go na jarmark. Zaczął pragnąć rzeczy, których nigdy nie dostanie, i dobrze o tym wiedział. Łatwiej by było ich nie chcieć.

– Matko moja, ale jestem głody. – Oswin oparł się o omszały głaz nad strumieniem. – Kiedy twój pan coś nam przyniesie?

– Staram się o tym nie myśleć. – Tom podciągnął tunikę, próbując ochronić się przed wiatrem, pot na jego skórze zaczął ziębnąć, oddech wołów parował – coraz wolniej, wolniej. Spojrzały na niego – także były głodne.

– Nie płaci mi dosyć. Nawet połowy tego, co powinien. – Oswin rąbnął młotem o głaz. – Wiesz co, Tom, tak się zastanawiałem. Czemu tu jesteś?

Tom nie miał pojęcia, o co tamtemu chodzi. Kiedy nie umiał odgadnąć, czego chcą od niego ludzie, po prostu czekał, aż znów zapytają.

– Trochę powoli myślisz, co? – Mężczyzna zachichotał. – Dlaczego jesteś tutaj, jako niewolnik twojego pana? Co się stało – wymarła ci cała rodzina?

– A... – Tom pokręcił głową. – Nie wiem, co się stało. Zostawiono mnie na schodach gospody w mieście. Mój pan mnie kupił i sprowadził tutaj. Byłem ledwie dzieckiem. Niczego nie pamiętam.

– Ach tak. Takie buty. – Oswin podrapał się po brodzie. – W takim razie może i dobrze, że nie znasz swoich rodziców. Raczej nie chciałbyś ich spotkać.

Tom zamknął oczy. Takie słowa wystarczyły, by zepsuć cały dzień, aż do nocy, wystarczyły, by zapragnął zasnąć i nigdy już nie myśleć. Złapał uchwyty i zagwizdał, woły ruszyły w głąb pola.

– Hej, nie miałem na myśli niczego złego. – Oswin pomaszerował za nimi. – Ja wiem, kim jest moja matka, i wierz mi, bardzo tego żałuję.

Niektórzy ludzie zdawali się gadać tylko po to, by nie musieć słuchać. Tom zawsze tak przypuszczał. Słowa, które mówili, jakże często przeszkadzały w myśleniu.

– Jestem tak głodny, że mógłbym pożreć tego wołu i przekąsić drugim na deser. – Oswin rozwalił bryłę ziemi z większym wysiłkiem, niż tego wymagała. – Raz brałem udział w uczcie, wiesz? Wielkiej uczcie na zamku, tuż przedtem, nim wynajął mnie twój pan. Opowiadałem ci? Szlachta urządza czasem coś takiego – zaprasza na bankiet kilku z nas, biedaków, by móc lepiej sypiać w nocy. Pewnego dnia żebrałem pod bramą, a oni wciągnęli mnie do środka, posadzili przy stole i... och, żebyś to widział! Gulasz z wołowiny i cebuli, wędzone śledzie na półmiskach z groszkiem i fasolą. I mieli też coś, co nazywali figami, zalane miodem. Jadłeś kiedyś figę?

Pług szarpnął w bok w skibie. Tom naparł na niego całym ciężarem i zerknął w dół. Wół po lewej, nakrapiany, ciemny zwierzak, liczący dwanaście piędzi w kłębie, unosił tylną nogę i chwiał się przy każdym kroku.

– Są gumowate i słodkie – ciągnął Oswin. – Mógłbym je jeść cały dzień. Na stole mieli też misy pełne soli, wyobrażasz sobie? Każdy dostał jedną, można było posypywać nią całe jedzenie. A na końcu podali pieczone jabłka z goździkami i czymś białym. Myślałem, że to znowu sól, ale okazało się czystym cukrem! Jadłeś kiedyś cukier? Nigdy nie kosztowałem czegoś takiego w całym... Hej, czemu stajemy?

– Grom okulał.

– Nie możemy się zatrzymać, mamy do zaorania całą morgę! – Oswin machnął dookoła młotem. – I tak nie skończymy przed zachodem słońca.

– Niczego nie zdziałamy, jeśli Grom nam padnie.

Tom ukląkł. Na jego widok wół wywrócił okiem, krzywiąc pysk z bólu. Chłopak dotknął palcami zranionego zadu, poczuł drżenie i gorąco. Niedobrze.

– Powinniśmy wziąć konie.

– Nie możemy, twój pan wynajął je Millerom na cały dzień. Poważnie jest aż tak źle?

– Jest źle i jeśli nie przerwiemy, będzie jeszcze gorzej. Musi odpocząć.

Oswin parsknął, po czym zadarł słaby podbródek i skinieniem wskazał drugą stronę pola.

– Powiedz to swojemu panu. Właśnie idzie.

Tom wstał i odwrócił się; jego pan, Athelstan Barnwell, maszerował ścieżką z farmy – stary, przygarbiony, z twarzą przypominającą stale naburmuszoną, pomarszczoną maskę. W dłoni trzymał bat.

– Dzień dobry, Athelstanie. – Oswin pomachał mu.

– Nie przypuszczam, żebyś przyniósł nam śniadanie?

– Wolno wam idzie. – Głos Athelstana przypominał zasolone pole. – Diablo wolno. Przez was spóźnię się z wysiewem, a wtedy pożałujecie.

– Grom okulał, panie.

Athelstan odepchnął go i pochylił się, żeby zbadać wołu.

– Która noga?

– Tylna lewa, panie.

– Poprowadź je.

Tom chwycił pług.

– Wiśta wio, idziemy – wymamrotał do zaprzęgu i znów ruszyli naprzód.

Trzasnął bicz, Grom ryknął i rzucił się naprzód. Toma oślepił paniczny strach – przez moment nie potrafił stwierdzić, gdzie spadł bat, nie umiał odróżnić paniki od bólu. Wypuścił uchwyty i skoczył naprzód, by znów je chwycić, zanim pług upadnie. Athelstan przyglądał im się przez parę kroków, po czym gestem polecił się zatrzymać.

– Wyprzęgaj – wychrypiał. – Zarżniemy go.

Woły zadrżały, chyląc głowy do ziemi. Z pręgi na grzbiecie Groma sączyła się krew. Tom wyciągnął rękę i dotknął boku zwierzęcia.

– Panie – starannie dobierał słowa, wystarczyłby bowiem ślad błagania, by przypieczętować los wołu. – Mogę go wyleczyć, panie. Dobrze pracuje, musi tylko odpocząć.

Athelstan sapnął.

– Nie mam cierpliwości do leniuchów i maruderów. Skończycie dziś tę morgę albo wół nie będzie wart swojej paszy. – Odwrócił się do Oswina. – Ty idź do Jarvisa Millera. Będziesz pracował do zmierzchu. Płacą pensa – dostaniesz ćwiartkę.

Brwi Oswina powędrowały aż po skraj kaptura.

– Ćwiartkę?

Athelstan zadarł wyżej głowę, celując pokrytą zarostem brodą w pierś mężczyzny.

– Do roboty albo wieczorem znów będziesz żebrać o chleb.

Oswin wymamrotał coś paskudnego, potem rzucił młot i pomaszerował przez pole. Żołądek Toma wybrał sobie ten moment, żeby zaburczeć.

– Nie dostaniesz ani kęsa, ani odrobiny, zanim nie skończysz. – Athelstan zwiniętym batem wskazał pole. – Bierz się do pracy. – Obrócił się na pięcie i odszedł.

Tom chwycił mocniej pług i wbił go w ziemię. Postarał się, jak umiał, przenieść ciężar z Groma na jego kolegę, Pioruna, nieco mniejszego wołu z białą łatą wokół oka. Nie odzywał się więcej – poganiał zwierzęta pomrukami i sapnięciami, drobnymi ruchami dłoni na uchwytach. Słońce osiągnęło najwyższy punkt, po czym zaczęło opadać ku zachodowi. Niebo zrobiło się pomarańczowoczerwone, potem ciemnoniebieskie. Stado szpaków, liczące z dziesięć tysięcy sztuk, obsiadło drzewa. Tworzyły własne królestwo i rozmawiały wyłącznie o sobie.

Wieczór zamienił się w noc. Mróz powrócił. Toma bolało ramię od wysiłku przy rekompensowaniu kulejącego kroku Groma, żołądek ściskał mu się i burczał, czuł potworne znużenie. Osunął się na ziemię i ujrzał przed sobą skibę rozdzielającą się pod ostrzem pługa, ciemne fale zwieńczone wzorem, który nigdy się nie powtarzał.

Pług stanął, Tom opadł na uchwyty, pozwalając swemu ciału oddychać w spokoju, który go ogarnął. Czuł, że zasypia, szarpnięciem uniósł głowę.

– Już niedaleko. No dalej, naprzód. Niedaleko. Woły nawet nie drgnęły. Rozejrzał się dookoła. Zaorali ostatnią skibę. Całą morgę.

Potykając się, ruszył naprzód i położył dłoń na unoszącym się ciężko boku Groma.

– Udało ci się.

Wyprzągł szybko zwierzęta i zarzucił sobie na ramię rzemienie. Chwycił pług i powlókł za sobą. Woły podreptały za nim.

Drzwi domu pana stały otworem.

– To trwało diablo długo. – Athelstan opierał się o framugę, nie spuszczając wzroku z Groma kuśtykającego przez podwórko.

Tom spuścił głowę.

– Morga, panie. Cała.

– Na pastwisko! – Drzwi zatrzasnęły się z hukiem.

Tom zawlókł pług do obory. Dookoła niego ze słomy uniosły się głowy, większość różowa, porośnięta białą wełną z ciemnymi szczelinami źrenic, wśród nich jednak dostrzegł kilka, których oczy w promieniu księżyca połyskiwały zielonkawo. Oswin obudził się, przekręcił na słomie i zakrył rękami twarz.

– Łach – wyszeptał Tom. – Łach, do nogi.

Ze słomy podniósł się roześmiany pysk, łaty czarno-białego futra pod parą nieco kłapciatych uszu. Łach zaszczekał wesoło i zeskoczył z legowiska w kącie obory. Przypadł do Toma i polizał go po nosie, tłukąc kudłatym ogonem o klepisko.

– Dobry pies, Łach, dobry pies. Czas ruszać do roboty. – Tom sięgnął do zawiniątka leżącego na pniaku, który służył mu za stół. – Zagoń je, Łach. No dalej.

Łach pobiegł na tył stada i zaszczekał. Koty prychnęły i rozbiegły się w kąty budynku, uskakując z drogi tłumowi owiec. Tom wziął oparty o ścianę przy drzwiach pastorał i wyprowadził stado na podwórze. Woły już zasnęły, ciemne cienie w chmurze brudnej bieli.

Pomaszerowali na północ wzniesienia, na którym stały farma i obora, kierując się na pastwisko wąską ścieżką między żywopłotami. Łach uganiał się z tyłu, śmigając w prawo i w lewo za najwolniejszymi owcami. Dzwonek wiszący na szyi barana wydawał najgłośniejszy na świecie dźwięk.

Tom znalazł kawałek z całkiem niezłą trawą w miejscu, gdzie grunt znów zaczynał się podnosić. Usiadł przy pniu samotnego wiązu, Łach podbiegł i położył mu łapę na łydce.

– Pilnuj ich piesku, popilnuj trochę.

Pies odbiegł na skraj stada, pod jego czujnym okiem owce zabrały się do wieczornego posiłku. Jagnięta dreptały tuż za krążącymi powoli matkami, woły ułożyły się na ziemi, zbyt zmęczone, by cokolwiek zjeść.

Tom otworzył zawiniątko – krył się w nim kawałek czerstwego chleba i rzepa. Pożarł je łapczywie, potem oparł się o drzewo. W górze migotały gwiazdy, wiatr kołysał trawą u jego stóp. Ogarnął go spokój i pociągnął w dół...

* * *

Ocknął się, nie widząc, gdzie jest ani po której stronie granicy snu się znalazł. Senna zasłona opadła i Tom zrozumiał, że to jawa. Patrzył, jak owce rozbiegają się po całym pastwisku. Łach cofał się od drzew, warcząc z podkulonym ogonem. Toma ogarniała narastająca groza. Czuł, słyszał, wyczuwał, jak coś go obserwuje, coś mierzy go wzrokiem, oceniając, czy nada się na posiłek. Woły rozglądały się spłoszone, gotowe do ucieczki, ale niepewne, w którą stronę się skierować. Łach oblizał łapy – jego warkot zamienił się w skowyt.

– Spokojnie. – Tom wstał szybko. – Wszystko dobrze. Gdzieś na zachodzie, przy łuku strumienia, coś wydało dziwny dźwięk – szybki, ostry klekot. Nie potrafił go powiązać z żadnym znanym mu zwierzęciem.

– Zagoń je, Łach! – Zaczął macać dokoła w poszukiwaniu laski. – Zagoń je, zagoń, szybko.

Łach śmignął naprzód – Tom nie był pewien, czy pies po prostu nie ucieka, ale gdy dotarł na skraj stada, skręcił ostro w lewo, ujadając gorączkowo i zapędzając owce, nim się rozproszą. Spomiędzy drzew dobiegły kolejne klekoty i świst wciąganego oddechu.

– Dalej! – Tom klepnął woły w zady. – Biegiem! Pomknął po krótkiej trawie tak szybko, że nie zdołałby dostrzec żadnej przeszkody – kamienia ani bryły ziemi. Mógł tylko liczyć, że mu się poszczęści. Woły pędziły za nim, z łatwością mogły go stratować, ale trzymały się na wyciągnięcie ręki.

Coś błysnęło wśród drzew nad strumieniem. Tom był niemal pewien, że ujrzał parę oczu, wyłupiastych i jaskrawożółtych, rozstawionych zbyt szeroko jak na jakiekolwiek znane mu zwierzę.

– Łach! Łach! Pogoń je!

Odważył się zerknąć w drugą stronę. Pies robił, co mógł, ale nie zdołał zmusić wszystkich owiec, by pobiegły we właściwym kierunku: gromadka samic ruszyła za baranem w ciemność. Klekot znów się odezwał, dalszy lecz głośniejszy.

Dotarli na podwórze. Drzwi farmy otwarły się gwałtownie.

– Co się tu dzieje? – Athelstan zmrużył oczy, patrząc na Toma. – Co ty tu robisz?

– Tam coś jest, panie. Wśród drzew.

Tom obejrzał się na północ. Łach wpadł na podwórze wraz z resztą owiec, ale brakowało co najmniej czterech.

Athelstan rozejrzał się szybko po stadzie. Przyszpilił Toma spojrzeniem.

– Gdzie reszta?

– Są na pastwisku. Zagnałem wszystkie, które mogłem, ale...

– Ty półgłówku! – Mężczyzna sięgnął po bat. – Idź i znajdź te owce, ale już!

Tom zagnał stado do obory, omal nie wywracając Oswina w drzwiach. Nie zatrzymał się, by wyjaśnić, co się dzieje. Zawrócił i popędził na pastwisko, rozglądając się w poszukiwaniu zaginionych zwierząt. Słyszał jedynie wiatr, żadnych oddechów ani klekotów – ani nawet dzwonka barana.

– Gdzie one są, chłopcze? – Athelstan zszedł ze zbocza, zgarbiony cień w zdeptanej trawie. – Jeśli je zgubiłeś...

Tom zebrał się na odwagę i wpadł między drzewa, szukając na oślep. Biegł pod gałęziami tak daleko, jak się odważył, ale nic z tego – owce zniknęły.

– Gdzie? – W promieniach księżyca pojawiła się twarz Athelstana. Sposób, w jaki trzymał bat, sprawił, że wątpia Toma zamieniły się w wodę.

– Panie, przysięgam, w tych drzewach coś jest – Tom skulił się i cofnął. – Coś tam jest!

Athelstan złapał go za kołnierz i pchnął w stronę podwórza.

– Idź do obory. Ale już.

– Proszę, panie. Proszę, przepraszam, nigdy bym nie odszedł...

Athelstan trzasnął z bata u jego stóp.

– Wracaj do obory. Biegnij tam, chłopcze, klęknij przy słupku i zaczekaj na mnie. Myśl o tym, co cię czeka, kiedy się zjawię.

Rozdział 9

Edmund poszukał wzrokiem punkcika światła na niebie. Spróbował je przyciągnąć.

– Niechaj zstąpi światło gwiazd.

Zachwiał się. Iskierka zniknęła – i znów się pojawiła. Spojrzał na skupisko gwiazd i narysował szybko oś.

– Gwiazdy, słuchajcie mnie. Niechaj zstąpi tu wasze światło.

Nic się nie wydarzyło.

Odłożył książkę na pień, na którym siedział. Zaczął krążyć dookoła, tam i z powrotem. Co robił nie tak? Miało to coś wspólnego z akordami albo kątami. Położył się na trawie, próbując uporządkować w głowie wszystko, co przeczytał przed zachodem słońca. Nic z tego nie miało sensu – a przynajmniej nie w zwykłym znaczeniu tego słowa. Zamknął oczy, z trudem usiłując się uspokoić, każdy oddech wciągał odrobinę wolniej niż poprzedni.

Kłopot w tym, że kiedy tylko zamykał oczy, widział Katherine i jego myśli wędrowały bardzo daleko od magicznego połączenia kątów i światła. Pozwolił powiekom się unieść. Przez chwilę przyglądał się wędrującym w górze konstelacjom.

– Niechaj zstąpi światło gwiazd. – Uniósł ręce, szukając rytmu. – Gwiazdy, słuchajcie mnie. Otoczcie mnie. Niechaj zstąpi wasz blask.

Nic.

Edmund spojrzał gniewnie w niebo.

– Zstępuj!

Wiatr zajęczał wśród drzew. Nic z tego.

– Ugh. – Edmund wstał i usiadł na pniu.

Rozłożył książkę na kolanach i przesunął palcem po stronicach, obok dziwnego rysunku siedmiorga dzieci na promieniach gwiazdy. Znalazł linijki tekstu kilka stron wcześniej, nakreślone mocną, stanowczą linią, tak że mógł je odczytać nawet w słabym świetle.

Są słowa, które nigdy nie zostały wypowiedziane, słowa, których nie wolno wypowiedzieć, słowa, które raz wypowiedziane, wstrząsnęłyby ziemią.

– Co to znaczy? – Edmund miał ochotę cisnąć książkę w chaszcze. – Co to może znaczyć?

Słowa te oddają myśli zbyt ogromne, by pomieścił je umysł – nie da się ich postrzec, jedynie dotknąć w ułamku chwili. To język magii, głos wszystkiego, co istnieje, szepty rosnącej trawy, rozkaz, który utrzymuje księżyc wysoko na niebie.

Edmund pomasował skronie. Może po prostu był zbyt głupi. Pochylił się i mrużąc oczy, odczytał pochyłe pismo.

Wszystko łączy się ze wszystkim innym, wszystko jest symbolem czegoś głębszego. Dla władającego wolą symbol to miejsce początku, zarys myśli, subtelnej ponad wszelkie...

– Wiesz, że oślepniesz od tego?

Edmund wzdrygnął się i uniósł głowę.

– A, Katherine. Kiedy przyszłaś?

– W tej chwili. – Rozpuszczone włosy opadały na haftowaną koszulę, blask księżyca oświetlał twarz dziewczyny ze wszystkich stron. – Jest tutaj, Tom.

Tom w milczeniu wyłonił się z ciemności. Obok niego wyroiły się owce, otaczając pagórek pośrodku pastwiska. Łach zjawił się w pędzie i skoczył na Edmunda, oblizując mu twarz i tłukąc ogonem o ziemię.

– Nie, Łachu, nie na książkę! Zejdź z książki!

Edmund spróbował złapać przednie łapy psa. Łach uznał to za świetną zabawę – podał mu jedną, a drugą opuścił ponownie na cenne stronice.

Katherine wybuchnęła śmiechem.

– Łach, niegrzeczny piesek. – Schyliła się, by podrapać go za uszami i została wynagrodzona obślinionym nosem.

– Do mnie! – Tom zagwizdał. – Biegnij, piesku, zagoń je, no dalej.

Łach odbiegł, by zapędzić bliżej maruderki. Jego ujadanie dobiegało z północy, potem z zachodu, następnie z południa. Tom wsparł się na kiju pasterskim i obracał się, podążając za dźwiękiem szczekania. Obserwował gromadzące się stado.

– Dlaczego prosiłeś o światło?

– Nieważne.

Edmund zebrał z ziemi oderwany skrawek stronicy. Zamknął książkę.

– Dziś w nocy nie chcemy słońca. – Katherine pomajstrowała przy pasku i położyła na kolanach coś długiego i smukłego. – Skoro mamy ochraniać Toma, musimy widzieć w ciemności.

Edmund popatrzył ze zdumieniem.

– To prawdziwy miecz?

– Należał do mojego wuja, Richarda. Papa przywiózł go do domu z wojen. – Katherine wysunęła broń do połowy z pochwy. – Chcesz zobaczyć?

Położyła miecz płasko na dłoniach Edmunda, ten pogładził kciukiem wytartą skórzaną rękojeść, a potem powiódł palcem po prostej głowni w kształcie dysku. Jelec sterczał prosto, pozbawiony ozdób, w jednym miejscu był mocno wyszczerbiony – kiedyś z pewnością zatrzymał bardzo potężny cios.

– Cieszę się, że mogliście przyjść. – Tom usiadł na trawie u stóp Katherine. – Nie chciałem być dziś w nocy sam, zwłaszcza tutaj.

Edmund podążył za nerwowym spojrzeniem Toma na południe, do drzew i pogrążonego w cieniu masywu Wzgórza Życzeń.

– Twój pan ci nie uwierzył?

– Nie. – Tom przesunął się i odchylił, jego twarz wykrzywił grymas. Potem znów siadł prosto.

– Chodź. – Katherine wyciągnęła rękę. – Przyjrzyj-my ci się.

Chłopak pogrzebał w mizernej torbie na ramieniu i wyciągnął zakorkowany drewniany słój. Podał go Katherine.

– Podciągnij koszulę. – Dziewczyna wyciągnęła ko-rek. Tom posłusznie uniósł obszarpaną starą tunikę. Część nici przylepiła się do mokrych, otwartych ran przecinających mu plecy.

– Och! – Edmund wbrew sobie przyjrzał się bliżej.

Katherine zanurzyła palec w maści, roztarła ją wo-kół krawędzi rany. Tom syknął, potem westchnął.

– Chyba nigdy nie nienawidziłam nikogo na tym świecie, ale twojego pana nienawidzę. – Rozprowa-dzała maść po plecach chłopaka, podążając szlakiem czerwonych, rozpalonych szram. – Naprawdę szcze-rze go nienawidzę.

Edmund cofnął się, czując mdłości.

– Ale... Czy znalazłeś wszystkie owce?

– Nie.

Tom znów syknął. Katherine kolejno pokrywała ra-ny maścią. Wiatr kołysał jesionami, które zderzały się ze sobą.

Edmund oplótł palcami rękojeść miecza i wycelo-wał klingą w niebo.

– Posłuchajcie, tak sobie myślałem...

Katherine uśmiechnęła się złośliwie.

– Chyba zawsze myślisz?

– To znaczy, naprawdę myślałem. Może powinni-śmy uciec.

Przyjaciele obrócili się ku niemu. Czuł na sobie spojrzenie piwnych i zielonych oczu.

– Wszyscy – dodał Edmund. – Cała nasza trójka, razem.

Tom wypuścił koszulę, która opadła mu do pasa. Katherine zakorkowała słój.

– A dokąd byśmy poszli?

– Nie wiem, dokądkolwiek. – Edmund uniósł ręce.

– Byle dalej stąd.

Tom zerwał źdźbło trawy. Zaczął je przeżuwać, wodząc wzrokiem po odległych wierzchołkach Pasa, a potem po pastwiskach.

– To dom. Tu jest moje miejsce.

– Powtarzasz to sobie, by przetrwać kolejny dzień.

– Edmund pokręcił głową. – Ale to nieprawda. Na tym świecie istnieje coś lepszego i jeśli starczy nam odwagi, to to coś znajdziemy.

– Szukanie czegoś lepszego oznacza, że będziesz zawsze szukał i nigdy nie znajdziesz.

Edmund nie zdołał powstrzymać zniesmaczonego prychnięcia.

– Ile czasu trzeba, by rany na twoich plecach się zabliźniły? A ile, by twój pan znalazł kolejny pretekst, by znów cię wychłostać?

– Edmundzie, mamy czternaście lat – przypomniała Katherine. – Nie możemy tak po prostu uciec. Umarlibyśmy z głodu na gościńcu albo spotkałoby nas coś jeszcze gorszego.

– Ale nie wiesz tego na pewno – zaprotestował Edmund. – A co będzie, jeśli zostaniemy? Nie pasujemy

tutaj i dobrze o tym wiesz. Co nas czeka, kiedy doro-
śniemy? Co się wydarzy, jeśli będziemy żyć nadal tak,
jak nam to zaplanowano? Nikt z nas nigdy nie będzie
szczęśliwy.

Katherine objęła dłońmi popękaną i sfatygowaną
pochwę miecza. Tom pozwolił Łachowi wskoczyć sobie na kolana.

– Bardzo dużo uczę się z tej książki, ze wszystkiego,
co czytam. – Edmund musnął palcami oprawę. – Poza tą wsią istnieje świat, wielki, szeroki świat. Morza
piasku, miasta tysięcy wież, dwory z hebanu i mar-
muru. Nie musimy zostawać tutaj.

– To dobre miejsce – wtrąciła Katherine. – Bezpieczne. Mnóstwo ludzi umarło, by zapewnić nam to bezpieczeństwo. Powinniśmy być wdzięczni.

– Skąd możemy wiedzieć, czy to dobre, czy złe miejsce, jeśli nigdy nie zobaczymy innego? Skąd mamy
wiedzieć, czy nasze życie nie potoczyłoby się lepiej, jeśli nigdy, przenigdy się nie zmieni? – Edmund usłyszał
echo swego głosu na pastwisku i zrozumiał, że mówi
za głośno. – Nikt nas tu nie potrzebuje. Jeśli zostaniemy, utkwimy w życiu, którego nie chcemy.

Katherine odebrała mu miecz.

– W życiu nie chodzi tylko o to, by dostać to, czego chcemy, Edmundzie. To nie tylko robienie tego,
co nam się podoba, i zapominanie o wszystkich, którzy nas potrzebują. Zachowujesz się samolubnie.

– Kiedyś też chciałaś zostać kimś więcej, coś robić!

– Jakaś część Edmunda podpowiadała mu, by przestał, ale nie zważał na to. – Zmieniłaś się!

– Tak, Edmundzie, dorastam – warknęła Katherine. – Powinieneś kiedyś tego spróbować.

– A zatem chcesz teraz siedzieć spokojnie i czekać, aż wydadzą cię za jakiegoś kowala? Myślisz, że pozwoli ci ćwiczyć walkę mieczem, kiedy zaczniesz mu rodzić dzieci? Sądzisz, że jeszcze kiedykolwiek dotkniesz bojowego rumaka? Myślisz... – Edmund zamknął usta, ale było już stanowczo za późno.

Katherine odwróciła głowę, mrugając gwałtownie.

– Straszne z ciebie dziecko.

– Przepraszam... – Miał ochotę odgryźć sobie język.

Katherine pozostawała zwrócona do niego plecami. Łach zeskoczył z kolan Toma, unosząc uszy. Sam Tom wstał i okrążając pień, znikł w dole między drzewami.

– Po prostu nienawidzę tego miejsca. – Edmund zgarbił się. – Nie chcę mieszkać w gospodzie, zmywać kufli mojego ojca, nalewać jego piwa i czekać, aż umrze. Nienawidzę tego.

– A ja nie mogę zostawić papy. Gdybym to zrobiła, po prostu usechłby i się rozsypał. – Katherine obróciła w dłoniach miecz, wsunęła go do pochwy i odłożyła. – Ale wiem, co mnie czeka. Tak strasznie się boję, że czasami nie mogę spać.

– Chciałbym po prostu, żeby coś się wydarzyło. – Edmund przycisnął pięści do oczu, by powstrzymać się od płaczu. – Chciałbym...

– Cicho.

Edmund obrócił się na pniu. W promieniach księżyca ujrzał Toma i Łacha spoglądających w stronę wierzchołka Wzgórza Życzeń.

– Niby dlaczego? – Edmunda znów ogarnął gniew.

– Tomie, to ważne. Rozmawiamy tu o naszym życiu. Naszej przyszłości. Czy ty nigdy o tym nie myślisz?

– Nie o to chodzi. – Tom pomachał ręką. – Coś słyszałem.

– Słyszałeś? Co? – Edmund umilkł na moment. – Ja nic nie...

Nagle z wierzchołka wzgórza dobiegł ich urwany, beznadziejny krzyk. Edmundowi serce zatrzepotało w piersi.

Tom odwrócił się do Łacha.

– Zostań!

Popędził w stronę gasnącego echa krzyku. Katherine chwyciła miecz i skoczyła za nim.

– Zaczekajcie! Czy na pewno powinniśmy... – Edmund przeciął stary zachodni gościniec akurat w chwili, gdy Tom wśliznął się między drzewa. Pomknął za Katherine. Gałęzie smagały go i chłostały po twarzy. Ciemność skrywała korzenie i nierówności gruntu, toteż potykał się i przeklinał, raz po raz wstając z ziemi. Podążył za dziewczyną, ostro skręcając w lewo, potem na wzniesienie i w prawo. W górze zabrzmiał kolejny krzyk, dłuższy i bardziej rozpaczliwy niż poprzedni.

Edmund przelazł nad zwalonym pniem, kora sterczącej gałęzi podrapała mu brzuch. Dostrzegł Toma na zboczu – mknął wśród drzew niczym ścigana sarna, a potem znów zniknął. Edmund wytężył wszystkie siły, przeciskając się i pędząc przez zarośla. Przechylony, pokonał w pędzie zakręt i niemal wpadł na przyjaciół.

– Co... – Nie mógł złapać oddechu, chwycił się za bok. – Co się... – I wtedy zobaczył.

Na drodze przed nimi leżał chłopiec – twarzą do ziemi, z rękami ukrytymi pod piersią i rozrzuconymi nogami. Wszyscy zamarli i po przepełnionej grozą chwili podbiegli do niego.

Chłopak miał pod płaszczem poszarpaną tunikę i za duże spodnie, okręcone rzemieniami, żeby nie spadały. W miejscu, gdzie uderzył głową o ziemię, we włosy wplątały się liście. Katherine uklękła obok i potrząsnęła go za ramiona, po czym odwróciła.

– O nie – szepnęła. – Nie.

Uniosła w ramionach Petera Overbourne'a. Głowa chłopca poleciała bezwładnie w tył. Tom przeszukał go i znalazł rozdarcie tuniki. Cofnął rękę mokrą od krwi.

– To rana od ostrza.

– To nie jego krzyk słyszeliśmy. – Katherine zerknęła na Toma. – Krzyczała dziewczyna.

– Jak to się stało? – Edmund nie zdołał powstrzymać drżenia głosu. – Co tu się dzieje?

Tom przesunął dłonią po twarzy Petera, żeby zamknąć patrzące ślepo oczy.

– Nie wiem. – Katherine ułożyła chłopca na liściach.

– Nie wiem. Rozejrzyj się, dobrze?

Edmund ruszył ścieżką. Dostrzegł błysk w poszyciu.

– Coś znalazłem. – Sięgnął i jego palce trafiły na rękojeść noża, obosiecznego, służącego do walki. Klinga zabłysła w promieniach gwiazd, gdy obrócił ją w dłoni. – To nóż Geoffreya!

Katherine wstała.

– Pobiegniemy po pomoc.

– Zaczekajcie. – Tom uniósł głowę Petera do słabego światła. Pokrywały ją plamy gęstej, ciemnej cieczy, podobnie jak ostrze noża – Edmund dotknął jej palcem i uniósł do oczu.

– Co to? – Ciecz była niebieska, niemal czarna.

Coś zachrzęściło w gęstym poszyciu po drugiej stronie drogi. Edmundowi akurat starczyło czasu, by krzyknąć, nim poleciał na ziemię. Nad sobą ujrzał postać – miała ciemnoniebieską, pozbawioną nosa twarz, nieludzko okrągłą, z szeroko rozstawionymi, wyłupiastymi oczami i płaską szczęką, która otwarła się, ukazując rząd ostrych jak igły zębów.

Rozdział 10

Edmund zamarł, sparaliżowany spojrzeniem lśniących żółtych oczu. Stwór musnął palcami jego policzek, a potem chwycił go za szyję. Edmund zachłysnął się i szarpnął, ale nie był w stanie poradzić sobie z przeciwnikiem. Pchnięciem kciuka pod brodę stwór odsłonił mu gardło i przyciągnął bliżej. Edmund machnął na oślep nożem Geoffreya, lecz trafił jedynie w pień drzewa obok. Szczęki otwarły się – zęby rosły w dwóch rzędach, jeden za drugim, oddech stwora był słodkokwaśny i bardzo ciepły.

Nagle coś przeleciało nad nim ze świstem. Coś wylądowało na cielsku stwora, wywracając go na ziemię i szarpiąc Edmundem naprzód. Rąbnął ramieniem w pień drzewa – a potem bestia rozluźniła palce i runęła na kolana, z trudem chwytając oddech. W chaszczach tarzały się dwie postaci. Jedna zyskała przewagę i przyszpiliła drugą – to była Katherine. Uniosła miecz, ale stwór okazał się równie szybki, jak silny. Zamachnął się i rąbnął dziewczynę w brodę, a potem przesunął ciężar i zrzucił ją na Edmunda, wgniatając go w błoto. Miecz, koziołkując, poleciał w powietrzu i wpadł w krzaki u wylotu ścieżki.

Stwór był żylasty i muskularny; skulony i przygarbiony, nadal przerastał dorosłego mężczyznę. Nosił kamizelę z gładkiej, poczerniałej skóry. Górną część nóg okrywały brudne bryczesy, poszarpane i obstrzępione na końcach, przytrzymywane pasem z ciemnego sznura. Przyciskał rękę do rany w boku – drugą dobył sztylet i ruszył ku nim rozkołysanym krokiem na ugiętych nogach, bulgocząc i plując z wściekłości.

Tom podbiegł do przyjaciół, stanął nad nimi i gwałtownie zamachnął się swoim kijem. Stwór uskoczył i zanurkował, dźgając z całych sił – ostrze wbiło się w zaimprowizowaną pałkę i odrzuciło chłopaka do tyłu. Katherine sturlała się z Edmunda i wymierzyła kopniaka w brzuch stwora, dokładnie w miejsce, gdzie otwierała się rana. Wielkie żółte oczy wybałuszyły się jeszcze bardziej – potwór wrzasnął i poleciał do tyłu, umożliwiając Katherine zerwanie się z miejsca. Edmund próbował podnieść się za jej plecami, ale ręka ugięła się pod jego ciężarem.

Stwór zrobił unik przed ciosem kija Toma i wskoczył na głaz po drugiej stronie ścieżki. Krew wypływająca wokół przyciśniętej do rany dłoni w blasku gwiazd była granatowa, niemal czarna, o parę odcieni ciemniejsza od skóry. Rzucił się na Katherine, wyciągając przed siebie sztylet – dziewczyna uskoczyła i podcięła mu nogi, tak że przeleciał nad Edmundem i zderzył się z drzewami w dole. Wymachując rękami i nogami, zniknął w ciemności. Usłyszeli trzask, potem kolejny, jakby ktoś spadał na ziemię przez gałęzie – i zapadła cisza.

– Nic ci nie jest? Jesteś ranny? – Katherine dźwignęła Edmunda z ziemi. Włosy opadały jej na twarz szalonym gąszczem, na szczęce rozlewał się paskudny, opuchnięty siniec.

– W porządku... – Edmund nie potrafił powstrzymać dygotania. Pomasował ramię. – Nic mi nie jest. Gdzie ten stwór?

– Tam, na dole. Nie rusza się. – Tom stał na skraju szlaku, spoglądając w dół stromego zbocza.

Edmund chwycił gałąź i wychylił się. Napastnik leżał skulony pod drzewem daleko w dole.

– Chyba go zabiłaś.

– Wyciągnijmy go z cienia i sprawdźmy.

Katherine wyrwała z pnia sztylet Geoffreya, który utkwił mocno w drewnie. Wręczyła go Edmundowi.

– Pilnuj go. Jeśli choćby drgnie, dźgnij go.

Zbiegli po zboczu i ostrożnie zbliżyli się do stwora, rozglądając się czujnie. Katherine i Tom chwycili go za kostki i powlekli z powrotem na drogę obok Petera. Istotnie, nie żył – paszczę miał otwartą, żółte oczy patrzyły w nicość, tak jak oczy chłopaka.

– Co to takiego? – spytała Katherine.

Edmund trącił go stopą.

– Chyba bolgug. Widziałem rysunki.

– Bolgug? – Katherine podniosła z ziemi jego długi nóż – mógł służyć zarówno jako miecz, jak i sztylet, miał ciężką klingę przeznaczoną do dźgania. – Niemożliwe. Bolgugi służyły Otchłannemu, a Otchłanny nie żyje.

Edmund także nie wiedział, jak to możliwe, a jednak stwór leżał na ziemi u ich stóp. Ukląkł obok niego i trącił go z wahaniem, a gdy bestia nie zareagowała, przekręcił jej głowę, by obejrzeć twarz.

– Popatrzcie na te zęby!

Przesunął palcem wzdłuż umięśnionego niebieskiego tułowia i pomacał ranę na boku. Bryczesy, które nosił stwór, uszyto dla chłopca: były stanowczo za krótkie, lecz dość szerokie, by pomieścić żylaste uda. Pas okalający talię zrobiono z warkocza długich, ciemnych włosów.

Katherine przykucnęła obok niego.

– Ty go zraniłeś?

– Nie, to musiał być Peter.

– Peter zbiegał ze zbocza. – Tom stał kilka jardów dalej, pochylał się nisko nad ścieżką, oglądając grunt w słabym świetle. – Musiał uciec z twierdzy. Ten stwór go ścigał.

Edmund spojrzał na nóż Geoffreya. Ścisnął mu się żołądek.

– Tam musi być mój brat!

– I jestem pewna, że to dziewczyna krzyczała. – Katherine zaczęła grzebać w krzakach w poszukiwaniu miecza. – Tom, ty jesteś najszybszy. Leć po pomoc.

Tom obejrzał się na trupa bolguga.

– A co, jeśli jest ich tu więcej?

– Wówczas będziemy potrzebowali zbrojnych z całej wioski i to szybko. Biegnij.

Tom odrzucił kij.

– Bądźcie ostrożni, obydwoje.

Zawrócił i popędził w dół zbocza. Edmund podążył za Katherine w przeciwną stronę.

Szlak zakolami wspinał się na szczyt i urywał pod strzaskaną, połamaną bramą starej fortecy. Padające ze środka światło złociło zrujnowane mury. Edmund przykucnął obok Katherine w ostatniej kępie drzew.

– Ognisko. I to duże.

Dziewczyna odgarnęła włosy za uszy.

– Kroki. – Wychyliła się. – Co najmniej dwie osoby, może więcej.

– Tam, w wejściu.

Edmund pokazał ręką. Zza sterty zwalonych kamieni przegradzających bramę wyłonił się kolejny bolgug, rozejrzał się pospiesznie dookoła i upiornie zaklekotał zębami. W dłoniach trzymał prymitywną włócznię o szerokim grocie.

Katherine zmierzyła go wzrokiem, potem obejrzała się na szczyt muru. Zaczęła obgryzać paznokieć kciuka.

– Geoffrey, ty bałwanie – wymamrotał pod nosem Edmund. – Co tu robiłeś?

– Bawił się i marzył – odparła Katherine. – Tak jak my.

Edmunda na moment nawiedziła wizja matki; tuliła go i płakała – och, Edmundzie, nie obwiniaj się, nic nie mogłeś poradzić. Potem ojciec położył mu dłoń na ramieniu. – Nie ma sensu marnować życia, synu. Przynajmniej wciąż mamy ciebie.

Ich uszu dobiegł nowy dźwięk – przerażone, bardzo ludzkie jęki.

– Proszę, proszę, nie. Nie wiem, czym jesteście, ale proszę, nie...

– To brzmi jak Emma Russet. – Katherine uniosła wyżej miecz.

Edmund ruszył naprzód i dopiero wtedy zrozumiał, że właśnie postanowił narazić życie.

– Z tyłu jest kawałek, gdzie mur się zawalił. Może zdołamy się tamtędy przemknąć.

Skradali się na południe wśród drzew, mijając miejsce, gdzie znaleźli kości świń Hugh Yocelyna. Katherine wychyliła się zza osłony, szukając jakichkolwiek oznak, że wartownicy ich zauważyli. Machnęła na Edmunda, chłopak pobiegł za nią, schylony, wzdłuż bocznego muru, wokół najwyższej wciąż stojącej wieży, na tyły.

– Tutaj. – Zatrzymał się przy wyłomie, w którym pozostał fragment zaledwie dwukrotnie wyższy od dorosłego mężczyzny. Wewnątrz Emma znów jęknęła, wzywając matkę, kogoś, kogokolwiek. Bolgug uciszył ją zgrzytliwym piskiem.

Katherine uklękła, splotła dłonie. Edmund wspiął się na nie i dziewczyna dźwignęła go w górę, póki nie stanął na jej rękach. Sięgnął nad siebie, szukając uchwytu pośród potrzaskanych kamieni na szczycie muru. Znalazł jeden i pociągnął – obluzowany kamień przeleciał mu obok głowy, lądując z łoskotem w trawie.

– Ostrożnie! – syknęła nerwowo Katherine, ale nie rozluźniła splecionych dłoni.

Edmund wbił palce w mur i znalazł punkt zaczepienia. Napiął mięśnie, podciągając się najszybciej, jak mógł. Potem spojrzał w dół na dziedziniec. Obok wysokiego, ciemnego Kamienia Życzeń płonęło ognisko. Przy nim leżał Miles Twintree. Ręce i nogi miał związane – wyglądał, jakby na próżno próbował szarpać się w więzach. Emma Russet zwijała się i szlochała, usiłując wypełznąć spod bolguga, który wyraźnie zamierzał potrząsać nią tak długo, aż ucichnie. Bolgug z włócznią odsunął się od wejścia, wypuszczając w mrok cztery inne. Bestie szły parami, każda dźwigała na ramieniu kij, do którego przywiązano dziecko. Jedno z dzieci miało kręcone rude włosy.

Edmundowi serce uciekło w pięty. Schylił się i wyszeptał do Katherine:

– Zabierają Geoffreya!

– Nie, jeśli zdołam coś na to poradzić. – Dziewczyna dobyła miecza i popędziła z powrotem wokół fortecy.

– Nie, Katherine, zaczekaj – jest ich zbyt wiele!

Edmund wyciągnął rękę, ale dziewczyna już zniknęła mu z oczu. Spojrzał na dziedziniec. Mdliło go ze strachu, nic nie mógł zrobić.

– Puszczaj mnie! – Geoffrey kopał i szarpał się. – Puszczaj, pusz... Niech ktoś mi pomoże!

Prześladowcy zawlekli go w mrok za wejściem.

W myślach Edmunda nagle pojawił się szereg stronic. To był obłęd, czysty obłęd – nigdy w życiu nie rzucił prawdziwego zaklęcia, nie potrafił nawet poruszyć płomienia świecy, a teraz zamierzał spróbować czegoś, co mogło zabić niewyszkolonego ucznia, strawić go żywym ogniem. Ale Katherine, Geoffrey – musiał spróbować.

– Hej! – Stanął na murze. – Hej, ty tam, paskudna gębo, tutaj!

Bolgug trzymający Emmę upuścił ją na ziemię i dobył noża. Otworzył szeroko paszczę, by krzykiem zaalarmować innych. Wartownik przy wejściu obrócił się i dźwignął na ramię włócznię. Trzeci wyskoczył z cienia Kamienia Życzeń, zważył w rękach paskudną, nabijaną gwoździami pałkę.

Edmund przyglądał się płomieniowi na dziedzińcu, póki go nie poznał, póki jego falujący kształt nie stał się twarzą starego przyjaciela. Nakreślił znak Ognia, w głowie zapłonęła mu czerwona gwiazda. Przywołał znak Przyspieszenia, poczuł rozchodzące się po skórze mrowienie i przeszedł gładko do symbolu Światła. Tym razem znak zapłonął w niebiańskiej harmonii. Nie było czasu próbować zaklęcia w jakikolwiek sposób, poza tym najniebezpieczniejszym. Nie miał gdzie go zakotwiczyć, musiał ulokować go w sobie. I wtedy pojawiły się słowa – rzeźbiły osobliwe wibracje w nieruchomym nocnym powietrzu.

– Z OGNIA RODZI SIĘ ŚWIATŁO, W ŚWIETLE UMYKA CIEMNOŚĆ!

Przez ciało przebiegła mu fala bolesnego gorąca, jakby miech wyssał z niego całe powietrze i zastąpił czymś suchym i nieopisanie palącym. Serce szarpnęło się i zatrzymało. Upadł. W przejmującej ciszy ogień eksplodował, zamieniając się w kolumnę światła, która uderzyła w chmury. Edmund zachłysnął się, próbując złapać oddech. Serce znów biło – każde słabe, nitkowate uderzenie budziło w nim kolejną falę bólu. Na skraju świata utworzył się szary tunel, wsysający go do środka. Edmund z trudem przekręcił się na bok. Dwa bliższe bolgugi leżały na wznak, przyciskając ręce do twarzy i wrzeszcząc. Wartownik chwiał się, wciąż unosząc włócznię, machał przed twarzą ciemnoniebieską ręką. Mrużąc oczy, spojrzał na Edmunda i przyszykował się do rzutu – ale do tego czasu dopadła go Katherine.

Dziewczyna wyrwała z rąk wartownika włócznię, obróciła ją i wbiła mu grot prosto w brzuch. Potem wyrwała broń, powalając wrzeszczącego stwora na ziemię. Tymczasem pozostałe dwa bolgugi wstały, uniosły broń, ale natychmiast przesunęły długimi palcami przed oczami, bełkocząc ze zdumieniem. Katherine cisnęła w jednego włócznią, dobyła miecza i zaatakowała drugiego.

Tunel zamknął się wokół oczu Edmunda. Chłopak osunął się na mur. Ból zniknął. Wiedział, że leży na kamieniach, ale nic nie czuł. Do jego uszu dobiegły odgłosy walki, potem wrzask albo krzyk.

– Katherine? Katherine, nic nie widzę.

Rozdział 11

Edmundzie, Edmundzie!
Edmund poczuł, jak trzęsie się łóżko. Poruszył się i jęknął.
– Nie. Źle się czuję. – Jego powieki zatrzepotały.
Ktoś delikatnie dotknął jego głowy, a potem chwycił za ramię.
– Edmundzie!
– Mamo, nie, daj mi spać.
Otworzył oczy. Było ciemno – leżał na ziemi. Nagle wspomnienia powróciły. Porwali jego brata.
– Geoffrey! – Spróbował usiąść i wszystko poszarzało. Z jękiem chwycił się za głowę i znów osunął się na ziemię.
– Nie zdołałam ich doścignąć. – Katherine ostrożnie pomogła mu usiąść. – Nie mogłam cię tu zostawić. Tak mi przykro.

Edmund mrugnięciem przegnał plamy sprzed oczu. Ogień szybko dogasał – znad płomieni wznosił się osobliwie gęsty i ciężki dym, w powietrze wzbił się pióropusz białego popiołu, po czym opadł na ziemię wokół Kamienia Życzeń.

Gdy tylko Katherine go puściła, znów klapnął na ziemię. Nic nie działało jak trzeba: jeśli skupiał się na jednej kończynie, mógł nią poruszyć, ale wówczas zapominał o pozostałych. Same dygotały i drżały – były zimne, jemu też było zimno, tak zimno, że płonął, ale kiedy zamknął oczy, wszystko odeszło.

– Proszę, Edmundzie.

Edmund. Powtórzył to imię w myślach. Spodobało mu się jego brzmienie, ale nie wiedział, dlaczego należy do niego.

– Proszę. Potrzebuję twojej pomocy.

Zmusił się do podniesienia powiek. Katherine miała ranę na ręku, w której trzymała miecz. Gwiazdy zdawały się wibrować. Miles Twintree siedział obok, blady, podkulając kolana do piersi. Emma leżała tam, gdzie upadła, obok dwóch martwych bolgugów przy ognisku. Spoglądała w niebo pustymi, szeroko otwartymi oczami.

– Już, już wstałem. – Edmund podparł się na jednej ręce. Przesunął palcem po czole i cofnął rękę, oglądając krew. Kiedy uderzył się w głowę?

Katherine oparła go o Kamień Życzeń.

– Co się z tobą dzieje?

– Zaklęcie. Nie wiem. Zimno mi.

– Kiedy będziesz mógł chodzić?

Wzruszył ramionami i o mało znów nie ześliznął się na ziemię.

Katherine go złapała.

– Powiedz, kiedy poczujesz się lepiej. – Wstała i odciągnęła bolgugi od ognia. – Emmo, Milesie, przypomnijcie sobie, proszę. Ile dzieci było tu z wami?

Miles ukrył twarz w dłoniach. Spod rzęs Emmy wypływały łzy, ściekając po policzkach, wpadając do uszu i pełnych liści włosów.

– Nie widzę – odezwała się bardzo cicho. – Nic nie widzę.

– Proszę, pomyśl. – Katherine uniosła ręce dziewczyny, rozcinając jej więzy. – Ile było bolgugów?

Emma skuliła się na boku w kłębek, płacząc bezdźwięcznie. Stopy miała bose – ostra gruba drzazga sterczała z jednego podbicia, odłamana tuż nad skórą; wyglądała, jakby przebiła się na wylot.

Edmund zacisnął dłoń w pięść, najpierw jedną, potem drugą. Czucie wracało kłującym mrowieniem, jakby zasnął na obu rękach jednocześnie. Wciąż drżąc, klepnął Milesa w ramię.

– Powiedz jej.

Chłopak podskoczył.

– Było nas... było nas pięcioro. Ja i Geoffrey, Peter, Tilly i Emma. – Roztarł ślady na przegubach pozostawione przez więzy bolgugów. – Zjawiły się wszystkie jednocześnie, nie dałem rady ich policzyć.

Edmund popełzł naprzód do najeżonej szpikulcami pałki na ziemi. Pokrywała ją niebieska posoka. O mało nie zwymiotował.

– Ale widziałem, że Peter uciekł. – Miles uniósł głowę. – Widziałem, jak wybiega bramą, nim mnie uderzyli. Może wezwał pomoc.

Katherine posłała Edmundowi ostrzegawcze spojrzenie.

– Miejmy nadzieję. – Wyrwała włócznię z boku jednego z bolgugów. – Tom też pobiegł po pomoc. Już niedługo.

Gwiazdy przestały się trząść. Edmund znów spróbował i tym razem złapał pałkę za uchwyt. Pomacał obok i znalazł buty Emmy, leżały przy ognisku. A potem dzban, który jak wiedział, pochodził z gospody. Katherine podeszła do Milesa i wyciągnęła włócznię. Chłopak patrzył ze zgrozą na lśniącą krew ściekającą z grotu.

– Weź ją – poleciła.

Chłopiec zamrugał i wzdrygnął się, łzy żłobiły koleiny w pokrywającym policzki brudzie. Wyglądał znacznie dziecinniej niż na swoje dwanaście lat.

– Spójrz na mnie. – Katherine przyszpiliła go wzrokiem. – Teraz musisz być odważny. Weź ją.

– Czego ode mnie chcesz?

Wcisnęła mu włócznię w ręce.

– Pilnuj nas. Stań tam, w wejściu, i nasłuchuj uważnie, czy ktoś się nie zbliża. Jeżeli coś usłyszysz, zawołaj mnie, będę w pobliżu.

Miles wstał i pokuśtykał do bramy. Trzymał włócznię, jakby była wężem, który lada moment wymknie mu się z rąk.

Katherine pokiwała palcem w powietrzu.

– W drugą stronę, Miles, grotem do góry.

– Aha. – Miles obrócił włócznię.

Edmund oparł się ciężko o Kamień Życzeń. Zadrżał i znów zamknął oczy. Chłód wnikał mu w kości. Jego twarz omiótł ciepły, parujący oddech.

– Edmundzie!

Wzdrygnął się i otworzył oczy. Katherine klęczała nad nim.

– Czujesz się choć trochę lepiej?

– Geoffrey... – Spróbował dźwignąć się na nogi, wsparty o Kamień Życzeń. – Musimy iść za nimi.

– I pójdziemy. – Złapała go pod ramię. – To światło to byłeś ty?

Ledwie starczyło mu sił, by pokiwać głową. Podszedł chwiejnie do Milesa czuwającego w strzaskanej bramie.

– Widzisz cokolwiek?

– Przepraszam. – Chłopiec znów płakał, szlochając głośno. – Po prostu się bawiliśmy, bawiliśmy się w łapaj żebraka. Nie powinniśmy byli tu przychodzić. Przepraszam, tak mi przykro.

– Miles... – Edmund wymacał większy kamień i przysiadł na nim. – Widziałeś cokolwiek?

– Tylko borsuka. Jak długo musimy tu zostać? Chcę wracać do domu!

Edmund wyjrzał przez rozwaloną dziurę, poczekał, aż oczy przyzwyczają się do ciemności, aż w końcu dostrzegł w dole zakręt rzeki Tamber w dolinie. Nie usłyszał żadnych oznak alarmu podniesionego w wiosce, żadnych hałasów, krzyków – nic.

Gdzie się podziewał Tom?

– Emmo? – Katherine przemówiła łagodnie za jego plecami. – Emmo, widzisz już coś? Obejrzę twoje stopy.

Emma syknęła boleśnie, po chwili syk zamienił się w szloch.

– Jest bardzo źle? – Edmund zerknął przez ramię.

– Może chodzić?

Katherine szybko oderwała rękaw od koszuli i pocięła na paski nożem Geoffreya. Uniosła w dłoniach stopę Emmy.

– Wydostaniemy się stąd, obiecuję ci.

Emma spojrzała na nią przekrwionymi oczami. Katherine chwyciła odłamany kawałek szczapy kciukiem i palcem wskazującym. Emma wstrzymała oddech. Edmund zbyt późno pomyślał, że warto by się odwrócić.

Drzazga nie wyszła łatwo. Skulił się i zatkał uszy, póki krzyki nie ucichły.

Katherine wylała zawartość dzbanka na stopę Emmy, a potem owinęła ją pasami płótna z własnej koszuli.

– To będzie musiało wystarczyć. – Na drugą stopę wsunęła jej but. – No dobra, wstawaj, idziemy.

Ból najwyraźniej wyrwał Emmę z odrętwienia.

– Co to było za światło, to wcześniej?

– Później o tym pogadamy. No już, wstawaj.

Edmund spróbował się podnieść, podpierając się o kamienie. Wyciągnął rękę.

– Miles, możesz mi pomóc?

Chłopak nie odpowiedział. Z otwartą buzią wyglądał przez wyłom w murze.

Edmund pomachał do niego.

– Miles?

Coś zaszeleściło wśród drzew na zewnątrz. Okazało się, że Miles umie krzyczeć zdecydowanie głośniej niż Emma.

– Padnij! – Katherine zareagowała, nim Edmund zdążył cokolwiek pomyśleć. Skoczyła przez dziedziniec i pchnęła Milesa na trawę pod murem. Wyjrzała i znów uskoczyła. Jej dłoń ściskająca miecz zbielała. Edmund podczołgał się bliżej z walącym sercem.

– Co tam jest?

– Ty mi powiedz.

Na skraju drzew, najwyżej dziesięć jardów od nich stało coś ukrytego pośród cieni. Było stanowczo zbyt wysokie i szerokie jak na człowieka. Ruszyło powoli naprzód, słabe światło błysnęło w czarnych, jakże czarnych oczach.

Edmundowi odebrało dech ze zgrozy. Katherine wciągnęła go za osłonę.

– Dasz radę rzucić jeszcze jedno zaklęcie?

– Ognisko zgasło. – Edmund przebiegł w myślach wszystko, co kiedykolwiek czytał, i stwierdził, że zmieniło się w stertę bezużytecznych, splątanych strachem bzdur. – Co zrobimy?

W ciemności na zewnątrz zachrzęściły liście, potężne ramiona uniosły się w mroku.

Miles wrzasnął ogłuszająco i upuścił włócznię.

– Idzie po nas!

Stwór między drzewami postąpił krok naprzód – cienie opadły z jego twarzy, odsłaniając masę poskręcanych cierni. Edmund usłyszał kolejny głos, wznoszący się do krzyku. Nie potrafił go umiejscowić i dopiero po chwili pojął, że głos ów należy do niego.

– Wstawaj, wstawaj, wyjdziemy tyłem! – Katherine dźwignęła Emmę z ziemi. – Miles, pomóż Edmundowi, szybko!

Miles pomknął w ciemność. Pędy na końcach rąk stwora płożyły się po omszałych kamieniach. Edmund podniósł się i spróbował pobiec. Pokonał pięć kroków, nim ugięły się pod nim nogi.

– Edmundzie! – Katherine obróciła się przy Kamieniu Życzeń. – Miles, zostawiłeś Edmunda. Edmund, chodź!

Jako quiggan służy Otchłannemu w mętnej wodzie, a kamieniupiór w górskiej jamie – w pamięci Edmunda pojawiła się stronica książki – *tako ciernica wypełnia jego wolę w dolinie i lesie.* Przypomniał sobie resztę. Zerknął za siebie.

Ciernica wsunęła w wyłom coś, co przypominało głowę. Całą postać tworzyła splątana masa pędów i gałęzi, z zarysu była nieco podobna do człowieka, tyle że mierzyła ponad dziesięć stóp od ziemi do zgarbionych ramion. W miejscu oczu, pośród gąszczu, ziały dwie dziury. Były tak ciemne, że nie dało się określić, czy wypełnia je jakaś materia.

– Szybciej, szybciej! – Katherine wróciła, ciągnąc za ramię Emmę. – Edmundzie, chwyć mnie za rękę.

– Zaczekaj. – Chłopak podniósł się z trudem. – Nie biegnijcie.

– Zwariowałeś? – Katherine chwyciła jego dłoń. –
Musimy ucie...

Edmund uniósł rękę.

– Powiedziałem: zaczekaj!

Katherine nie wypuszczała go, ale przerażona zamarła w bezruchu. Długie, cierniste pędy sunęły ku
nim. – Nagle napięły się, drapiąc zapalczywie o kamień. Nie zbliżały się.

– Czytałem o tym. – Edmund spojrzał na Katherine. – Ciernice nie mogą chodzić po kamieniach.

Skłębione masy tworzące stopy ciernicy, próbowa-
ły znaleźć sobie oparcie wewnątrz ruin, a potem co-
fały się raz po raz, niezdolne zapuścić korzeni. Dziwna istota powróciła w ciemność.

Katherine zostawiła Emmę pod Kamieniem Życzeń.

– Miles, nie wychodź! Zostań wewnątrz! – Klepnęła
Edmunda po plecach. – Chciałabym być przy tym, jak
twój ojciec następnym razem będzie mówił, że książki do niczego się nie przydają.

Edmund był w stanie myśleć jedynie o tym, że w ciągu jednej nocy dotknęła go więcej razy niż przez całe
wcześniejsze życie.

– Jeśli dobrze pamiętam, w książce pisali, że ciernica może poruszać się wśród drzew z szybkością galopującego po drodze konia. Chyba próbowała nas wy-
płoszyć, żebyśmy uciekli i by mogła nas złapać.

Katherine o mało nie wybuchnęła śmiechem.

– W takim razie pilnujemy bramy i czekamy na pomoc. Nic innego nie możemy zdziałać.

Edmund zerknął na gwiazdy.

– Wiem – szepnął. – Tom powinien już dotrzeć do wioski.

Miles przysunął się do nich.

– Nie chciałem uciekać. Po prostu się przestraszyłem. Poszła sobie?

– Jest tuż za murem. Weź włócznię. – Katherine uniosła pałkę i nóż Geoffreya, zważyła je w dłoniach, potem wręczyła nóż Edmundowi. – Ja wdrapię się na mur i stanę na straży. Kiedy zjawi się pomoc, będę musiała ich ostrzec.

– Są tam też bolgugi. – Edmund opadł ciężko na trawę. – Jeżeli wrócą, bez przeszkód przedostaną się przez bramę.

– W takim razie to my będziemy dla nich przeszkodą. Przecięła dziedziniec i wspięła się na mur; tam położyła się na brzuchu.

Edmund podkradł się do bramy i jeszcze raz wyjrzał na zewnątrz. Ciernica trzymała się cieni na skraju polany, tuż przy omszałych kamieniach blokujących wejście.

– Wciąż tam jest. – Usiadł oparty plecami o rumowisko.

Gwałtowny przypływ energii pozostawił po sobie nowe zmęczenie. Kręciło mu się w głowie i okropnie zmarzł. Wsunął dłonie w rękawy, próbując powstrzymać dreszcze. Spojrzał na zdeptaną trawę u stóp. Szary tunel powrócił.

– Jak długo tu jesteśmy?

Edmund zamrugał. Uszczypnął się w rękę, by się obudzić.

– Nie tak długo, jak się zdaje. – Obejrzał się przez ramię.

Emma tuliła się do Milesa, siedzieli skuleni pod murem.

– Nie zasypiaj, Edmundzie.

Katherine kucała w cieniu, częściowo zasłaniały ją fragmenty umocnień; wędrowała powoli po murze od jednego końca zrujnowanej bramy do drugiego. Z wysiłkiem podniósł się z ziemi i odkrył, że część sił powróciła. Zaczął spacerować po dziedzińcu, wymachując rękami, by odzyskać w nich czucie. Starał się nie patrzeć na trupy bolgugów. Z ogniska został tylko czysty, biały popiół – nawet już nie dymiło. Po niebie przeleciał klucz gęsi, lecz nim dotarł do wzgórza, skręcił nagle, omijając je.

– Słyszę dzwon! – Głos Milesa zabrzmiał piskliwie.

– A wy? To dzwon z wioski!

Gdyby nie potwornie zmęczone nogi, Edmund podskoczyłby z radości. Dzwon na dachu domu spotkań dźwięczał w dolinie – raz, drugi, trzeci.

– Widzicie? – Wrócił do bramy. – Już niedługo wszyscy się tu zjawią, założę się, że usłyszał go nawet lord Aelfric. Musimy tylko wytrzymać jeszcze trochę...

– Wy tam, na dole, uważajcie – syknęła Katherine, przerywając mu. – Wyjrzyjcie na zewnątrz.

Edmund przykucnął przy bramie i wyjrzał. Na ziemi przed nim wiły się pędy, szarpiąc i rozdzierając glebę. Miles jęknął.

– Co się dzieje? – Emma zadrżała.

– Ona wraca – wyjęczał Miles. – Zbliża się.

– Spokojnie, obydwoje – uciął Edmund. – Tu nie zdoła nas dopaść.

Ciernica postąpiła naprzód, ciernie skręcały się i zwijały na całej długości jej nogi. Cienie umknęły i zarysy twarzy nabrały upiornych kształtów.

– Nie patrzcie. Próbuje tylko nas wystraszyć. –Edmund obejrzał się na Katherine. – Co robi?

Wyglądała na równie przerażoną jak on sam.

– Nie wiem.

W trawie kawałek dalej trzasnęła gałązka, potem kolejna. Zachrzęściły liście.

Emma sapnęła.

– Zaszli nas od tyłu!

– To potwory! – zawodził Miles. – Wróciły! Już nie żyjemy, wszyscy nie żyjemy!

Edmund odwrócił się. Słyszał kroki, kilkanaście naraz, zbliżające się w zaroślach po obu stronach zamku.

– Jest ich za dużo, Katherine, za dużo! – Edmund rozejrzał się gorączkowo. Nie mieli dokąd uciec. Dzwon wioskowy znów zadźwięczał daleko w dole. Może i pomoc przybędzie, ale zjawi się za późno.

Katherine zsunęła się z rumowiska, niebezpiecznie blisko koniuszków cierni.

– Musimy utrzymać ich w wyłomie. To nasza jedyna szansa. Miles – jeśli zaatakują, wejdź w szczelinę i oburącz przytrzymaj włócznię. Wybierz pierwszego bolguga, pozwól, by sam wbiegł na grot. Dasz radę?

– T-tak.

– Będę tuż obok. Wystarczy tylko trafić go raz, ja załatwię resztę. Edmundzie – pomóż, jak tylko możesz. Jeśli atak się załamie i uciekną, nie biegnij za nimi.

Edmund zważył w dłoni nóż, klinga drżała w trzęsących się dłoniach. Kroki stawały się coraz głośniejsze, przesuwały się wzdłuż bocznych murów, zmierzając ku wejściu.

Ciernica podeszła bliżej, stając w świetle księżyca. Skupiła swe puste oczy na Edmundzie, który oddychał z trudem. Czuł, jak Emma opiera się na nim – myślał, że próbuje go objąć, ale potem prześliznęła się obok i upadła.

– Proszę. – Zwinęła się ciasno na ziemi. – Proszę, chcę, żeby zabili mnie szybko.

Miles usiadł obok niej.

– Moja mama mówiła, że kiedy się urodziłem, byłem za mały. – Sprawiał wrażenie spokojniejszego niż wcześniej tej nocy. – Nie wiedzieli nawet, czy ostatecznie przeżyję. Gdzieś w głębi duszy zawsze to rozumiałem; nie było mi przeznaczone dorosnąć.

– Miles, wstań. Musimy walczyć.

Katherine podchodziła bliżej w stronę bramy. Edmund chwycił włócznię i ruszył za nią. Jeśli ma jeszcze coś zrobić przed śmiercią, to stanąć u jej boku.

Szelest ucichł. Ciernica jakby się zawahała; spojrzała w bok.

Światło rozdarło ciemność – z krzaków wypadła pochodnia i obracając się w powietrzu, przeleciała przez wejście. Spadając, niemal zgasła, ale trafiła w cel. Ciernica odwróciła się, patrząc na coś, czego Edmund nie dostrzegał; jej plecy zaczęły się tlić, a potem dymić.

– Pochodnie naprzód! – rozkazał znajomy głos. – Trzymajcie się razem – wszyscy razem, wszędzie. Jeśli się zawahacie, zabije nas wszystkich. Naprzód!

Nagła nadzieja omal nie zbiła go z nóg.

– Papa! – Katherine opuściła miecz. – Papo, jesteśmy w twierdzy!

Rozległy się kolejne krzyki.

– Miles?

– Mathilda – Tilly!

– Miles!

– Emma, Emma, gdzie jesteś?

– Ojcze! – Miles zerwał się z ziemi. – Jestem tutaj, ojcze!

Na polanie pojawił się John Marshal. Uniósł pochodnię i ruszył ku ciernicy.

– Spójrz tutaj. Zgadza się, tutaj. Jestem niebezpieczny. Spalę cię.

Ciernica uniosła ramiona i zdławiła płomienie w głębi ciała. Potem odrzuciła kilka przypalonych gałęzi i pochodnię, która poleciała na ziemię. Zebrała się w sobie.

– Papo! – Katherine pobiegła do wyłomu.

Edmund podążył za nią, choć nie miał pojęcia, jakie obrażenia może zadać włócznia dziesięciostopowej stercie cierni.

– Idźcie za Johnem! – Usłyszał głos własnego ojca, dźwięczący ostro z drugiej strony twierdzy. – Do diaska, naprzód!

Po obu stronach zrujnowanej bramy pojawiły się dwa rzędy pochodni; w ich świetle ciernica wyglądała jeszcze gorzej. Ruszyła na Johna Marshala, ale nagle odkryła, że drogę przegradza jej tuzin płomieni. Obróciła się w drugą stronę – oddział Harmana zawahał się, ale wytrzymał. Ciernica zaczęła się cofać w dół zbocza, w cień.

– Ha! – Samotna postać oderwała się od grupy i podbiegła na skraj zbocza. – To cię nauczy!

– Pospieszcie się wszyscy! Niebezpieczeństwo nie minęło. – John Marshal wskazał wnętrze twierdzy mieczem. – Gilbercie Wainwright, Harmanie Bale, idźcie zabrać dzieci – jeśli nie mogą iść, ponieście je. Ruszajcie, szybko! Nicky Bird, ty durniu – odejdź od drzew! Jeszcze nie wygraliśmy.

Harman i Gilbert wpadli na dziedziniec. Reszta mężczyzn krążyła wokół wejścia – niektórzy byli uzbrojeni we włócznie różnej długości i stanu, inni dzierżyli w dłoniach długie łuki z założonymi strzałami, kilku miało tylko pochodnie unoszone wysoko w noc.

John przeszedł przez wyłom.

– Chwyćcie włócznie i odwróćcie się twarzami do drzew. Unoście wyżej pochodnie – tylko one utrzymują nas przy życiu!

Mężczyźni skoczyli i szybko obrócili się, celując bronią w mrok.

Harman rozejrzał się po wygasłym ognisku, rozrzuconej broni i trupach bolgugów. Chwycił Edmunda za ramiona.

– Gdzie twój brat?

Edmund poczuł, jak nogi uginają się pod nim.

– Zabrali go, ojcze.

– W porządku, synu, mam cię. – Harman złapał go w pasie i dźwignął.

Potykając się, ruszył przez gruzowisko, omal nie wywracając się na kanciastych, nierównych kamieniach. Martin Upfield pomógł im zejść. Grunt przed twierdzą okazał się zryty do gołej ziemi.

– John, widzę ją. – Jordan Dyer naciągnął mocniej łuk. – Tuzin jardów niżej, od północy. Odchodzi.

– Co właściwie się tu dzieje? – Ojciec Edmunda odzyskał równowagę. – Skąd się wzięły te niebieskie stwory?

– Utwórzcie krąg – polecił John. – Unoście wysoko pochodnie – rozdajcie je tak, by w każdym rogu była co najmniej jedna. Ten stwór boi się wyłącznie ognia. Nie ma czasu na pytania. Już!

Farmerzy i kupcy z wioski starali się posłuchać, wepchnęli Katherine i Edmunda do środka wraz z pozostałymi dziećmi i otoczyli ich kołem. Edmund ujrzał tam Toma, dygoczącego w promieniach księżyca.

– Tom! – Katherine objęła go, po czym cofnęła się, mierząc go wzrokiem. – Och, tak się bałam, że zginąłeś! Chodź, pomóż mi z Edmundem.

Tom ujął go pod rękę i podtrzymał. Edmund odwrócił się, już miał syknąć: „Gdzie byłeś?", ale słowa zamarły mu na ustach, gdy przyjrzał się skaleczeniom i ranom pod rękawami obszarpanej koszuli i zadrapaniu biegnącemu od oka aż do szczęki.

John Marshal wystąpił przed swych ludzi.

– Celujcie bronią na zewnątrz i każdy niech pilnuje swojego odcinka. Rozglądajcie się na wszystkie strony. Jeśli coś zobaczycie, najpierw ostrzeżcie innych. Zrozumieliście wszyscy?

– Tak, Johnie – odparł Henry Twintree. – Rozumiemy.

– Kiedy bezpiecznie znajdziemy się w wiosce, wszystko omówimy. – John obrócił się na pięcie. – A teraz marsz!

Zeszli ze wzgórza w kole najeżonym włóczniami i pochodniami. Gdy dotarli na zachodni gościniec, John Marshal kazał im biec, niemal za szybko dla Edmunda, który mimo pomocy przyjaciół z trudem trzymał się na nogach. Mijali ciemne domy, ugory i bydło krążące niespokojnie za płotami zagród. W końcu ujrzeli kamienny dach domu spotkań z płonącym ogniem strażniczym, następnie młyn, gospodę i domy wioski.

Kiedy dotarli na plac, rozległy się krzyki. Mężczyźni zebrali się na naradę pod zniszczonym posągiem rycerza. Matki tuliły do siebie dzieci na stopniach domów, jakby zatrzaśnięte drzwi frontowe mogły ustrzec przed każdym złem. Oddział Johna złamał szyki i rozproszył się w tłumie – sąsiedzi pokrzykiwali i zadawali pytania, ganiali dokoła i obejmowali się w blasku latarni, ich długie cienie tańczyły dookoła. Dzwon na dachu dworu dźwięczał długo i głośno, głosy łączyły się w zgiełku, gdy każdy z mężczyzn, który wyprawił się na wzgórze, zaczynał zdyszanym głosem opowiadać tę samą historię co jego towarzysze.

Tom posadził Edmunda pod postumentem rycerza, Katherine położyła miecz na ziemi i objęła rękami kolana.

Edmund odchylił głowę, patrząc w górę na Toma.

– Musimy znaleźć miejsce, żeby pogadać.

Nagle pomarszczona dłoń chwyciła chłopaka od tyłu i obróciła brutalnie. Tom natychmiast spuścił głowę.

– Panie.

– Czy pozwoliłem ci iść na to wzgórze? – Athelstan zacisnął pięść, wymachując nią przed twarzą Toma.

– Pozwoliłem, chłopcze?

– Hej! – Katherine zerwała się na równe nogi, stając między nimi, lecz lodowate słowa Athelstana uciszyły ją.

– Wstrzymaj swój język. Nie będę dłużej tego znosić. To ja przyjąłem do siebie tego sierotę, ja go kupiłem i za niego zapłaciłem. Jest moją własnością, moją – należy do mnie, słyszysz? Synowie i córki wolnych ludzi nie powinni się z nim zadawać. Jeśli chcecie, możecie rzucać się na włócznie, ale kiedy ten tu zdechnie, to przy moim pługu!

Katherine zacisnęła mocno pięści, ale Tom spojrzał jej w oczy i pokręcił głową. Tłum rozstąpił się, pozwalając Athelstanowi popchnąć chłopca ku drodze – tylko po to, by natknął się na Johna Marshala.

Athelstan pogroził mu kijem.

– Odsuń się!

Twarz Johna była jak wyrzezana z kamienia. Uniósł miecz, Athelstan wzdrygnął się i cofnął.

John obrócił klingę i wsunął do pochwy. Podszedł bliżej i powiedział kilka słów do ucha starca. Ten sapnął i pokręcił głową. John wyciągnął rękę, błysnęło srebro, spadając z brzękiem na dłoń.

Athelstan przez chwilę przyglądał się monetom, potem zacisnął wokół nich pięść i wycelował palcem w Toma.

– Jedną noc – rzucił gniewnie i odszedł.

John wziął chłopaka za rękę i poprowadził z powrotem do Katherine. Wcisnął jej w dłoń kolejną monetę.

– Wynajmij pokój w gospodzie, kup jedzenie i odpocznijcie. Znajdę was tam.

Przyciągnął do siebie córkę i pocałował ją w czoło, po czym ścisnął ramię Edmunda.

– Jestem bardzo dumny z was wszystkich.

Katherine poprowadziła ich przez tłum. Ramię w ramię maszerowali do gospody. Edmund nie pamiętał, by kiedykolwiek ucieszył go widok osłoniętych daszkiem drewnianych schodków, teraz jednak serce zabiło mu mocniej, gdy się zbliżyli.

A potem opadło w pięty. Geoffrey.

Jego ojciec stał w drzwiach, mówiąc wolno i cicho, matka przyciskała do twarzy fartuch.

– Decyzja już zapadła. Nikt tam nie wróci dziś w nocy.

Harman sięgnął do żony, a potem zobaczył Edmunda z przyjaciółmi, odwrócił się i zniknął w środku. Sarra zadrżała na stopniach, wypuściła fartuch i zamrugała, patrząc w gwiazdy.

– Próbowałam – powiedziała Katherine. – Tak mi przykro. Nie byłam dość szybka.

Edmund wspiął się na schodki.

– Mamo.

Nie wiedział, co zrobić ani powiedzieć.

– Mój synu! – Matka chwyciła go w objęcia, ale nie płakała z radości, lecz z rozpaczy. – Och, mój synu, mój synu.

Rozdział 12

E dmund wsparł się ciężko na stole w kącie tawerny, kładąc głowę na skrzyżowanych rękach. Miał wrażenie, że wiruje, obraca się dokoła i dokoła, ale wiedział, że to niemożliwe, że leży bez ruchu. Tom siedział obok niego, Katherine naprzeciwko, a ich długie nogi stykały się kolanami. Między nimi stały dwie miski gulaszu z baraniny – miska Katherine była niemal pełna, Toma prawie pusta. Ogień na kominku rozbłysnął, poruszony, po czym znów zaczął gasnąć wśród cieni.

– W tym lesie jest nasza córka. – Jarvis Miller spierał się głośno przy drzwiach z Henrym Twintree. Wycelował palcem w ojca Edmunda. – A także jego syn. Nie możesz żądać, żebyśmy czekali bezczynnie!

– A co mielibyśmy zrobić, Jarvisie? Popędzić do lasu w środku nocy, gdy wciąż krąży tam ten stwór i kto wie ile bolgugów? – Henry Twintree rozłożył ramiona.

– Och, dla ciebie to drobiazg, twój syn jest bezpieczny w domu, cały i zdrowy! – Głos Alice Miller łamał się z każdym słowem. – Inaczej byś śpiewał, gdyby chodziło o twoje dziecko, twoje własne dziecko, gdybyś stracił je i nie wiedział nawet...

Edmund zatkał uszy, wbił wzrok w sufit, potem w ogień. We wszystkich kątach widział wijące się ciernie. Odwrócił się do ściany, ale nie mógł pozostać w tej pozycji – było zbyt ciemno, a on czuł się zbyt samotny.

– Widziałem twoje światło – powiedział Tom. – Rozjaśniło całe niebo.

– I prawie mnie zabiło. – Edmund próbował zjeść trochę gulaszu, ale smakował mdło i nieprzyjemnie.

– Dlatego jesteś zmęczony? – spytała Katherine. – Czy zaklęcia ranią czarodzieja?

Edmund podparł się łokciami.

– Tak naprawdę nie istnieje nic takiego jak zaklęcie, nie w takim sensie, w jakim rozumie to większość ludzi. Nie jest to formułka, którą można powtarzać raz po raz. Gdyby tak było, czarodzieje panowaliby nad całym światem. Gdyby dało się stworzyć zaklęcie, które zabija kogoś z daleka, co mogłoby ich powstrzymać przed recytowaniem go raz po raz, zabijaniem każdego, kto im się sprzeciwi, aż w końcu zostaliby władcami całej ziemi?

– Och... – mruknęła Katherine. – Nigdy tak o tym nie myślałam.

– Każde zaklęcie to coś wyjątkowego, pasującego do danej chwili. – Edmund podsunął swoją miskę Tomowi. – Nie chodzi tylko o słowa, które wymawiamy, ale o to, jak się przy tym czujemy, oznaczenie i rytm, więź, jaka nas z nimi łączy. Ważne są nie tylko myśli w głowie, ale też to, jak może je zmienić miejsce i czas, w którym się znaleźliśmy.

Tom uniósł miskę i zaczął chłeptać.

– Wydaje się to bardzo trudne.

– Jest trudne. To coś jak wymyślanie na poczekaniu piosenki – mógłbym cię nauczyć, jak brzmi każda nuta z osobna, ale jeśli nie masz w sobie muzyki, nie będziesz wiedział, jaka piosenka zabrzmi najlepiej, kiedy ją zaśpiewasz. Wszystko zależy od tego, gdzie jesteś, co czujesz, a nawet kto słucha. – Edmund urwał i ziewnął w dłonie. – Dobre zaklęcie utrzymuje równowagę. Pewien słynny stary czarodziej napisał, że niczego tak naprawdę nie da się stworzyć ani zniszczyć, jedynie zmienić bądź przemieścić. To oznacza, że zaklęcie działa najlepiej, jeśli czarodziej znajdzie sposób, by zapłacić za zmianę, której pragnie, inną zmianą. Można rzucić zaklęcie, które chroni miasto, ale koszt będzie taki, że nikt nie poczuje się w nim szczęśliwy.

– To raczej niezbyt użyteczne – zauważyła Katherine. – Po co być bezpiecznym i nieszczęśliwym?

– Tak właśnie działa magia – wyjaśnił Edmund. – Jeśli nie zdołasz znaleźć sposobu zrównoważenia dobra i zła, cały koszt spadnie na ciebie. I to właśnie zrobiłem dziś w nocy – nazywa się to czerpanie ze środka. Można spróbować wymusić zaklęcie, ale wówczas trzeba dać coś z siebie. Czasami to tylko boli albo wywołuje zmęczenie, ale w końcu zwraca się przeciwko magowi jak klątwa.

– No cóż, cokolwiek zrobiłeś, było genialne – oznajmiła Katherine. – Te bolgugi oślepły jak nietoperze. Nagłe ciepło zalało duszę Edmunda. Po chwili jednak poczuł się gorzej, przypomniał sobie bowiem Geoffreya, kopiącego i szamoczącego się, gdy potwory unosiły go w mrok.

– Nie możemy tak tu siedzieć i nic nie robić.

Obrócił się na ławie, którą dzielił z Tomem. Niemal wszyscy, których znał, stali, siedzieli bądź opierali się o ściany tawerny, wypełniając ją całą. Wszyscy się bali, nikt nie sprawiał wrażenia, jakby wiedział, co dalej począć. Matki trzymały dzieci na kolanach i na stołach przed sobą. Staruszkowie tłoczyli się przy ogniu, a ich pomarszczone twarze jaśniały czerwienią wśród cieni.

Tom pochłaniał gulasz Edmunda wielkimi, łapczywymi kęsami. Katherine sięgnęła nad stołem i ujęła jego kościsty przegub. Uniosła rękaw, oglądając skaleczenia sięgające aż za łokieć.

– Co się w ogóle z tobą działo? – spytał Edmund. – Trwało wieki, nim do nas wróciłeś.

Tom uniósł miskę do ust i wysączył resztki.

– Niezbyt dobrze radzę sobie z opowiadaniem historii.

– Proszę, Tom, powiedz nam. – Katherine wypuściła jego rękę. – Co się stało?

Odstawił miskę na stół.

– Zbiegałem ze wzgórza najszybciej, jak mogłem. – Zerknął na pokrwawione, pokryte strupami dłonie. – Było ciemno, potknąłem się i upadłem, turlając się w dół. W sumie dzięki temu znalazłem się tam szybciej, niż gdybym biegł.

Edmund wciągnął powietrze przez zaciśnięte zęby.

– To tłumaczy sińce.

– Część z nich. Wylądowałem w krzakach przy strumieniu Swanborne, więc zacząłem się przez nie przedzierać, usiłując dotrzeć do ścieżki wiodącej do wioski. Pamiętam, jak zjeżyły mi się włoski na karku, a potem z ukrycia wyskoczył borsuk i pomknął w przeciwną stronę. Nie było też ptaków, panowała straszna cisza... – Tom pokręcił głową. – Powinienem się był zatrzymać. Czułem zapach, jakby krzaków w zimie, i wtedy to stanęło przede mną.

Edmund zamrugał.

– To?

– Widzieliście przecież. Oprócz oczu same ciernie.

– Co się stało dalej? – spytała Katherine. – Zraniło cię?

Tom uniósł rękę, pokazując serię poszarpanych rozdarć z boku tuniki.

– Prawie. – W jego oczach odbił sie cień przerażenia. – To nie oddycha. Słyszałem tylko ciernie drapiące o gałęzie za moimi plecami. Biegłem i uskakiwałem, próbowałem wszelkich znanych mi sztuczek, ale nie mogłem tego zgubić.

– Z pewnością nie byłeś daleko od wioski – wtrącił Edmund. – Dlaczego nie wezwałeś pomocy?

– Nie mogłem sobie pozwolić na marnowanie oddechu. Zapędzało mnie w stronę, z której przybyłem, drogą na szczyt wzgórza. Za każdym razem, kiedy próbowałem odbić na bok i pobiec do domu, zagradzało mi drogę. Po jakimś czasie domyśliłem się, że nie ściga mnie nawet z pełną szybkością – po prostu zaganiało mnie na wzgórze i pozwalało biec przed sobą, dopóki zmierzałem w wybranym przez nie kierunku. Zaczynałem się męczyć, a to coś nie słabło wcale. Wiedziałem, że nie dam rady dłużej, toteż pomknąłem prosto w dół zbocza. Włożyłem w ten bieg całą resztę sił, zdawało mi się, że serce wyskoczy mi z piersi. Podbiegłem na brzeg jaru Swanborne i skoczyłem.

Edmundowi opadła szczęka.

– Przeskoczyłeś przez Swanborne?

– Bolało. Lądując, myślałem, że złamałem sobie nogę, ale tylko ją skręciłem. Zobaczyłem, jak ciernisty stwór podchodzi do krawędzi, a potem zawraca między drzewa i kieruje się w górę. Domyśliłem się, że idzie do was, więc gdy tylko złapałem oddech, pobiegłem brzegiem prosto na błonia. – Tom skinął głową do Katherine. – Twój kuzyn Martin usłyszał, jak krzyczę z drogi, i zaczął zwoływać ludzi. Niektórzy chcieli czekać na lorda Aelfrica, ale twój ojciec zapalił pochodnie i... Resztę już znacie.

Katherine postawiła przed Tomem swoją miskę gulaszu.

– Byłeś bardzo dzielny.

– Czemu? Biegłem tylko ze wszystkich sił.

– Cicho. Zjedz gulasz.

Tom nie dał się dwa razy prosić. Edmund spojrzał na tłum swych sąsiadów, skupionych w zalęknionych, rozszeptanych grupkach po całej tawernie.

– Wiecie, można by oczekiwać, że do tej pory ktoś nam podziękuje.

– Za bardzo się boją o tym wszystkim myśleć.

Jarvis wrzeszczał na Henry'ego, nazywając go tchórzem. Rzucili się na siebie – stoły poleciały na ziemię, ludzie odskoczyli i gdyby drzwi frontowe tawerny nie otwarły się między nimi, mogłoby dojść do wymiany ciosów.

– Nie jestem waszym panem. – John Marshal wkroczył do środka w obłoku mroźnego nocnego powietrza. Jeden kciuk założył za pas, oplatając palcami rękojeść miecza. – Nie jestem waszym wodzem. Jestem zwykłym człowiekiem z wioski, ale dysponuję wiedzą, która może nam pomóc. Jeśli się zgodzicie, zorganizuję wartę i sprawdzę, czy jesteśmy dziś tak dobrze strzeżeni, jak to możliwe.

– Ktoś przeciw? – Ojciec Edmunda rozejrzał się. – Tak myślałem. Oddajemy się w twoje ręce, Johnie.

– Zatem za waszą zgodą i w waszym imieniu ogłaszam zaciąg w Moorvale – oznajmił John. – Ci z was, którzy służą, wezmą broń i zbiorą się na placu. Jeśli macie pochodnie, przynieście je. Ruszajmy szybko i zabezpieczmy wioskę.

– Czekajcie, wy wszyscy, czekajcie! – Jarvis Miller skoczył przed Johna. – Co z moją córką? Nie możemy jej tam zostawić!

John pokręcił głową.

– Przykro mi, Jarvisie, Alice, Harmanie, dziś w nocy nie mamy szans odnalezienia dzieci. A jeśli ruszymy do lasu, narazimy się na utratę kolejnych ludzi.

– Nie możesz mi mówić, że zostawisz tam moją córeczkę! Nie możesz!

– Widziałem, jak ciernica rozdarła na strzępy tuzin zbrojnych. – John przygwoździł Jarvisa wzrokiem, po czym złagodniał. – Gdy tylko uznam, że to bezpieczne, sam poprowadzę oddział poszukiwawczy. Teraz niech cały zaciąg rusza na plac. Wszyscy inni mają zostać tutaj – łatwiej was ustrzeżemy, jeśli będziecie razem.

Katherine zerwała się z ławy i przebiegła przez salę, wyprzedzając mężczyzn. Edmund spróbował ruszyć za nią – Tom złapał go i pomógł podejść do drzwi.

– Ja też mogę pójść, papo! – Przypięła do pasa miecz wuja. – Czuję się już znacznie lepiej.

– Nie, dziecko, dość już zrobiłaś. Ty także, Edmundzie. Odpocznijcie tutaj, a rano spróbujemy odnaleźć w tym jakiś sens.

– Ale papo...

– Powiedziałem: nie.

John Marshal wyszedł z mężczyznami.

Ojciec Edmunda został w drzwiach po tym, jak ostatni z zaciężnych opuścili gospodę. Omiótł przeciągłym spojrzeniem skulone grupki matek, dzieci, podróżnych i starców. W końcu skupił wzrok na Edmundzie.

– Gdzie twoja matka?

– Na górze.

– Dopilnuj, żeby nikt niczego nie zabrał. Mają świetną okazję.

– Tak, ojcze.

Harman zmrużył oczy, patrząc na Toma, i pokazał palcem miskę gulaszu w jego dłoniach.

– Ty za to zapłaciłeś?

– John Marshal zapłacił, ojcze. – Głos Edmunda zabrzmiał jak westchnienie.

Tom ukrył się w cieniu.

– A zatem – ojciec zmierzył go uważnym spojrzeniem – co właściwie robił twój brat na szczycie wzgórza w środku nocy? Domyślasz się może?

Edmund wbił wzrok we własne stopy, wzruszył ramionami.

– Nie wiem.

– Śpicie w jednym pokoju. – Harman zniżył głos, choć nie dość cicho, by nie słyszała go połowa tawerny. – Skoro wykradał się nocą, dlaczego nam nie powiedziałeś?

Edmund mocno zagryzł wargę.

– Powiem ci dlaczego: bo nie wiedziałeś. Ponieważ sam robiłeś to samo. – Ojciec podszedł jeszcze bliżej. – Znów wymykałeś się, żeby czytać swoje książki, tak? Najwyraźniej kilka przeoczyliśmy.

Edmund uniósł głowę.

– Nie wiedziałem, że obchodzi cię, co spotka Geoffreya. Sądziłem, że zamierzasz wyrzucić go na gościniec, jeśli znowu zacznie psocić.

Przez twarz Harmana przebiegł krótki spazm, żal, po którym nastąpił gniew, tak szybko, że ledwie dało się je odróżnić. Pogroził Edmundowi palcem.

– Posłuchaj mnie dobrze. Twój brat jest w ciebie zapatrzony, chce być taki jak ty, nawet ja to widzę.

Poszedł bawić się w lesie, bo ty tam chodzisz. I zobacz, do czego to doprowadziło.

Odwrócił się na pięcie i odszedł.

Edmund z całych sił zacisnął pięści. Czuł, jak sąsiedzi gapią się na niego ze wszystkich stron. Ojciec trzasnął drzwiami.

– On nie mówi poważnie. – Tom wziął Edmunda za rękę i poprowadził do stołu. – Po prostu się boi, to wszystko.

Edmund pozwolił, by zamiast niego odpowiedzi udzieliła pełna goryczy cisza. Wsparł brodę na pięści, ściskając w dłoni kubek koziego mleka, który ktoś zostawił na stole. Zza drzwi dobiegały go stłumione głosy, potem wykrzykiwane rozkazy i cichnący tupot butów maszerujących gościńcem i ścieżką. Katherine krążyła po sali, sprawdzając, co u wszystkich, czy nikt nie jest ranny, czy nikt nie potrzebuje pomocy. Tom wstał i poprowadził ją pod ramię do pustego krzesła. Usiadła i ukryła twarz w dłoniach.

Robert Windlee potrząsnął rzadkimi, białymi włosami.

– Kiedy starzy umierają, mogę to znieść, bo przeżyliśmy już swoje. Ale gdy chodzi o dziecko, zwykłe dziecko... – Zacisnął palce poskręcane od wielu lat pracy niczym dębowe korzenie. – To przekleństwo, kiedy coś takiego spotyka nas na starość, gdy nie możemy już w niczym pomóc.

Niemowlę Mercy Wainwright zaczęło marudzić, potem płakać, a wtedy ze wszystkich zakątków tawerny dołączyły do niego inne dzieci w rozdzierającym uszy chórze. Alice Miller kołysała się na krześle, skulona i roztrzęsiona; nie zauważała nawet innych, którzy próbowali ją pocieszać. Emma Russet leżała zwinięta w kłębek na blacie, nakryta kocem z łóżka Edmunda. Jej zabandażowana stopa sterczała pod dziwnym kątem.

Edmund raz po raz obracał w palcach kubek, usiłując załatać dziurę w myślach. Dlaczego miał ochotę pójść sprawdzić stół w najdalszym kącie? Nikogo tam nie było.

– Myślisz o czymś. – Tom usiadł obok niego. – Zawsze to poznam.

– Próbuję się zmusić do myślenia. – Edmund przycisnął palce do skroni. – Ale nieszczególnie mi się udaje.

– Chcesz, żebym sobie poszedł?

– Nie. Proszę, nie chce mi się pić. – Uniósł kubek. Tom wziął go i opróżnił jednym haustem.

Edmund zabębnił palcami o szorstkie drewno.

– Raz po raz powraca do mnie uczucie, że powinienem sobie coś przypomnieć – westchnął. – Ale wszystko wiruje. Nic nie ma sensu.

– Może przypomnisz sobie, kiedy odpoczniesz – podsunął Tom.

Edmund położył głowę na stole. Sen ogarnął go srebrzystymi falami, zwieńczonymi zatrutymi kolcami koszmarów.

* * *

Ocknął się, gdy porozrzucane kubki i talerze zabrzęczały na stole przed nim. Jeden policzek miał mokry.

W jego polu widzenia pojawił się warkocz miodo-wozłocistych włosów.

– Jaka książka?

Edmund usiadł. Potarł dłońmi oczy.

– Mówiłem coś?

– Powiedziałeś kilka rzeczy. – Missa Dyer siedziała naprzeciwko Luildy Twintree, między sobą ustawiły niedokończoną grę w skaczące węże. – Spałeś i mamrotałeś coś o książce.

– Ach. Och. – Edmund odgarnął z czoła włosy. Ogień dogasał. Otaczali go sąsiedzi na ławkach, krzesłach i podłodze – część spała, inni kulili się w milczącym niepokoju. Katherine leżała zwinięta w kłębek przy ogniu, opatulona w płaszcz, z wyrazu jej twarzy wyczytał, że dręczy ją koszmar. – Wybaczcie. To musiał być sen. – Przesunął dłonią po policzku, wilgoć okazała się rozlanym piwem. Zerknął na planszę. – Wiesz chyba, że już przegrałaś?

Luilda westchnęła.

– Wiem. – Przesunęła węża. – Próbuję tylko zabić czas.

– Przyniosłyśmy trochę jedzenia. – Missa zablokowała jej węża ogarem. – Nie chciałyśmy cię budzić.

– Dzięki, nie jestem głodny. – Spróbował wstać i odkrył, że odzyskał większość sił. – Muszę tylko... sprawdzić konie. W stajni. Zaraz wrócę.

Wyśliznął się tylnym wyjściem. Przy młynie błyskały pochodnie – głosy mężczyzn zlewały się z szumem rzeki. Edmund przekradł się przez magazyn pustych beczek, ogród Knocky'ego i między domami Cooperów i Millerów. Wystawił głowę za róg. Stary posąg rycerza stał samotnie na placu, oświetlony z boku latarnią umocowaną znad stopni domu spotkań.

Edmund wykorzystał nadarzającą się sposobność i wybiegł na otwartą przestrzeń, skręcając na zachód gościńcem. Pola Moorvale ciągnęły się przed nim, niskie i czarne, oczyszczone nawet z plew. Zrównał się ze starą zrujnowaną twierdzą, jej zębata sylwetka rysowała się ostro na tle gwiazd.

– Nie zostawać w tyle. – Głos Johna Marshala niósł się daleko w ciszy.

Edmund wypatrzył grupkę pochodni zbliżających się z zachodu, przeskoczył przez ogrodzenie i pospieszył na północ, na pastwisko. Patrol minął go drogą, ich głośne kroki odbijały się echem od zbocza Wzgórza Życzeń.

Księga leżała tam, gdzie ją zostawił. Szczęśliwym trafem upadła, zamknięta, na liście obok pnia. Podniósł ją, potem pomacał w poszyciu i znalazł skórzaną torbę. Rozplątał rzemyki i wsunął książkę do środka, po czym tą samą drogą wrócił na gościniec. Po drodze wymyślał tłumaczenia, co tu robi sam, ale okazały się niepotrzebne. Patrol, który widział, pomaszerował dalej w stronę Dorham, tymczasem drugi skręcił na wrzosowiska na przeciwnym brzegu rzeki – dzięki szczekaniu psów z łatwością dawało się określić ich położenie.

Edmund przekradł się przez plac i na tyły gospody. Już w środku pobiegł do najlepszego prywatnego pokoju, jedynego z własnym paleniskiem. Wyciągnął książ-

kę, położył na stole, zapalił latarnię wiszącą obok drzwi
i przysunął bliżej. Światło padło z ukosa na krągłe, pochyłe pismo pokrywające kartki przed nim, krzesząc
metaliczne błyski w złoceniach wokół misternych ini-
cjałów. Zaczął przewracać kartkę za kartką, aż w końcu znalazł to, czego szukał.

– To Otchłanny. Powrócił.

Rozdział 13

Tutaj. – Tom pchnięciem otworzył drzwi najlepszego pokoju w gospodzie, wpuszczając do środka falę dźwięków. Ktoś w sali na dole śpiewał cicho kołysankę. – Mówił, że to ważne.

Katherine weszła za nim. Na ramiona zarzuciła koc, włosy splotła w nieporządny warkocz.

– Edmundzie, wciąż ci powtarzam: oślepniesz, czytając przy takim świetle.

– Nie chciałem czekać do rana.

Edmund uniósł pióro do słabo lśniącej lampy i zaostrzył koniuszek nożem.

Katherine schyliła się, by dorzucić do ognia.

– Tom mówi, że coś znalazłeś.

– Wiele rzeczy.

Zanurzył pióro w kałamarzu, strzepnął nadmiar atramentu i w górnym narożniku jedynego kawałka pergaminu, jaki mu został, napisał: *Siedmioro dzieci na gwieździe. Mocne Pismo i Krzywe Pismo są zgodni. Siedem wewnątrz ośmiu, dwakroć powtórzone.* Posypał słowa piaskiem, by wysuszyć inkaust.

Tom pochylił się na stołem.

– Czy to człowiek na tym kole?

– Zasłaniasz mi światło. – Edmund przewrócił stronicę.

– Przepraszam. – Tom przesunął się. – Chodzi o to, co się dziś wydarzyło?

– Usiądźcie, a wam opowiem.

Edmund skrzywił się i rozprostował szyję. Katherine bez słowa zajęła miejsce naprzeciwko. Tom przysunął sobie kłodę ze sterty drewna. Zza zamkniętych okiennic dobiegał tupot przechodzącego drogą patrolu.

– Nic się nie dzieje! – zawołał ktoś, choć nie dość głośno, by obudzić tych, którzy zasnęli tej nocy. – Dochodzi północ i nic się nie dzieje.

Edmund zaczął przerzucać z powrotem pergaminowe strony księgi, pełne rysunków i fragmentów tekstu nakreślonych najróżniejszymi charakterami pisma i odcieniami atramentu. Czasem litery biegły z lewej na prawo, czasem z góry na dół, jeszcze inne zawracały tam i z powrotem, niczym zaprzęg podczas orki.

– Zacznijmy tutaj.

Stronicę przecinały dwie kolumny mocnych czarnych liter. Przesunął palcami po gęstych liniach tekstu i odczytał na głos.

– *Do sług Otchłannego zalicza się także bolgugi, będące ponoć ogarami w jego łowach na młodych ludzi. Są wzrostu i postury człowieka, ale koloru ciemnoniebieskiego, jak skórka czarnych jagód. Chodzą pochylone i zgarbione, lecz poruszają się zręczne i szybko, i niczego się nie boją. Głowy mają okrągłe, oczy jaskrawożółte.*

Katherine pomasowała siniec wzdłuż szczęki.

– *Bolgugiem rządzi głód. Myśli jedynie o nieustannym ssaniu w żołądku, gdzie kryje się...* – Edmund przeskoczył dziurę w tekście, gdzie pergamin przegnił i rozsypał się w proch. – Zobaczmy... *Bolgug może żreć wiecznie i nadal konać z głodu. Swobodnie puszczona sfora bolgugów będzie bez przerwy pustoszyć kraj, żywiąc się mięsem ludzi i zwierząt, póki nie zniszczy wszystkiego. Jedynie w obecności wyższej władczej woli potrafią czynić coś więcej, niż tylko szarpać i pożerać.*

Katherine zastanowiła się chwilę.

– Bolgugi, które widzieliśmy na wzgórzu, z łatwością mogły pożreć dzieci, ale tego nie zrobiły. Związały je tylko i dokądś zabrały – no i wciąż nie wiemy, skąd wzięło się tam ognisko.

– A co z tym drugim stworem, tym zrobionym z cierni? – Tom pochylił się na swoim zaimprowizowanym siedzisku, wbijając wzrok w litery. – Czy twoja książka cokolwiek o nim mówi?

Edmund przewrócił kartkę. Widniała na niej oddana w misternych detalach podobizna istoty, którą widzieli na szczycie wzgórza. Jej pędy oplatały złocony inicjał.

– *Jako quiggan służy Otchłannemu w mętnej wodzie, a kamieniupiór w górskiej jamie, tako ciernica wypełnia jego wolę w dolinie i lesie – ciernioręka, czarnooka.*

Katherine i Tom wymienili przerażone spojrzenia. Latarnia między nimi zamigotała i przygasła.

– Ale to niemożliwe! – Katherine szybko przycięła knot. – Otchłanny nie żyje. Zginął od miecza Tristana.

Edmund pomajstrował przy piórze, lękając się tego, co musi powiedzieć.

– Tak nam zawsze powtarzano.

Katherine zmarszczyła czoło. Przebudzony płomyk, sycząc i dymiąc, pełgał słabo, póki nie znalazł oleju.

– Sześćdziesięciu mężów wspięło się na górę, lecz tylko trzech powróciło – podjął szybko Edmund w obawie, że zaraz stchórzy. – Vithric umarł przed naszym narodzeniem, a Tristan od lat nie powrócił do Elverainu. Tylko twój ojciec mógł opowiedzieć ludziom, co się naprawdę wydarzyło, lecz z tego, co mi wiadomo, nigdy tego nie zrobił. Po ich powrocie ataki ustały, więc wszyscy uznali za pewnik, że Tristan zabił Otchłannego, że złe dni dobiegły końca, ale… skąd mamy mieć pewność?

Katherine skrzyżowała ręce na piersi.

– Co próbujesz mi powiedzieć? Co mówisz o moim papie?

Wbił wzrok w książkę, nie mogąc spojrzeć jej w oczy.

– Pytam tylko – czy opowiadał ci coś, czego nie zdradził nikomu innemu?

Katherine odwróciła głowę, odetchnęła głęboko i powoli wypuściła powietrze.

– Czasem wieczorami po posiłku papa siada przy ogniu z kubkiem wina. Ja łatam mu ubranie i widzę, że w myślach znów wspina się na tę górę i odwiedza Otchłannego. Nigdy nie opowiedział mi, co tam zaszło – i nie sądzę, abym chciała to usłyszeć.

Tom oparł podbródek na zaciśniętych pięściach. Zerknął kolejno na swych przyjaciół.

– Może Tristan naprawdę przebił mieczem Otchłannego, lecz to nie wystarczyło.

– Nie wiemy, co to za stwór. – Edmund zaczął wymacywać kawałki szpagatu, których używał jako zakładek. – Nawet czarodzieje nie są co do tego zgodni; niektórzy uważają, że to tylko wyjątkowo wielki i paskudny bolgug, inni twierdzą, że to żądzacz, czyli *potwór, będący ucieleśnieniem złych myśli i pragnień*. Ten tutaj, z Południa, upiera się, że Otchłanny musi być ciernicą, bo wszystkie opowieści o jego czynach wywodzą się ze wsi na skraju wielkich północnych puszcz. Powołuje się na relację Euda Łysego, który opisuje szczegółowo wszystkie stwory służące Otchłannemu i to, jak na różne sposoby rozszarpują ludzi na kawałki. A później, o tutaj, znalazłem to.

Przesunął palcem w górę strony, podążając za pismem nakreślonym grubymi czerwonymi liniami.

– *Tam, w Pasie, w miejscu zaślubin dwóch rzek, mężowie służący Otchłannemu zbudowali swą uświęconą przystań, wielkie zakazane dworce w cieniu góry. Z twierdzy owej sprawowali rządy, wspierani jego*

przerażającą mocą, nakazując wszystkim pokłonić się
mu i składać daninę. W owych dniach bolgugi krąży-
ły nocami po ulicach, wybierając ofiary, które miały
zaspokoić głód ich pana.

Tom głośno przełknął ślinę. Katherine zadrżała
i mocniej opatuliła ramiona kocem.

– Jeśli właściwie to odczytałem, na Północy istnia-
ła kiedyś rasa ludzi, którzy poddali się władzy Otchłannego. – Edmund postukał drugim końcem pióra
o pergamin. – Ludzie ci mieli władców, którzy nimi
rządzili, a nazywano ich słowem, które w naszym języku znaczy coś jakby „Poczciwy Lud" albo „Odpo-
wiedni", „Stosowni" albo nawet „Zbieracze". Z tego, co rozumiem, owi Zbieracze służyli Otchłannemu
z własnej nieprzymuszonej woli i z jego pomocą zbudowali królestwo.

– Jakie królestwo? – spytał Tom. – Nasze?

– Nie, inne królestwo, dawno temu. – Na widok
oszołomienia na twarzach przyjaciół Edmund poczuł
ukłucie dumy. – Nie zastanawialiście się nigdy, kto
wzniósł wszystkie stare budowle, które widzicie dokoła – dom spotkań albo starą twierdzę na Wzgórzu
Życzeń, albo most? Nikt już nie umie budować podobnych mostów. Nie dziwiło was, dlaczego zachodni
gościniec biegnie tak prosto i szeroko, choć leży przy
nim zaledwie kilka wiosek, a potem kończy się w głu-
szy? Świat nie zawsze wyglądał tak jak teraz.

Wyciągnął z księgi pasek pergaminu.

– Tu, między stronicami, znalazłem notatkę. To
spis. Mithlin, 515. Longsettle, 498. Rushmeet, 476.

Byhill i jakiś gryzmoł, potem Quail, 447 do 455. Dorseford, 428. Chessmill, 409, a potem znów Longsettle, 384 do 390.

Tom podrapał się po skroni.

– Co to za liczby?

– To daty – wyjaśnił Edmund. – Liczby oznaczające lata.

– Nigdy nie słyszałam o czymś podobnym – przyznała Katherine. – To który rok mamy teraz?

Edmund wzruszył ramionami.

– Miejsca i daty. – Katherine pogładziła podbródek i skrzywiła się, gdy natrafiła palcem na siniak. – Mniej więcej co dwadzieścia lat. I same wioski z Północy.

– Wygląda na to, że czarodziej, który to napisał, próbował prześledzić kroki Otchłannego – podsunął Tom.

– Kiedy to pisał, nie był czarodziejem. – Edmund podsunął książkę przyjaciołom. – Przyjrzyjcie się bardzo uważnie inkaustowi.

Katherine postawiła lampę obok księgi.

– Pismo po bokach jest ciemniejsze, czarne.

– I znacznie nowsze – wyjaśnił Edmund. – Główny tekst jest rozwlekły, podchodzi do tematu z różnych stron i punktów widzenia, a wszystkie notatki to poprawki i uzupełnienia, dodane wiele lat później. Bo widzicie, to nie jest księga czarodzieja, tylko ucznia.

– Całą tę książkę napisało dziecko?

– Cóż, nie całą. Księga jest bardzo stara – stworzyły ją co najmniej dwa tuziny ludzi, z tego trzech w językach, z których nie znam nawet literki. Każdy uczeń studiuje to, co zapisano wcześniej, a potem wszywa nowe kartki, by zanotować, czego uczy go mistrz. W niektórych miejscach widać nawet, gdzie mistrz poprawiał ucznia – ostatni mistrz miał wąskie, pochyłe pismo, widać je, o tutaj, kilka stron wcześniej. A jeszcze wcześniej? Widzicie? Pismo to przechodzi w główny tekst, a przeplatają je osobliwe, kanciaste litery. Mistrz i uczeń, jeden za drugim, przez kolejne stulecia.

– Oznacza to, że ostatni w pewnym sensie byłby twoim mistrzem – mruknął Tom.

Edmundem wstrząsnął nagły dreszcz, żołądek ścisnął mu się boleśnie – jakieś wspomnienie, będące tuż tuż, znów umknęło, pozostawiając jedynie wrażenie, że obserwuje go para okrutnych oczu.

– Tak się zastanawiam... – zaczęła Katherine. – Mówiłeś, że ojciec spalił wszystkie twoje książki. Skąd więc wziąłeś tę?

Nagły wyrzut sumienia sprawił, że Edmund o mało nie upuścił pióra – a potem zdumiał się: skąd się wzięło to uczucie?

– Nie pamiętam. Naprawdę. Chyba ojciec jedną przeoczył.

– Wątpię, by zdołał przeoczyć coś takiego. – Katherine uniosła bok książki i przyjrzała się okładce. – Można by za nią kupić konia, i to porządnego. Ile właściwie masz kryjówek?

– Tylko dwie. – Edmund wbił wzrok w ścianę. – Zgadza się, to nie ma sensu. Ojciec znalazł wszystkie moje księgi i spalił je co do jednej. Jestem tego pewien. Mam wrażenie, że coś jest nie tak z moją pamięcią.

– Może to dlatego, że uderzyłeś się w głowę? – podsunął Tom.

Edmund zamknął oczy. Wysilił umysł i przez chwilę prawie... ale nie. Nic.

Katherine przewróciła kartkę.

– Ugh! – Upuściła książkę. – Co to takiego?

Przed nimi widniał rysunek przedstawiający siedmioro dzieci ułożonych na gwieździe. Okalały ją pozwijane i poskręcane symbole, jakby oplatając drobne ciałka.

– To właśnie robi z dziećmi Otchłanny. – Edmund przygładził stronice. – To zaklęcie.

– Myślałam, że po prostu je zjada. Tak głoszą wszystkie legendy.

– W miarę upływu czasu ludzie przekręcają legendy – wyjaśnił Edmund. – Oto, co dzieje się naprawdę. Spróbuję przeczytać kawałek: *Przynieś klingę Temu, Który Przemawia ze Szczytu Góry w... wielkim, wspaniałym, pustym domostwie*, tak tu chyba piszą. *Następnie dostarcz siedmioro dzieci z wiosek pszenicznych niewolników i umyj je*, albo może *oczyść, w miejscu zaślubin dwóch rzek i...* Nie potrafię rozszyfrować następnego fragmentu. Coś o pakcie i przypieczętowaniu słów.

– Jak w ogóle udaje ci się przeczytać to wszystko? – Katherine zmrużyła oczy, przyglądając się książce. – To nawet nie są litery!

– Ależ są, tyle że nie w naszym języku. – Edmund skoncentrował się na skomplikowanym symbolu, pró-

bując odszyfrować jego znaczenie. – Dochodzi do zawarcia umowy. Potem rozbrzmiewa zaklęcie rzucone przez człowieka, lecz wyrastające z mocy Otchłannego. Każdy z nich czerpie coś z dzieci, coś innego.
Tom zerknął na Edmunda.

– Co się dzieje z dziećmi?

– Umierają. – Edmund przesunął palcem wzdłuż rysunku. – Umierają po kolei, a kiedy to się dzieje...
Przebiegł wzrokiem tekst, próbując odnaleźć jakiś sens w gąszczu zawijasów i splecionych linii. Czy łącznik miał tak właśnie opadać, czy też skryba popełnił błąd? Równie dobrze mogło to oznaczać: „Młodość w tysiącu pór roku pod Siódmą Ścieżką poprzez śmierć", jak i: „Siedem młodości przemienia śmierć w tysiąc pór roku".

– Umowa... – Katherine zmarszczyła brwi. – Co to znaczy?

– Jeszcze nie wiem, ale czarodziej, który to narysował, zostawił kilka notatek na następnej stronie. – Edmund pokazał ręką. – Widzicie tu, na dole? Siedmioro dzieci na gwieździe. A niżej? Siedem wewnątrz ośmiu. Kiedy się ekscytuje, zużywa zbyt wiele inkaustu. W dwóch różnych miejscach pisze, że musi ich być siedmioro, a jeśli któregoś zabraknie, zobaczmy: *Krąg zostanie przerwany i Istota nie przyjmie postaci.* Wygląda na to, że jeśli nie ma siedmiorga dzieci, nic się nie uda.

– Na Wzgórzu było ich ledwie pięcioro – przypomniał Tom.

– I troje w Roughy.

– Ale przecież uratowaliśmy Milesa i Emmę, a Peter nie żyje. – Ciemne oczy Katherine rozbłysły. – Otchłanny potrzebuje siódemki i jej nie ma!

– Mój brat żyje i pozostanie żywy, póki Otchłanny nie zbierze siedmiorga dzieci. – Edmund dźgnął palcem w pergamin. – Geoffrey żyje i jeśli zdołamy na czas odkryć, dokąd zabrały go bolgugi, możemy go uratować. Tu jest jeszcze jeden zapis.

Cofnął się do środka książki i położył palec na gęstych liniach atramentu, który wyblakł z upływem lat, przybierając zielonkawą barwę. Słowa zdawały się pełzać w migotliwym blasku lampy, gdy je czytał.

– *I tam, w owych komnatach, ujrzałem na własne oczy jego dzieła w ich straszliwej, rozpadającej się chwale, albowiem w owym mroźnym sanktuarium spoczywały gnijące bogactwa stuleci, odebrane siłą i strachem i porzucone w bezświetlnym mroku groty. Na gwieździe spoczywało siedmioro dzieci. Ludzie płakali z wściekłości i wstydu, gdy blask ich pochodni padł na kryptę, w której ujrzeli dziesiątki rzędów małych grobów.*

Zapadła cisza, która zakłócało jedynie trzaskanie ognia w palenisku.

Katherine otrząsnęła się pierwsza.

– Ale to nie może być Otchłanny! Tristan go zabił, on nie żyje! Mój ojciec tam był.

Edmund popatrzył na nią znad pergaminowych kart księgi.

Westchnęła.

– Porozmawiam z nim.

Rozdział 14

Krople rosy połyskiwały pośród trawy w szaroczarnym mroku przedświtu, tuż nad ziemią snuły się pasma mgły, a wokół zalegała głęboka cisza, kiedy Katherine wróciła do domu. Przekradła się przez podwórze, akurat gdy nad odległymi wrzosowiskami zapłonęły pierwsze zorze. Przystanęła, by posłuchać pod drzwiami domu – ze środka nie dobiegał żaden dźwięk, z komina nie leciał dym, ale ktoś otworzył okiennice. Powoli naparła na drzwi, naciskając je bardzo ostrożnie – tylko po to, by ujrzeć ojca siedzącego w ciemności przy stole. Wciąż miał na sobie płaszcz i buty do konnej jazdy.

– Katherine – rzekł. – Powinnaś była zaczekać do wschodu słońca.

– Tom odprowadził mnie gościńcem. – Weszła do środka i zamknęła drzwi. Po dniu i nocy bez ognia w domu zapanował chłód; sięgnęła po hubkę i krzesiwo leżące obok paleniska. – Rozmawiałam w nocy z Edmundem. – Zapaliła knot lampy i postawiła ją na stole między nimi. – Uważa, że Otchłanny powrócił. Jej ojciec odwrócił wzrok, patrząc przez okno. Wyglądał staro – słabe światło podkreślało zmarszczki wokół oczu i siwe kosmyki w ciemnych włosach. – Edmund ma książkę, papo. Nie wiem, skąd ją wziął. Pokazał mi kilka rzeczy o bolgugach i tym drugim stworze – ciernicy. To sługi Otchłannego, pomagają mu porywać dzieci. Edmund czytał o różnych strasznych rzeczach i... Papo, co się wtedy wydarzyło na tej górze?

Ojciec ukrył twarz w dłoniach.

– Papo? – Wyciągnęła rękę. – Papo, proszę... Co ci jest?

Pierwsze promienie słońca padły na pokrytą szczeciną brodę.

– Opowiadałem ci kiedyś, jak poznałem Tristana?

– Nie, papo.

Odwrócił się do niej.

– Moja córko. Jestem ci winien tyle prawdy, ile tylko zdołam wyznać. Kiedy jednak skończę, powiem ci, co musisz zrobić, a ty mnie posłuchasz. Zrozumiałaś, Katherine?

W żołądku dziewczyny otwarła się otchłań. Usiadła. Ojciec odetchnął głęboko.

– Pochodzę z Zadzioru, długiego łańcucha wzgórz na nizinach wzdłuż południowej granicy królestwa. Mój ojciec, a twój dziadek był stajennym, przez całe życie opiekował się końmi – to fach, który mój brat Richard i ja porzuciliśmy na rzecz wojaczki. Najęliśmy się jako zbrojni w garnizonie naszego pana i tam właśnie po raz pierwszy spotkałem Tristana. Może nie uwierzysz, że twój papa był kiedyś młody, ale byłem – bardzo młody, niewiele starszy niż ty teraz. – Spojrzał na swe pokryte bliznami i odciskami dłonie i zacisnął je w pięści. – Byłem tam owej nocy, gdy nasz pan próbował zdobyć szturmem zamek księcia Westry. Wyznaczono mnie do grupy, która wspięła się na strażnicę i spuściła most, aby Tristan i pozostali rycerze mogli dostać się do środka. Twój stryj Richard zginął owej nocy, na drabinie obok mojej. Żałuję, że cię nie poznał.

Katherine wzdrygnęła się. Przez jedną oszołomioną chwilę miała wrażenie, że po raz pierwszy widzi swojego ukochanego, starego tatę. Przeniknęła wzrokiem to, czym stał się po latach ciężkiej pracy i ujrzała go takim, jakim był wcześniej – samotnego, przerażonego człowieka, który stracił zbyt wiele, zbyt młodo.

– Po wojnie – podjął mężczyzna – nie mogłem znaleźć sobie celu w życiu. Mój brat Richard nie żył, podobnie nasz suweren. Tristan, mój dowódca i bohater, uciekł z pola walki. Nie skończyłem jeszcze dwudziestu lat, ale czułem, iż popełniłem w życiu tak katastrofalne błędy, że teraz czeka mnie już tylko trwanie bez radości i celu. Słuchałem rozkazów łapczywego durnia i w swej żądzy chwały oszukiwałem się, że kieruje nim coś więcej niż chciwość. Teraz niedobitki jego armii rozbiegły się i wróciły do domów, próbując zapomnieć o wszystkim, co się wydarzyło.

Richard, jako młodszy, był oczkiem w głowie matki. Obiecałem się nim opiekować. Kiedy wróciłem i oznajmiłem, że zginął, rodzice nigdy mi nie wybaczyli. Nie przeklęli mnie, ale nie przestawali opłakiwać Richarda i po jakimś czasie nie mogłem dłużej tego znieść. Odszedłem, by zostać sam ze swymi myślami, obiecując, że pewnego dnia wrócę i wszystko naprawię. Nigdy nie wróciłem.

Nie powiem zbyt wiele o czasach, które potem nastąpiły. Wolę ich nie pamiętać. Zarabiałem na życie jako stajenny, wędrując coraz dalej i dalej na północ. Sypiałem w stodołach i oborach, i trzymałem się z boku. W wielu miejscowościach mogłem zostać wśród ludzi, z którymi chętnie bym się zaprzyjaźnił, ale tego nie zrobiłem. Gdy leżałem dręczony bezsennością w kolejnym stogu siana, zastanawiałem się, czemu wciąż wędruję. Aż w końcu pewnej nocy pojąłem, iż szukam Tristana.

Z początku nie wiedziałem, dlaczego go szukam. Sądziłem, że go nienawidzę. Gdybyś kiedyś odwiedziła moje ojczyste strony, przekonałabyś się, że dla tamtejszych mieszkańców Tristan nie jest bynajmniej wzorem. Uważają go za dezertera, fałszywego bohatera, i nieważne, że kiedy odjechał, bitwa była już przegrana. Skoro tak wielki z niego rycerz, mówili, dlaczego nas porzucił w największej potrzebie? Jakiś czas uważałem, że chcę go zabić albo przynajmniej wydobyć z niego wyznanie, przeprosiny, jakieś wyjaśnienia.

Śniłem, że pewnego dnia go znajdę i cisnę mu w twarz swoją rozpacz, krzycząc: „Dlaczego nie zostałeś? Wierzyłem w ciebie! Myślałem, że póki nami dowodzisz, nie będzie aż tak źle, że skoro tam jesteś, to musi coś znaczyć. Ale potem uciekłeś i zostałem sam ze swoimi wątpliwościami".

W miarę, jak pozostawiałem za sobą kolejne mile i twarze, pojąłem, że pragnę go odszukać z innego powodu. Chciałem tylko się przekonać, czy równie mocno jak ja żałuje tego, co uczynił, i czy zna jakiś sposób, który pozwoliłby powstrzymać senne koszmary.

Zupełnym przypadkiem przybyłem na północ niedługo po Tristanie, choć wówczas tego nie wiedziałem. Znalazłem sobie pracę w stajni w mieście Bale, w którym urodził się twój przyjaciel Edmund, w Quentarze, tuż za wzgórzami. Pamiętam zimowy poranek, gdy drugi pomocnik wpadł do stajni, gdzie uprzątałem właśnie boksy, i powtórzył wieści krążące po mieście. Świeżo założone sioło przy starym zachodnim gościńcu w Pasie zostało splądrowane przez złowieszcze stwory, które wypędziły mieszkańców. Otchłanny powstał i to wystarczyło, by wzbudzić popłoch, bo Quentara od północy i zachodu graniczy z górami i jej mieszkańcy obawiają się go równie mocno jak my. Ja jednak upuściłem łopatę nie ze strachu przed bolgugami. Stajenny opowiedział mi o rozpaczliwej obronie domu spotkań i trzydniowej ucieczce do Elverainu. W historii tej występował bohater, rycerz z południa, który zebrał ludzi, walcząc samotnie z trogami i bogganami, odpierając kolejne ataki, gdy prowadził wieśniaków w bezpieczne miejsce. Bez niego, twierdzili ludzie, nawet jedna dusza nie dotarłaby żywa do Northend. Znali nawet jego imię.

W końcu odnalazłem Tristana. Tego samego dnia opuściłem Bale i pomaszerowałem przez noworoczny śnieg do Rushmeet, i dalej na północ, po raz pierwszy w życiu przekraczając granicę Elverainu.

Kiedy przybyłem na miejsce, wszystko poszło gładko. Spodziewałem się, że będę musiał go szukać, w jakiś sposób wyżebrać audiencję. Ale kiedy przeszedłem przez most zwodzony, ujrzałem go na dziedzińcu – stał na wozie i namawiał ludzi z zamku, by dołączyli do niego i ruszyli na Otchłannego. Poznał mnie natychmiast, choć wcześniej rozmawialiśmy tylko raz czy dwa. Musiałem mu się wydać upiorem z przeszłości, lecz kiedy się zbliżyłem, jego oczy błysnęły przyjaźnie i pojąłem wówczas, że nie muszę o nic pytać. Wtedy właśnie poprzysiągłem podążać za Tristanem, a choć w przyszłości czekały nas śmierć, ciemność i strach, ta decyzja okazała się dla mnie zbawieniem.

Wkrótce, jak wiesz, zebraliśmy razem spory oddział. Dziesięciu Mężów z Elverainu, tak nas nazwali. Oczywiście byli wśród nich Tristan i Vithric oraz sir Unwin, który dołączył jeszcze przede mną. Był z nas najstarszy, musiał mieć około czterdziestu pięciu lat. Pochodził z okolicy, z Roughy, ale uczestniczył w wielu wojnach daleko na południu. Lord Aelfric przyjaźnił się z księciem Westry, toteż wysłał niewielki oddział pod dowództwem Unwina do walki z naszym dawnym panem. Parę lat przed przybyciem na północ mogliśmy z Tristanem z łatwością spotkać się z Unwinem na polu bitwy i wierz mi, cieszę się, że tak się nie stało. Oczywiście dołączyli też Bliźniacy, Owain i Bram, najlepsi łucznicy, jakich kiedykolwiek znałem. Tak przy okazji, by rozstrzygnąć nieustanne spory, Bram strzelał lepiej – ale tylko odrobinę. Owainowi to nie przeszkadzało, bo radził sobie z łukiem lepiej niż ktokolwiek inny, a z mieczem zręczniej od brata. Lepiej też śpiewał i uważał się za przystojniejszego z tej dwójki, choć trudno ich było rozróżnić.

Poza nimi w skład naszego oddziału wchodził Bill Piper, mistrz włóczni, Thoderic, władający mieczem i toporem, i Jack Rtęć z Tumble Bridge – prawdziwy postrach! Na trzeźwo nikt nie dorównywał mu zręcznością, ale problem polegał na tym, by pozostał trzeźwy. I oczywiście twój wuj, Hubert Upfield. Prawdziwy był z niego niedźwiedź – twój kuzyn Martin bardzo go przypomina. Kiedy nauczyliśmy Huberta walczyć oskardem, stał się chodzącą machiną oblężniczą.

Sami porządni ludzie. – Niemal westchnął. – Dobrzy przyjaciele, czasami bardzo za nimi tęsknię. – Otrząsnął się. – No cóż, zebraliśmy się we właściwej chwili, bez dwóch zdań. Podczas gdy Tristan i Vithric gromadzili nasz oddział, najróżniejsze ohydne stwory zaczęły nękać granice Elverainu i Quentary, choć nie zdarzało się to od wielu lat. Kursowaliśmy wzdłuż granic. Czasem polowaliśmy, czasem stwory polowały na nas. Zdarzało się, że wspomagały nas miejscowe zaciągi, lecz równie często zostawaliśmy sami. Podczas tych pierwszych miesięcy trzymaliśmy się blisko terenów zamieszkanych i uczestniczyliśmy w najważniejszych potyczkach.

– Oblężeniu Młyna Mithilin – podsunęła Katherine. – Bitwie o Pole Garncarza.

– Tak, i im podobnych. A tymczasem Vithric obserwował, zapisywał, analizował. Ja nie sięgałem myślami dalej niż do następnej kampanii, następnej pilnej wiadomości dostarczonej przez znękanych chłopów, ale Vithric stawiał pierwsze posunięcia w wielkiej rozgrywce z Otchłannym. Słusznie opiewają jego geniusz. Naszymi wrogami były potworne istoty, atakujące bez ostrzeżenia, z ukrycia, z cieni i mgły. Powinniśmy byli zawsze zostawać dziesięć kroków w tyle, ale Vithric w każdym manewrze odnajdował prawidłowości, wzory, ślady umysłu naszego wroga. Nie istniał żaden sekret, którego nie zdołałby zgłębić. Wraz z Tristanem naradzali się do późnej nocy w naszej kwaterze i reszta z nas coraz częściej zaczęła odkrywać, że znalazła się we właściwym miejscu, gdy zaczynały się kłopoty. Ataki słabły. Ludzie się cieszyli i my także, ale Vithric wyjaśnił, że wróg bynajmniej się nie wycofał. Przegrupował jedynie swoje siły, szykując się do potężniejszego szturmu, tego, który według Vithrica mógł podbić całą północ. Postanowiliśmy zatem jak najszybciej przenieść walkę w góry.

Następnej wiosny, gdy tylko przełęcze stały się przejezdne, rozpoczęliśmy pierwsze wypady do Pasa. To olbrzymie i piękne miejsce, choć pełne niebezpieczeństw. Chciałbym obejrzeć te góry w spokojniejszych czasach. Nie będę się rozwodził nad kolejnymi potyczkami, powiem tylko, że napotkaliśmy tam bolgugi i boggany, quiggany i stwory, których nie potrafię nazwać. Znaleźliśmy też ruiny i ich widok zaskoczył wszystkich prócz Vithrica. Nawet w stanie rozpadu stanowiły niesamowity widok – wielkie, kanciaste pałace i przysadziste wieże, zburzone niemal do fundamentów. Oraz wąskie piwniczne schody wiodące w miejsca, których wolałbym nie opisywać. Przeszukaliśmy ich tyle, ile tylko zdołaliśmy, wypłaszając okropne stworzenia, które tam mieszkały.

Upływały miesiące i zrozumieliśmy, że uczestniczymy w zabawie w kotka i myszkę. Szukaliśmy jego oddziałów, sprawdzając kolejne ruiny w nadziei, że znajdziemy wskazówkę, która doprowadzi nas do kryjówki Otchłannego, a tymczasem jego stwory polowały na nas. Musieliśmy bardzo starannie wybierać kolejne bitwy, a mimo to nie obyło się bez strat. Thoderic zginął w walce podczas jednego z wypadów. Żaden z nas nie uniknął obrażeń, ale daliśmy przeciwnikom dość powodów do obaw, by ataki na zaludnione tereny ustały niemal całkowicie. Natrafialiśmy też na wielkie kamienne tablice, pokryte osobliwymi, rzeźbionymi znakami, i po jakimś czasie Vithric nauczył się je odczytywać. Jesienią musiał dowiedzieć się dostatecznie dużo, bo wezwali nas z Tristanem do zamku na tajną naradę.

Jesiennym wieczorem spotkaliśmy się w komnatach lorda Aelfrica. Pamiętam, że tego dnia wiał wiatr – okiennice jęczały i grzechotały, ale na dworze było stanowczo zbyt zimno, by je otworzyć. Bliźniacy, jako najmłodsi, musieli stać, bo zabrakło krzeseł. Vithric zapalił samotną świecę i wszyscy pochyliliśmy się, by go wysłuchać. Wciąż widzę te twarze, jakby to było wczoraj. Oto, co powiedział nam najpierw: „Otchłanny śpi".

– Śpi? – powtórzyła Katherine.

Jej ojciec zaśmiał się.

– My też nie to spodziewaliśmy się usłyszeć. Vithric oznajmił, że Otchłanny powstawał już wcześniej, w dawnych czasach, z których nie zachowały się żadne zapiski prócz znalezionych przez nas tablic. Został pogrążony w bezśmiertnym śnie dzięki potężnemu zaklęciu, a my mieliśmy ogromnego pecha żyć w czasach, kiedy zaklęcie przestawało działać. Pozostało nam tylko jedno: znaleźć Otchłannego, nim się przebudzi. Aelfric zastanawiał się długą chwilę – widziałem, że nie jest do końca przekonany – w końcu jednak oznajmił, że wezwie pod broń pięćdziesięciu ludzi i przekaże ich pod dowództwo Tristanowi.

W trzy dni później zaciąg zgromadził się na dziedzińcu zamkowym i Tristan powstał, aby przemówić do nich w obecności lorda Aelfrica i całego dworu. Oświadczył, że wyprawa będzie niebezpieczna i że nie pomyśli źle o nikim, kto zdecyduje się nie brać w niej udziału. Pamiętam wyraz twarzy Aelfrica, gdy to mówił: lord nie przywykł do idei ochotników. Nie miało to jednak znaczenia, bo do tej pory wszyscy byliśmy już gotowi skoczyć za Tristanem w przepaść. Zebrani krzyknęli ogłuszająco i wymaszerowaliśmy z zamku przez Northend. Bill Piper szedł obok mnie z jednej strony, dźwigając na ramieniu swoją wielką włócznię, twój wuj Hubert z drugiej, z ciężkim jak pień drzewa oskardem w dłoniach; śpiewał na zmianę z Bliźniakami grzmiącym głosem. Był to piękny dzień na defiladę i wszyscy mieszkańcy miasta tłoczyli się, by nas pożegnać. Nic tak jak wiwatujący tłum nie zachęca do przyspieszenia kroku, ale wkrótce znaleźliśmy się poza zasięgiem ich głosów i cisza zabrzmiała jeszcze bardziej ogłuszająco. O zmierzchu dotarliśmy w góry, każdy pogrążony w myślach o tym, co nas czeka. Ojciec Katherine jakby wrócił z dalekiej podróży. Z jego twarzy zniknął wyraz wzruszenia i nostalgii.

– A teraz, dziecko, dochodzimy do tej części historii, której nie zna nikt oprócz trzech, którzy przeżyli. Poprzysiągłem zachować w tajemnicy to, co ci zaraz opowiem. I oto łamię tę przysięgę.

Rozdział 15

Ona ma Głos. Edmund zadrżał. Wypalił resztki rodzinnych zapasów oleju i zwęglił do końca knot lampy. Otworzył okno pokoju, żeby wpuścić światło, ale do środka wpadł tylko ostry, zimny przeciąg.

Jest niewyobrażalnie piękny, nabazgrał na marginesie wokół zawijasa starożytnego symbolu Mocne Pismo, autor ostatnich stronic książki: *Wtedy pierwszy raz poczułem to, co inni mężczyźni nazywają miłością.*

– Kim ty jesteś? – Edmund pochylił się nisko, wsparty na ręce. – Kim jest Ona? – Wbijał wzrok w litery, ale nie odnalazł odpowiedzi.

Nie może umrzeć. Nigdy nie umrze. Jakimż byłem głupcem, skoro myślałem inaczej. Tu pismo straciło swą stanowczość, zmieniło się w pajęcze, ściśnięte na końcu strony. *Ona jest krynicą i źródłem wszel-*

kich myśli, wszelkiej mocy, wszystkiego, co skrywane przed ludźmi. Ci, którzy służyli Jej dawno temu, zyskali władzę, o jakiej nie śniło się królom. Uczynię tak jak oni kiedyś i będę Jej służyć jak oni. Wezwała mnie, a ja odpowiedziałem. Mam na zawsze stać się Jej własnością.

Edmund wyprostował plecy i potarł ręką oczy. Zapasowa tunika Geoffreya wisiała na brzeżku skrzyni – spadek po starszym bracie, jak wszystkie jego ubrania. W kącie walały się zabawki: kilku rycerzy wyrzeźbionych z kawałków drewna, miecz zrobiony z patyków związanych szpagatem, bąk, który nigdy nie obracał się jak należy.

– Znajdę cię. – Ścisnął palcami grzbiet nosa, częściowo by się obudzić, a częściowo by nie zapłakać. – Przysięgam, że cię znajdę.

Znów przebiegł wzrokiem wszystkie miejsca w książce, gdzie znalazł wskazówki czy domysły co do drogi w górach.

Dwa ośrodki, jeden to miasto, drugi – zakazana twierdza Zbieraczy. Miejsce, w którym rzeki łączą się w dolinie. Potem następowała lista, nazwy wszystkich rzek, które Edmund znał, i jednej, której nie znał: *Tamber, Rushing, Mara, Swift. Czy wszystkie płyną na południe? Spytać Aelfrica, czy ma egzemplarz Plegmunda.*

– Plegmunda... – Edmund usiłował zmusić do pracy wyczerpany umysł. Tego samego Plegmunda, który napisał „Podróż za Morze Białe"? Aelfrica – lorda Aelfrica?

Ktoś zastukał do drzwi.

– Edmundzie? Synu?

W ostatniej chwili wepchnął książkę za zagłówek. Jego matka otworzyła drzwi.

– Och, synu, nie spałeś.

– Mamo, możemy go uratować. – Usiadł na swoim piórze. – Możemy ocalić Geoffreya. Ja to wiem.

Matka przysiadła u jego boku.

– Mój chłopcze. – Pogładziła mu włosy. – Mój kochany chłopcze.

Ona też nie spała – całą noc słyszał przez ścianę, jak płacze.

– Och, mój synu. – Wytarła twarz chustką i wydmuchnęła nos. – Kochałeś swojego brata, prawda? Kochałeś.

Edmund złapał ją za rękaw.

– Nie mów, jakby już nie żył, mamo! On żyje!

– Próbowałeś. – Uścisnęła mu rękę. – Nigdy nie zapomnę, że próbowałeś.

– Proszę, mamo, nie poddawaj się.

Matka zwinęła chustkę, po czym rozłożyła ją.

– Miałeś też siostrę. Czy ojciec wspominał ci o tym kiedyś?

Edmundowi zakręciło się w głowie. Siostrę?

– Nie. Kiedy?

– Rok przed twoimi narodzinami. Przyszła na świat cała sina. Ona... – Matka nie zdołała dokończyć. Skuliła się i zaczęła płakać, a Edmund objął ją czule ramieniem i przytulił. Od jej szlochów trzęsło się całe łóżko. – Och. Och. – Ucałowała syna w policzek, mocząc go łzami. – Mój słodki chłopcze, teraz zostałeś tylko ty. Mój jedyny.

Otworzył usta, by oznajmić, że się nie podda, że sprawdzi każdy możliwy ślad – i nagle zrozumiał, że to ostatnia rzecz, jaką powinien powiedzieć.

Matka podniosła się powoli, każdy jej oddech brzmiał jak westchnienie.

– Powinniśmy już zejść. Przybył lord Aelfric. Kazał wszystkim zebrać się na placu.

– Tak, mamo. – Edmund sięgnął po buty. Może lord Aelfric wie coś, co pomoże. Warto przynajmniej spróbować.

– Pamiętaj, żeby zjeść śniadanie. – Schodząc na dół, zebrała włosy i nie patrząc, splotła je w warkocz. – Wyjęłam ci chodaki. Dziś rano zbieramy plony na Czerwonej Mordze.

Oszołomiony Edmund znieruchomiał w drzwiach.

– Dzisiaj?

Zszedł do tawerny i otworzył drzwi frontowe. Sąsiedzi, szurając nogami, wędrowali gościńcem do Longsettle, zmierzając ze znużeniem na plac. Ojciec stał z kilkunastoma miejscowymi na kamiennych stopniach domu spotkań; wszyscy mieli na sobie przybrudzone, zielone kaftany wioskowego zaciągu. Niektórzy wspierali się na włóczniach, reszta była uzbrojona w łuki, pałki i topory. Miedzy nimi warowało pół tuzina psów, kudłatych owczarków merdających ogonami w oczekiwaniu na łowy.

– Raz jeszcze muszę prosić wszystkich o ciszę. – Harry stał o schodek wyżej, odziany w lśniącą zbroję i kolorową narzutkę. U jego pasa wisiał zdobny miecz w okutej srebrem pochwie. – Mój szlachetny ojciec jest świadom wydarzeń zeszłej nocy i tego, co mogą zwiastować. Dlatego właśnie przybyliśmy tu dzisiaj, by zbadać okolice wioski, szukając śladów zaginionych dzieci. Ojciec mój łaskawie postanowił zwolnić tuzin waszych mężczyzn od pracy, aby wspomogli go w wysiłkach. W zamian nie domaga się dodatkowej daniny, bo smutek tego dnia za bardzo rani mu serce. Musicie mu zaufać, jak przystało jego poddanym.

Edmund wyszedł na słońce. Bezbarwne promienie oświetlały zimne, posępne góry na zachodzie. Zaczął się przepychać przez narastający tłum.

– Tam jest! – Hob Hallows klepnął go po ramieniu.

– Oto nasz człowiek, czarodziej z Moorvale!

Jego brat Bob sapnął i wymierzył Edmundowi solidnego kuksańca. Nigdy wcześniej nie był tak bliski odezwania się.

– Wieści szybko się rozchodzą. – Wat Cooper nachylił się z uśmiechem nad Edmundem. – Zdawało mi się, że zeszłej nocy widziałem światło na wzgórzu. Cała wieś o tym gada.

– Ha, a my sądziliśmy, że całe życie będziesz podawał nam piwo. – Hob beknął i roześmiał się. – Pomyślcie tylko, chłopcy, kto odziedziczy gospodę, gdy ten tu Edmund ucieknie pobierać nauki u wielkiego, bogatego czarodzieja, skoro…

Hob umilkł – zarówno jego brat, jak i Wat Cooper miażdżyli go wzrokiem. Edmund zagryzł wargę, by nie rozpłakać się na ich oczach.

– O, hej, Edmundzie. – Hob podrapał się po zjeżonej brodzie. – Nie zrozum mnie źle. Na pewno jest jeszcze nadzieja dla Geoffreya.

Edmund bez słowa ruszył naprzód, prześlizgując się między podenerwowanymi, rozgadanymi sąsiadami, aż w końcu dotarł na czoło tłumu.

– Gdybyśmy tylko mogli wszyscy przeczesać wzgórza i pustkowia w poszukiwaniu zaginionego chłopca i dziewczynki. – Harry trzymał pod pachą lśniący hełm. Drugą ręką gestykulował, unosząc dłoń w wystudiowanym geście mówcy. Edmund widział kiedyś podobny, naszkicowany w podręczniku etykiety dworskiej. – Nie muszę wam chyba przypominać, że nawet strach przed ohydnymi stworami z lasów nie powinien wymazać z waszej pamięci nadchodzącej wkrótce zimy. Wam zatem przypada zadanie dokończenia pracy w polach, abyście mogli zebrać zasiane ziarno i przechować dość, by wykarmić rodziny do wiosny.

– To nie na naszych polach dziś pracujemy – wymamrotał ktoś cichym głosem – tylko na waszych.

– Teraz ci z was, wyznaczeni do poszukiwań, pomaszerują razem do twierdzy. – Harry odwrócił się ku zaciągowi: większość z mężczyzn była dwa razy starsza od niego. – Tam zbadamy grunt w poszukiwaniu owych stworów i jeśli się uda, puścimy ich tropem psy. Jeżeli będziemy musieli podążyć więcej niż jednym śladem, podzielimy się na oddziały liczące co najmniej pięciu mężów każdy. Chcę, żeby wszyscy trzymali się blisko, nie odchodzili gdzieś sami. Bądźcie stale czujni, pamiętajcie, że atak może nadejść z każdej strony.

Edmund kopnął kamyk.

– Strata czasu. – Wspiął się na palce, szukając wzrokiem lorda Aelfrica.

– Szlachetny dziedzicu, jeśli mogę? – Martin Upfield uniósł rękę. – Czego dokładnie szukamy?

Hugh Jocelyn pomachał czapką nad głową.

– Właśnie. Czy to znaczy, że w okolicy kryje się więcej tych bolgugów?

– Nie bądź głupi. – Jordan Dyer pstryknął palcami.

– Bolgugi nie wychodzą za dnia.

Hugh pokręcił głową.

– Widać, jak niewiele wiesz, młody durniu.

– Niczego nie wiemy na pewno. – Harry uniósł głos, przekrzykując kłócących się mężczyzn. – Będziemy działać z największą ostrożnością, póki się nie upewnimy. A teraz...

Resztę jego słów zagłuszył głośny brzęk – to Aydon Smith naprawiał w swym warsztacie kowalskim włócznię jednego z zaciężnych. Nim Harry zdołał przyciągnąć jego uwagę i dać sygnał, by przestał, wieśniacy zamienili jego misterny plan w anarchię.

– Dziś rano widziałem jednego. – Gilbert Wainwright przyniósł najstarszą broń – antyczny topór bojowy, którego grube, dębowe drzewce i podwójna głowica wydawały się stanowczo za ciężkie dla jego żylastych ramion.

– Co, bolguga? – Pół wioski obróciło się ku niemu.

– Gdzie?

– Przy Długiej Mordze, tuż po wschodzie słońca – oznajmił Gilbert. – Szedłem właśnie nareperować ogrodzenie i zobaczyłem wielkie, żółte oczy przy skałach nad strumieniem.

– Jesteś pewien?

– Na pewno nie była to wiewiórka.

Harry podniósł rękę.

– Chwileczkę, chwileczkę! Nie wyciągajmy pochopnych wniosków.

– To tuż obok domu mojego ojca! – Lefric Green miał głos, który mogła pokochać tylko jego matka i z jakichś powodów Luilda Twintree. – Mogłeś nas ostrzec!

Gilbert z oburzeniem uniósł głowę.

– Nie widziałem was przecież od zeszłej nocy.

– Mogłeś przyjść dzisiaj rano! Moja stara matka...

– Posłuchacie mnie przez chwilę? – W głosie młodego dziedzica zadźwięczała nuta irytacji.

– Sir? – Jordan Dyer uniósł dłoń do ust i krzyknął:

– Może powinniśmy zacząć przy Długiej Mordze?!

– Nie, już go tam nie będzie. – Nikt nie miał pojęcia, jakim cudem Nicky Bird został wybrany do oddziału poszukiwawczego. – Powinniśmy skierować się wprost do lasu.

– A potem co, wałęsać się cały dzień, licząc, że na nich wpadniemy?

Nicky uniósł kciuk.

– Harry ma plan!

– Owszem, istotnie mam plan i jeśli wszyscy...

Wielkie podwójne odrzwia domu spotkań otwarły się gwałtownie, zmuszając Harry'ego, by odstąpił na bok, zanim strącą go ze schodów. Lord Aelfric z Elverainu dorównywał wzrostem synowi, choć w młodości musiał być wyższy. Srebrna nić w jego pasie lśniła tym samym odcieniem co włosy i liczne pierścienie, zdobiące pokryte plamami wątrobowymi dłonie. Tuż za nim na stopnie wmaszerowało pół tuzina straży zamkowej. Nosili długie, zielone tuniki jak wieśniacy, tyle że wyglądające znacznie czyściej.

– Moi ludzie – przemówił lord Aelfric głosem słabym i piskliwym ze starości. – Rozpaczam wraz z wami w ten mroczny dzień. Musicie nam zaufać; uczynimy wszystko, co w naszej mocy, aby ochronić tę wioskę. Nie poskąpiliśmy własnej strawy i napoju, żebyście mieli co zjeść w te żniwa. Mój syn poprowadzi oddział straży i dopilnuje, byście mogli pracować bez przeszkód. Wracajcie zatem na pola, bo ani rozpacz, ani strach nie opóźnią mrozów.

Edmund, jak wszyscy, spodziewał się, że lord powie coś więcej, on jednak czekał w milczeniu, patrząc ponad ich głowami na coś w głębi drogi. Edmund odwrócił się – do placu z zachodu zbliżało się czterech mężczyzn, między sobą wieźli osłoniętego trupa. Gdy procesja się zbliżyła, wszelkie rozmowy umilkły – ludzie rozstąpili się, przepuszczając pochód śmierci.

Matka Petera wystąpiła z tłumu. Dostrzegła męża maszerującego za tamtymi, ich spojrzenia się spotkały. Gdy od ciała dzieliło ją zaledwie pięć kroków, padła na kolana, a potem, unosząc ręce nad głowę, pokłoniła się do ziemi.

Telbert Overbourne ukląkł obok żony i objął ją mocno. Przez chwilę oboje trwali tak, wstrząsani szlochami, potem wstali i podążyli za ciałem syna wnoszonym po stopniach domu spotkań, w ciemność.

Lord Aelfric zaczekał, aż przybyli go miną, i pomaszerował w stronę stajni. Wieśniacy patrzyli po sobie, przestępując z nogi na nogę i mamrocząc. Po chwili rozeszli się.

– Panie mój? – Edmund przecisnął się między sąsiadami, docierając na skraj tłumu. Gdy dotarł do lorda Aelfrica, ten stał już obok konia, szykując się do skoku w siodło.

– Zaczekaj ojcze, pozwól mi... – Harry podszedł do lorda i ukląkł, splatając dłonie.

Aelfric spojrzał na niego gniewnie.

– Wciąż sam potrafię dosiąść rumaka.

– Tak, ojcze. – Harry wstał. – Gniewasz się jeszcze?

– To misja głupca. Gra toczy się o ważniejszą stawkę niż życie kilku... – lord Aelfric zerknął z ukosa na Edmunda i umilkł. Sztywno podźwignął się i wsiadł na konia.

Edmund nie wiedział, jak zacząć, ale lord chwycił już wodze.

– Panie mój, zaczekaj, proszę. Czy ktoś kiedykolwiek prosił cię, abyś wypożyczył mu książkę autorstwa Plegmunda ze Sparrok?

Aelfric zatrzymał rumaka, zmrużył oczy.

– A kimże ty jesteś?

– Jestem Edmund. – Chłopak przypomniał sobie, że powinien się ukłonić. – Edmund Bale, mój panie.

– Och, ojcze, to musi być chłopak, który zeszłej nocy rzucił zaklęcie. – Harry wyciągnął rękę, choć nie dotknął ramienia Edmunda. – Zaczekaj, poznaję cię z jarmarku. Muszę powiedzieć, że lepiej sobie radzisz z czarami niż z łukiem!

Edmund ominął Harry'ego i stanął przed koniem lorda Aelfrica.

– Panie mój, proszę... Jeśli przeszukacie jedynie okolice Kamienia Życzeń, nie znajdziecie mojego brata ani Tilly Miller. Wiem, że dzieje się coś jeszcze i...

– Wysłuchaj mej rady. – Lord Aelfric splótł okryte rękawicami dłonie na łęku siodła. – Podczas bardzo długiego życia nauczyłem się, że mężowie, którzy korzystają z tajemnic magii, zazdrośnie ich strzegą. Na twoim miejscu szybko postarałbym się uwolnić od przydomka – jak to cię nazywają? – czarodzieja z Moorvale, nim zbyt wielu prawdziwych czarodziejów o tym usłyszy.

Edmund poczuł, jak na sercu zaciska mu się lodowata dłoń.

– Chcę tylko odnaleźć brata.

– Nie licz na wiele.

Lord Aelfric spiął ostrogami wierzchowca i odjechał galopem.

Rozdział 16

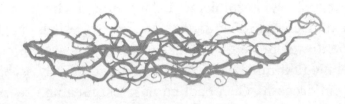

John Marshal długą chwilę siedział w milczeniu. W miarę, jak na dworze wschodziło słońce, posępniał coraz bardziej. Tak długo się nie odzywał, że kiedy znów przemówił, Katherine była już w połowie przygotowań do śniadania. Odwróciła się, by posłuchać, wciąż mieszając łyżką coś, co wyglądało na raczej kiepską owsiankę. Wyraz twarzy ojca rozdarł jej serce i jeszcze mocniej poszerzył otchłań w żołądku.

– Vithric sprawiał wrażenie, jakby mniej więcej wiedział, dokąd mamy iść, choć wciąż potrzebowaliśmy ponad tygodnia, aby dotrzeć do celu. – John przesunął palcami po czole. – Tymczasem nadeszły mrozy i zaczął padać śnieg, a my maszerowaliśmy znacznie dalej w głąb Pasa niż kiedykolwiek wcześniej. Kilka razy zmyliliśmy drogę, co oznaczało parę dni ponurego nastroju i sporów. W górach było cicho, bardzo cicho. Nie dostrzegliśmy ani śladu bolguga czy dzierzbca, nikt nie napadał na nasze obozy. Zwierząt też było niewiele – zakładałem, że wszystkie zostały pożarte albo uciekły – toteż najbardziej w owych dniach uderzała mnie pustka i cisza. Zdawała się nas przytłaczać, tłumić wszystkie rozmowy, całą wesołość i żarty, którymi zwykle żołnierze dodają sobie ducha w trakcie długich marszów. Jadłem wieczorny posiłek i nagle orientowałem się, że cały dzień się nie odezwałem, podobnie nikt inny. Cisza prowadzi nasze umysły osobliwymi drogami. Cień padł na naszą kompanię i zaczął sterować naszymi myślami i czynami, choć nikt o tym nie wspominał. Znajdowaliśmy się w sercu kraju wroga i wiedzieliśmy, że nie przejdziemy bez przeszkód. A przecież mijały dni i wciąż nic się nie działo. Maszerowaliśmy coraz dłużej, sypialiśmy krócej i pilnowaliśmy się jeszcze czujniej, nie mówiąc dlaczego. Brak przeszkód najbardziej martwił Vithrica, a choć czarodziej niezbyt dobrze radził sobie w górach, starał się nas zachęcać do jeszcze większego pośpiechu. Wolałem nie pytać, czego się obawia, wątpię zresztą, czy by mi powiedział. Nie chciał, aby rozeszło się to wśród ludzi.

W końcu, pewnego późnego popołudnia dotarliśmy do niskiej przełęczy i ujrzeliśmy wielką, na wpół zwaloną wieżę, tego samego kształtu, co poprzednie. Na ścianach znaleźliśmy kolejne znaki i symbole. Na ich widok Vitrhic bardzo się podniecił – oznajmił, że musimy być blisko kryjówki.

Ze słońcem zachodzącym za plecami pokonaliśmy przełęcz wiodącą do wieży i spojrzeliśmy w głąb doliny po przeciwnej stronie. Ujrzeliśmy tam zastępy Otchłannego i na ich widok wielu naszych ze zgrozy rzuciło się na ziemię. Ojciec Katherine rozejrzał się po izbie, jakby wydało mu się, że widzi coś jeszcze poza meblami.

– W szarym świetle zmierzchu poruszały się wielkie cienie, niektóre zdawały się w jednej chwili rosnąć i maleć. Gdybym ci powiedział, że zobaczyliśmy dolinę pełną koszmarów, byłbym blisko prawdy. Pod nami poruszały się niesamowite kształty, potężne i gibkie, każdy inny, a wszystkie straszliwe. Zrozumieliśmy, że do tej pory toczyliśmy jedynie potyczki z zagończykami, najmniej groźnymi z sił zebranych przeciw nam. Tu stały główne oddziały – nie w formacji, jak żołnierze, bo nie byli to ludzie. Skóra kamieniupiora zgrzyta i trzaska, gdy ten się porusza. To okropny dźwięk, niczym forteca rozpadająca się na kawałki: kamienie przesuwają się i pękają pod ciężarem stwora tylko po to, by znów zostać wchłonięte w jego stopy. Czuliśmy bagienny smród dziesiątków bogganów, widzieliśmy przemykające błyski tuzinów dzierzbców, słyszeliśmy suche trzaski roju ciernic zwijających się niczym jedna ohydna masa, czerwony blask ogniaków miejscami oświetlał ziemię. Nigdy nie widziałem tak przeklętego miejsca: trawa była poszarpana i poprzypalana, a rzeka wypływająca na południe z doliny syczała i parowała. Nie wiem, czy podobne stwory potrzebują prowiantu albo odpoczynku, ale wyglądało na to, że przebywały w tej dolinie dość długo, by całkowicie ją zniszczyć, choć przecież nie rozbiły obozu.

Nie, jedynie zgromadziły się przed górą u szczytu doliny, otaczając pogórze i czekając. Ich pan miał powstać. Vithric nie musiał nikomu tego mówić. Tristan odciągnął nas od krawędzi i za mur wieży. Wiedzieliśmy, że w dolinie czeka śmierć – otwarcie przyznaję, że w tym momencie myślałem tylko o tym, by uciec, nim dostrzegą nas stwory widziane w dole. Może ci się to wydać dziwne, lecz kiedy potykając się, przycupnąłem za wieżą, patrząc na spanikowanych towarzyszy, nagle zatęskniłem za udźcem baranim w bejcy i gorczycy. Nie wiem dlaczego: może pomyślałem, że nigdy nie najadłem się nim do syta i że teraz już się nie najem. Chyba próbowałem przypomnieć sobie wszystkie rzeczy, dla których warto uciec.

I wtedy, obok ruin wieży, Tristan przemówił do nas. Nie pamiętam, co dokładnie powiedział – słowa nie były tak ważne, jak jego ton. Oznajmił, że jeśli teraz się wycofamy, to to, co ujrzeliśmy w dolinie, wkrótce runie na wszystko, co kochamy. Mówił, że nie ma czasu, by się przygotować, bo Otchłanny wkrótce powstanie, a wtedy będzie za późno na walkę czy ucieczkę. Wszyscy i wszystko, co kochaliśmy, spoczęło tej nocy na szali, a on wciąż dawał nam wybór. Nie chciał zmuszać nikogo do walki u swego boku, toteż pozwolił mężom, którzy nie mogli znieść tego, co nas czeka, odejść wolno. Pięciu zawróciło wtedy i odeszło.

– Nie wiedziałam o tym. – Katherine postawiła na stole owsiankę. – Można by sądzić, że bym o nich usłyszała.

Ojciec wzruszył ramionami.

– Nie dotarli do domu. Reszta z nas czekała, aż zapadnie ciemność, potem przekradła się przez przełęcz. Bliźniacy poprowadzili nas wysoką, trudną trasą, z boku szczytu, okrążając szerokim łukiem miejsce, w którym czekały stwory. Gdy tylko mogliśmy, kryliśmy się przed nimi. Mieliśmy nadzieję dotrzeć do kryjówki i niepostrzeżenie wślizgnąć się do środka. To była długa, powolna wędrówka, każdemu krokowi towarzyszył strach. Nie widzieliśmy już stworów w dolinie, prócz ogniaków, które zdawały się wirować i trzepotać pod nami w niesamowitym tańcu. Nawet z tej odległości ich widok przepełniał nam serca grozą, lecz dopóki czekały na dole, nie zdradzając żadnych oznak, że nas dostrzegły, mogliśmy przeć dalej. Skradaliśmy się, usilnie starając się zachować ciszę. Aż do nocy, gdy zmarła twoja matka, to były najdłuższe godziny mojego życia.

Pokonaliśmy dobrze ponad pół drogi i bez żadnych kłopotów dotarliśmy do zbocza przed wejściem. Zacząłem już sądzić, że podstęp się powiedzie – i wtedy jeden z naszych zwiadowców musiał wpaść prosto na ciernicę. Rozległy się krzyki i świsty. Ogniaki z doliny odwróciły się natychmiast i pomknęły ku nam wraz z, jak przypuszczam, wszystkimi innymi upiornymi istotami. W panice omal się nie rozbiegliśmy, ale Tristan zebrał nas do kupy. Rozkazał Unwinowi i Bliźniakom poprowadzić ludzi biegiem do jaskini, sam tymczasem cofnął się szybko z Billem i Hubertem, by utrzymać flankę. Walczyliśmy w biegu z bolgugami i dzierzbcami, najszybszymi z naszych wrogów, którzy próbowali zagrodzić nam drogę do wejścia. Widzieliśmy je już przed sobą, czarne jak smoła na zboczu. Wcześniej wiele razy uczestniczyłem w bitwach, ale nigdy nie czułem podobnej grozy. Wrogowie mieli przewagę i dobrze o tym wiedzieliśmy. Wszędzie dokoła dzierzbce chwytały ludzi z ziemi, unosiły i rozdzierały na strzępy. Inni padali od prymitywnych włóczni rzucanych przez bolgugi. Ci z nas, którzy pozostali przy życiu, dotarli do wejścia. Pamiętam, jak jeden spojrzał w dół, zobaczył ranę we własnym brzuchu i padł na miejscu. Wiedzieliśmy, że najwolniejsze stwory będą najgorsze: boggany, ciernice i kamieniupiory. A potem... A potem.

Spojrzał w dal na łuny poranka. Owsianka stała nietknięta. Kur zapiał dwa razy, nim John znów się odezwał:

– Pamiętam twarz Tristana, szczerby na jego mieczu. To Vithric przypomniał nam, po co przybyliśmy, powiedział, że Otchłanny wciąż śpi, że jeśli zdołamy na czas dotrzeć do jego komnaty, wystarczy jeden człowiek, by go zabić. Poprosił, aby Tristan poszedł z nim i na wszelki wypadek postanowili wziąć jeszcze kogoś. Wybrał mnie. Reszta ludzi miała powstrzymać hordę potworów zbliżających się zboczem i postarać się zyskać dla nas dość czasu, abyśmy dokończyli to, po co przyszliśmy. Z ogromnym smutkiem i zgrozą żegnaliśmy najbliższych przyjaciół, którzy zostali, by za nas zginąć.

Katherine sięgnęła po rękę ojca, on jednak cofnął ją szybko.

– Nadal ich widzę – oznajmił. – Widzę ich sylwetki na tle nocnego nieba, zarys unoszonych w gotowości włóczni. Bliźniacy przycupnęli wysoko wśród skał z napiętymi łukami, na tle pola gwiazd. Lecz nasza trójka zstąpiła w ciemność. Środkowy tunel był bardzo szeroki i wiódł prosto do kryjówki, ale przegradzała go wielka murowana ściana. Za naszymi plecami zadźwięczały słabe odgłosy bitwy, gdy wraz z Tristanem zaczęliśmy szukać gorączkowo jakiegoś przejścia. Niczego nie znaleźliśmy. WtedyVithric podbiegł do bocznej ściany, wymówił jedno rozkazujące słowo i otworzył przejście wiodące do labiryntu komnat i tuneli, który z łatwością mógł pomieścić ponad setkę ludzi. Zbudowano je, jakby przebijanie się przez litą skałę było drobiazgiem i nawet biegnąc gorączkowo naprzód, podziwiałem je mimo strachu. Wszystko, co nie było kamieniem, już dawno przegniło i spróchniało, miejsce to jednak nadal miało w sobie majestat i w blasku pochodni dostrzegałem pełnię kunsztu tych, którzy wznieśli wieże w górach. Tymczasem echa walki ucichły, choć nie wiedzieliśmy, czy oznaczało to, że dobiegła końca, czy też dotarliśmy za daleko, by ją słyszeć.

Przy każdym zakręcie Vithric badał wzrokiem ściany, czasami przystając na parę chwil, by pozbierać myśli i odczytać wyryte w kamieniu napisy. W końcu na którymś skrzyżowaniu zatrzymał się, obrócił i wcisnął mi w dłoń swoją pochodnię.

„Otchłanny czeka na dole tych schodów po prawej, na końcu wielkiego korytarza" – poinformował mnie. „Jest jeszcze jedna droga, którą trzeba zabezpieczyć.

Wy dwaj idźcie do jego leża. Tam się spotkamy. Jeśli dotrzecie na miejsce pierwsi, nie lękajcie się! On wciąż śpi. Zabijcie go – cokolwiek zobaczycie, zabijcie. Celujcie w serce!"

I kiedy tak mówił, usłyszeliśmy dobiegający od strony, z której przyszliśmy, tupot i huk, a potem odgłosy pościgu. Długie echa jaskiń zamieniały wszelkie dźwięki w jeden stłumiony zgiełk.

„Przebili się!" – rzuciłem, może nawet krzyknąłem. Vithric zanurkował w wąski boczny tunel, dość duży, by pomieścić rosłego mężczyznę, i zniknął. Pobiegłem wraz z Tristanem schodami w dół, przeskakując sterty przerdzewiałych zbroi i kości, a echa pościgu cały czas się zbliżały.

Po chwili znaleźliśmy się w wielkiej, pustej komorze biegnącej płasko po naszej prawej, po lewej wznoszącej się ostro jako niedbale wyciosany tunel, który kończył się gdzieś w ciemności w górze grubą ścianą. Zrozumieliśmy jednak, że ściany już nie ma, bo w korytarzu ujrzeliśmy błyski ogniaków i usłyszeliśmy grzmot kamieniupiorów. Wraz z Tristanem wypadliśmy na otwartą przestrzeń. Przypuszczam, że w innych okolicznościach na widok tej komory zamarłbym i jęknął z podziwu. Pamiętam tylko wyniosły, wysklepiony sufit i kolumny na podobieństwo ponurych, potężnych stworów – boggana, zwiniętego węża, olbrzyma z twarzą na brzuchu. Na końcu widniała para kamiennych drzwi, wysokich jak zamkowy mur, pokrytych rzeźbionymi podobiznami, których nie potrafię opisać. Wyglądało to beznadziejnie, lecz naparliśmy razem na drzwi i pchnęliśmy z całych sił, a tymczasem nasza zguba zbliżała się z każdą chwilą. Zawiasy musiano skonstruować niezwykle zmyślnie, bo mimo wielkich rozmiarów i ciężaru drzwi zaczęły ustępować i przecisnęliśmy się przez nie do kryjówki.

John przełknął ślinę i zwilżył zaschnięte usta.

– I tam, na katafalku, no cóż, spoczywał Otchłanny.

– Co to było, papo? – Katherine nie zdołała powstrzymać pytania. – Jak wyglądało?

– Piękna, młoda kobieta – odparł. – Pogrążona we śnie, z brzuchem nabrzmiałym dziecięciem.

Katherine zupełnie nie tego oczekiwała.

– Nie rozumiem.

– Ja też nie rozumiałem – odparł jej ojciec. – Nigdy nie zrozumiałem.

I wtedy zapłakał; łzy popłynęły, jakby zbierał je w sobie od lat.

– Nie wiedziałem, co robić. Stałem ogłupiały – byłem gotów na wszystko, na każdą możliwą grozę rodem z koszmaru, ale nie na to. Ta kobieta – zaledwie dziewczę – leżała z dłońmi splecionymi na brzuchu, jakby chciała dotknąć bądź popieścić dziecko. Może gdybym miał czas się zastanowić, zatrzymałbym się, ale nie było czasu do namysłu, bo nieprzyjaciel niemal nas doścignął. Z korytarza za nami dobiegł łoskot – sługi Otchłannego pędziły, by nas zabić, nim zdołamy zabić ich pana. Czy jednak pan ów naprawdę spoczywał przed nami, jakże piękny w gwieździstej komnacie? Spojrzałem na Tristana, porozumieliśmy się bez słów i podjął decyzję.

Wepchnął mnie do komnaty. „Idź! Idź!", polecił. „Słuchaj Vithrica. On wciąż śpi! Mówił, by zabić, cokolwiek ujrzymy".

Potykając się, pobiegłem naprzód. Tristan odwrócił się, aby bronić przejścia własnym życiem i dać mi dość czasu, abym uczynił to, co konieczne. Myślę, że gdybym obejrzał się w tym momencie, ujrzałbym prawdziwy pokaz jego umiejętności, ale to nie miało znaczenia. Stanął naprzeciw całej armii i wiedziałem, że nawet przewaga pozycji w drzwiach nie wystarczy, kiedy zjawią się kamieniupiory i je wyważą. W chwili, gdy dotarłem do podwyższenia, usłyszałem brzęk miecza Tristana padającego na posadzkę. Ogarnęła mnie rozpacz, bo pojąłem, że nic już nie stoi między mną i sługami Otchłannego. Nie starczy mi czasu, żeby zadać cios.

I wtedy zjawił się Vithric i w końcu pojąłem, do czego zdolny jest w ostatecznej desperacji wielki czarodziej. Cała komnata zadrżała, posągi na zewnątrz popękały i runęły, a ja wciąż stałem, jakbym sam zamienił się w posąg. Oblicze śpiącej przede mną dziewczyny rozjaśniał uśmiech nieśmiertelnej miłości, matczynej miłości. Nigdy nie zapomniałem tego uśmiechu. Są takie noce, gdy nie widzę niczego innego.

Katherine zagryzła wargę; gdyby tego nie zrobiła, błagałaby ojca, by przerwał. Kogut znów zapiał.

– Uniosłem miecz, w tym miejscu, głęboko pod ziemią. – John poruszał drżącymi rękami, podkreślając własne słowa. – Stojąc nad nią, chwyciłem mocno rękojeść – i wtedy otworzyła oczy. Spojrzała na mnie z czystym, niewinnym zdumieniem. Zapytała, kim jestem, gdzie się znajduje, a potem powiedziała, że została porwana, zabrana ze swej wioski przez bolgugi. Spytała, czy przybyłem ją uratować.

– Papo...

– I zrobiłem to. – Mówił tak cicho, że ledwie go słyszała. – Pchnąłem ją mieczem.

– W takim razie ty zabiłeś Otchłannego! – Katherine uczepiła się tej myśli, tkwiącej w niej nadziei. – Nie Tristan. Ty.

Nie pozwolił jej się uciszyć.

– Nie wiem, co zrobiłem. Nigdy nie wiedziałem.

Znów wyjrzał przez okno.

– W chwili, gdy zadałem cios, zaklęcie Vithrica zatrzęsło wszystkimi komnatami wewnątrz góry. Stwory rzuciły się do ucieczki – większość najpewniej została zmiażdżona, gdy kolumny w przejściu runęły. Tristan był ranny w nogę i bok, Vithric stracił przytomność, ja jednak spróbowałem powlec ich do wyjścia i uciec. Znalazłem drzwi, którymi wszedł Vithric, i wspólnie z Tristanem zdołaliśmy przeciągnąć go korytarzem i pokonać dygoczące tunele. Tylko szczęściu zawdzięczamy, że dotarliśmy na zewnątrz. Wyłoniliśmy się z wejścia i tak jak się obawialiśmy, ujrzeliśmy rozrzucone ciała naszych przyjaciół i towarzyszy. Odeszliśmy chwiejnie w noc, zjeżdżając po zaśnieżonym zboczu. Przez jakiś czas nie wiedzieliśmy, czy wciąż żyjemy, czy też umarliśmy.

Katherine ze wszystkich sił próbowała wymyślić, co ma powiedzieć. Prawda okazała się znacznie straszniejsza niż wszystko, co sobie wyobrażała – a wyobrażała sobie wiele okropnych rzeczy.

– I tak to wyglądało – podjął jej ojciec. – Nasza trójka przysięgła nikomu nie wspomnieć ani słowem o tym, co wydarzyło się pod górą. Bo jak mogliśmy wyjaśnić, co tam naprawdę zaszło? Ludzie chcieli usłyszeć, że zabiliśmy bestię, stwora, który wyglądał jak to, czego się bali. Gdybyśmy opisali to, co naprawdę widzieliśmy i uczyniliśmy, mogliby zwątpić, tak jak my sami – albo co gorsza, wyruszyć w głąb Pasa, aby przekonać się na własne oczy. Błagałem Tristana, żeby pozwolił poetom układać o sobie historie i dopuścił, by piękna legenda przesłoniła prawdę. Wkrótce potem rozstaliśmy się – nie mogliśmy dłużej znieść swojego widoku, bo przypominał nam o zbyt wielu rzeczach. Tristan otrzymał władzę nad ziemiami zdobytymi na lordach pokonanych w wojnach naszej młodości. Vithric powędrował na południe i zyskał wielką sławę nim umarł, stanowczo zbyt młodo. Ja jakiś czas żyłem sam na wzgórzach. W końcu znalazła mnie twoja matka i znów sprowadziła do tego świata. Po kilku latach spokoju zacząłem myśleć, że może naprawdę zabiłem Otchłannego, że to, co widziałem, było tylko podstępem mającym sprawić, abym wstrzymał dłoń. Przebudziłem się do życia, na jakiś czas znalazłem miłość i wychowywałem piękną córkę. – Odetchnął długo i ciężko. – A teraz to. – Zdmuchnął lampę. – Wyjdź na dwór, dziecko.

Katherine wstała, oszołomiona i poruszona. Ruszyła za nim ścieżką między odwróconymi koziołkami w ogrodzie.

– Poczyniłem ustalenia co do ciebie i koni – naciągnął rękawice. – Lord Aelfric zjawi się tu ze swymi ludźmi przed zmrokiem. – Uniósł skórzaną pętlę i otworzył drzwi stajni.

– Ustalenia? Papo, proszę, zaczekaj...

Stajnia była stara i ciasna, urocza i przytulna od ciepła koni. Kilka łbów uniosło się wzdłuż przejścia – któryś koń parsknął, kilka innych odpowiedziało cichym rżeniem.

John podszedł do boksu, w którym czekał jego własny wierzchowiec – kasztanek w średnim wieku, z trzema białymi skarpetkami i długim, posępnym pyskiem. Wciąż osiodłany, przeżuwał poranną porcję siana. Jego właściciel sięgnął do worka i poczęstował go garścią owsa.

– Cokolwiek się stanie, czegokolwiek jeszcze być może dowiesz się o mnie, musisz wiedzieć, że zawsze cię kochałem, że byłaś całym moim życiem. Zrobiłem wszystko, co mogłem. Naprawdę.

Katherine skuliła się za jego plecami. Nie tak miało być. Trzymała w ramionach ciało Petera Overbourne'a, o mało sama nie zginęła. Sądziła, że umyła się wszędzie, pochylona w ciemności nad balią u Bale'ów, ale Tom powiedział, że za uszami wciąż pozostały rozbryzgi czarnoniebieskiej posoki. Chciała zjeść śniadanie, a potem posiedzieć przez cały dzień i pozwolić, by przetoczyły się przez nią wspomnienia. I żeby papa opowiedział jej...

– Przykro mi, moje dziecko. – John otworzył drzwi boksu.

Otchłań uniosła się, by ją pochłonąć.

Za drzwiami leżały jego miecz, tarcza i dwa pełne juki. Katherine oparła się o ścianę, by nie upaść.

– Katherine... – Ojciec dotknął jej ramienia. – Na jakiś czas muszę wyjechać.

– Ty wracasz. – Ledwie widziała go przez łzy. – Wracasz na tę górę.

Schylił się po pas z mieczem.

– Do mego powrotu będziesz bezpieczna u lorda Aelfrica. Farma jest zbyt samotna, zbyt bliska Pasa. Rozumiesz?

Cofnęła się przed jego ręką.

– O nie, nie, nie możesz tego zrobić, nie możesz – nie możesz po prostu opowiedzieć mi takiej historii i oczekiwać, że... Papo, pozwól mi jechać z tobą!

Sięgnął po tarczę i przypiął ją do pleców.

– Proszę, nie utrudniaj tego jeszcze bardziej. – Narzucił juki na boki konia. – Podasz mi dłoń, nim odjadę?

W oczach zapiekły ją łzy, ale wyciągnęła rękę. Ujął ją, a ona zarzuciła mu drugą na plecy.

– Czy tam, dokąd jedziesz, jest niebezpiecznie?

– Tak.

– No to czemu to robisz?

– Bo jeśli tego nie zrobię, niebezpieczeństwo jeszcze wzrośnie. Muszę znaleźć Otchłannego – czymkolwiek jest w istocie – i zniszczyć go raz na zawsze.

Cofnęła się o krok.

– Potrafię różne rzeczy, papo. Mogę ci pomóc. Pozwól sobie pomóc!

– Nie, dziecko, nigdy nie chciałem, byś przyjmowała na siebie problemy tego świata. I tak czeka mnie ciężka przeprawa. Muszę wiedzieć, że będziesz bezpieczna.

– Wychowałeś mnie, nauczyłeś walczyć. Dlaczego?

– Wyraźnie ci się to podobało. A teraz obiecaj, że nie będziesz się do niczego mieszać. Proszę, dziecko.

Przez chwilę drżała, a potem poddała się.

– Obiecuję.

Raz jeszcze uścisnął jej dłonie i chwycił wodze. Odstąpiła na bok, gdy wyprowadzał konia z boksu i ze stajni. Otworzył drzwi i ujrzała przed sobą dwie ciemne sylwetki.

Ruszyła na próg.

– Gdybym była twoim synem, z pewnością zabrałbyś mnie ze sobą.

Przystanął i obrócił głowę.

– Zostań w bezpiecznym miejscu. Niedługo wrócę.

Siedząc w otwartych drzwiach, odprowadzała go wzrokiem. Koń i jeździec zniknęli za zakrętem gościńca do Dorham.

– Tego nie wiesz – rzekła.

Rozdział 17

Tom, powłócząc nogami, wszedł do stodoły z mroźnego dworu. Tuż za nim chwiejnie dreptały woły, które natychmiast ułożyły się obok siebie na słomie. Oswin siedział przy stole z pniaka i siorbiąc, zjadał jaglankę. Wyciągnął rękę, żeby zamknąć drzwi.

– Wschodnia morga gotowa?

– Prawie cała. – Tom klapnął ciężko obok dołka w ziemi, służącego im za palenisko. Łach podbiegł do niego, ujadając, i polizał go po twarzy. Oswin nalał resztkę jaglanki do ich wspólnej miski.

– Zimno dzisiaj. Kto by przypuszczał, że tak wcześnie przyjdą mrozy.

Tom wyprostował się i postawił miskę na kolanach. Wrzucił kilka szczap do paleniska i rozdmuchał ogień, tak że zapłonął mocniej. Łach leżał koło niego, obie łapy położył chłopakowi na kolanie.

– Słyszałem, co się wydarzyło – powiedział Oswin.

– Spałeś w ogóle wczoraj?

Tom ziewnął szeroko i przeciągle, zasłaniając usta ręką.

– Tak myślałem. – Mężczyzna pokręcił głową. – Oto, jak ci dziękują.

Tom wyskrobał z miski resztki jaglanki, napełnił ją wodą ze skórzanego bukłaka opartego o pniak. Zaczął macać za sobą, szukając w słomie. Wyciągnął worek i pogrzebał w nim jedną ręką, drugą zjadając resztki posiłku. Wkrótce wydobył kilka pęczków ziół, kłąb korzeni i garść wierzbowej kory.

– Byłem dziś rano w wiosce na ćwiczeniach. – Oswin zaśmiał się krótko, ostro. – Zgadza się, teraz uważają, że dostatecznie zadomowiłem się w Moorvale, by powołać mnie do zaciągu. Najwyraźniej wystraszyli się tych bolgugów.

Tom podstawił miskę Łachowi, by ją wylizał. Porwał korę na kawałki i wrzucił do wody.

Jego towarzysz pogrzebał obok paleniska i wyciągnął pęknięty, gliniany kubek.

– Powiem ci coś jeszcze. – Napełnił kubck wodą z bukłaka i usadowił się na trawie. – Ten twój przyjaciel, jak mu tam, jasnowłosy – to najgorszy łucznik, jakiego w życiu widziałem.

Tom uśmiechnął się.

– Tak mówią.

Zgniótł korzenie mydlnicy i wrotycza i zmiażdżył między dwoma kamieniami, potem zeskrobał pastę do miski. Zanurzył palec w garnku i stwierdził, że wywar jest dostatecznie ciepły. Utarł na proszek trzonkiem topora liście malwy i na czworakach zaczął szukać kubka.

Oswin podrapał się po pokrytej bliznami brodzie.

– Czasem się zastanawiam, skąd wiesz, co robić.

– Bywa, że rośliny ze mną rozmawiają.

Mężczyzna parsknął.

Tom podniósł kubek, nalał do niego starannie odmierzoną porcję wody z garnka. Zaniósł wszystko do wołów.

– Wypij. – Podniósł naczynie do pyska Groma. Ten powąchał i parsknął.

– Twój pan zrobił fortunę na twoich plecach – oznajmił Oswin. – Nigdy nie widziałem, by tak zaharowane bydło miewało się równie dobrze.

Tom chwycił wołu pod brodą.

– Pij. – Grom otworzył pysk i pozwolił mu wlać sobie do gardła gorzką miksturę. – No proszę, nie było tak źle. – Obwiązał kompresem nogę zwierzęcia, okładając chłodzącą pastą zranione ciało, by zastygła i stwardniała wzdłuż ścięgna. Przyłożył dłoń do czoła wołu. – Odpocznij.

Grom sapnął przeciągle z wdzięcznością, opadły mu powieki. Tom wrócił do ogniska i nalał sobie wody z bukłaka.

– Posłuchaj, Tom – Oswin pochylił się nad ogniem – udzielę ci pewnej rady. Musisz stąd odejść. Będziesz głupcem, jeśli tu zostaniesz.

Tom uniósł wzrok. W sposobie mówienia mężczyzny było coś naglącego, ale chłopak nie wiedział dlaczego.

– Mówię ci to tylko, bo cię polubiłem. Widywałem wielu ludzi, którym kiepsko się żyło, którzy mieli ciężko, ale ty osiągnąłeś granice.

– Dokąd miałbym pójść?

– Dokądkolwiek, to przecież nieważne. Przekrocz granicę Elverainu, a znajdziesz się za daleko, by twój pan cię odnalazł. Rok i dzień w mieście i możesz zacząć od nowa. Gdyby ktoś nauczył cię czytać, mógłbyś zostać aptekarzem, zarabiać solidne srebro za swoje mikstury. Wiesz, jak dobrze im się wiedzie? Aksamitne płaszcze, Tomie, aksamitne płaszcze i wino.

Tom pokręcił głową.

– Nie mogę odejść. Jestem tu potrzebny.

– Komu? Wołom? Jeśli właśnie na tym ci zależy, więcej wołów uzdrowisz poza tą farmą niż na niej.

– Przyjaciele mnie potrzebują.

– Oto słowa chłopca. Nikt nie potrzebuje przyjaciół, nie na długo. Rodziny – owszem, żony – może, ale przyjaciele z dzieciństwa są jak ubrania – wyrastasz z nich. Ta twoja dwójka przyjaciół podąża innymi ścieżkami niż ty, i nadejdzie dzień, gdy odległość stanie się zbyt wielka, a wtedy znajdą sposób, by się ciebie pozbyć.

Tom wbił wzrok w płomienie. Ujrzał Katherine zamężną i szczęśliwą, Edmunda zajętego i ważnego. Siebie w ogóle nie widział.

– Wiesz, co zamierzam zrobić? – zagadnął Oswin.

– Powiem ci. Od dnia, gdy tu przybyłem, oszczędzałem. Brakuje mi jeszcze tylko pensa, bym mógł wrócić do Tambridge i kupić kawałek ziemi. Mam tam paru kuzynów, którym dobrze się powodzi – z łatwością namówię ich na sprzedaż. Gdy tylko zdobędę dość pieniędzy, ruszam w drogę. Wątpię, czy nawet pożegnam się z twoim panem. Nie zasługuje na to.

Tom dźwignął się z ziemi, sięgnął po kij. Łach pobiegł za nim do drzwi.

Oswin opróżnił kubek.

– Nic mnie tu nie trzyma. – Wyciągnął rękę, żeby Tom pomógł mu wstać. – To samo dotyczy ciebie, Tomie. Zapamiętaj, co ci powiedziałem.

* * *

Kosy śpiewały nad farmą Marshalów. Wiatr kołysał samotnym czerwonym dębem na wzgórzu wśród pastwisk, zrywając najpierw jeden liść, potem kolejne. Katherine przecięła podwórze, wędrując z domu do stajni z dzbanem wody w ramionach. Uczucie ciepła i bezpieczeństwa, które zawsze ogarniało ją, gdy wchodziła do środka, tym razem się nie pojawiło, pozostawiając bolesną pustkę. Pracowała do południa, samotnie czyszcząc i karmiąc konie, sprzątając boksy, przynosząc świeżą słomę. Indygo zostawiła na koniec. Gdy go wyszczotkowała, wysprzątała boks i poczęstowała ogiera marchewką, w końcu nie miała już nic do roboty. Pozostało tylko czekanie. Usiadła na trawie obok konia.

Indygo siorbał wodę z poidła, potem przeżuł resztę ziarna. Przystanął obok Katherine i wsunął jej pysk w dłoń.

– Ojciec niedługo wróci z Geoffreyem i resztą dzieci. – Katherine pogładziła palcami długi, prosty pysk. – Wszystko będzie dobrze. Zobaczysz.

Z zewnątrz dobiegł chaotyczny tętent wielu kopyt. Katherine wyjrzała ze stajni i zobaczyła zbliżający się gościńcem z Dorham oddział jeźdźców. Słońce połyskiwało na lśniących kolczugach – lord Aelfric galopował na przedzie, za nim Harry i rycerze z jego domostwa.

– Panie mój – Katherine pochyliła głowę – wszystko gotowe.

Lord rozejrzał się dokoła i gestem polecił swoim ludziom zsiąść.

– Niech każdy z was poprowadzi jednego konia; jeśli jest ich zbyt wiele, potem wrócimy po resztę. Do zmierzchu muszą wszystkie znaleźć się bezpiecznie w zamku.

Ludzie rozbiegli się po wybiegach, przeskakując przez ogrodzenia i chwytając klacze.

Harry zsiadł obok Katherine.

– Zranili cię. – Wyciągnął rękę i niemal dotknął sińca na jej brodzie. – Czy ktoś to opatrzył?

– Owszem, Tom – odparła Katherine, a gdy nie zareagował na to imię, dodała: – Mój przyjaciel, wczoraj w nocy był z nami na wzgórzu.

– Chodziło mi o prawdziwego uzdrowiciela. – Harry pogładził swą rzadką, głupio wyglądającą bródkę. – W zamku mamy dwóch, pochodzących z różnych szkół. Proszę, pozwól, by cię obejrzeli. – W jego podbródku widniało lekkie zagłębienie.

– Dziewczynka z mojej wioski została znacznie ciężej ranna – oznajmiła Katherine. – Szczapa przebiła jej stopę na wylot. Obawiamy się, że rana zacznie ropieć.

– Tak, tak, oczywiście. – Harry odwrócił się. – Ojcze, czy mogę zabrać do zamku chłopkę ranioną zeszłej nocy?

– Nie możesz. – Lord Aelfric poprowadził konie na wybieg. – Gdybyśmy pomogli jednej z nich, wkrótce nasi najlepsi uzdrowiciele zajmowaliby się każdym zakatarzonym nędzarzem stąd do Dorseford.

Harry zerknął na Katherine.

– Przyślij ją. Sam zapłacę za opatrunek.

– Dziękuję. – Katherine przypomniała sobie, by dygnąć. – Jesteś taki dobry.

– Czyżby? – Przygwoździł ją spojrzeniem; złociste oczy osadzone w pięknej twarzy, która zdawała się zbyt poważna, jak na jego wiek. – Chyba grozi mi zejście na złą drogę.

Katherine nie wiedziała, jak ma odpowiedzieć, nie w obecności tak wielu krążących po farmie rycerzy. Pozwoliła, by koń Harry'ego trącił ją pyskiem. Gdy był źrebakiem nazywała go Wróbel – wciąż pamiętał pierwszą parę rąk, która go dotknęła.

Lord Aelfric spiął ostrogami rumaka.

– A skoro już tu jesteś, chłopcze, wybierz sobie jednego ze starszych źrebaków na następnego wierzchowca. – Przejechał wzdłuż ogrodzenia. – Ten, którego masz teraz, nie pasuje do kogoś o twojej pozycji. Wyglądałbyś jak głupiec, jadąc na królewski dwór na takiej chabecie.

Harry posłał ojcu zranione spojrzenie i pogładził grzywę konia. Katherine obserwowała ich razem – Wróbel odczytywał nastroje właściciela, wyczuwał jego niepokój, ale się go nie bał.

– Ty tam, człowieku, co ty wyprawiasz? – Lord Aelfric podniósł ochrypły głos, upominając jednego z rycerzy. – Przeklęty głupcze, nigdy wcześniej nie miałeś do czynienia z klaczą i źrebakiem?

Harry zaczekał, aż lord odjedzie poza zasięg słuchu, po czym zerknął na Katherine i zniżył głos:

– Twój ojciec to dzielny człowiek. Dość dzielny, by przemówić szorstko do swego pana, gdy pojawia się konieczność przypomnienia mu, co jest słuszne.

Katherine ogarnął niepokój. Zaryzykowała szybkie spojrzenie na sztywne plecy lorda Aelfrica.

– Czy twój ojciec wpadł w gniew?

– Lękam się, że tak. John Marshal zjawił się w zamku zeszłej nocy, a właściwie wczesnym rankiem. – Harry westchnął i uśmiechnął się lekko. – Mój szlachetny ojciec nie lubi, gdy go budzą tak późno.

– Co się stało? Co powiedział mu papa?

– Że obrona naszego ludu to uświęcony obowiązek, którego nie można odrzucić, gdy staje się niewygodny. Żadna wymówka nie zwalnia nas od chronienia niewinnych. Gdy raz przywdziejemy szatę opiekuna, możemy ją zamienić tylko na całun pogrzebowy. – Harry zaśmiał się cicho. – Chyba dokładnie powtórzyłem jego słowa. Och, Katherine, szkoda, że cię tam nie było! Trzeba było widzieć minę mojego ojca, gdy John Marshal to mówił. Żałuję... żałuję, że nie pojechałem z nim.

– Ja także.

– Nie! – Wyciągnął rękę, po czym obejrzał się na rycerzy i opuścił ją szybko. – Proszę, przestań. Kiedy sądziłem, że ty... zacząłem myśleć...

– Chłopcze! – Lord Aelfric zawrócił konia na skraju pastwisk. – Nie słyszałeś mnie? Chodź, wybierz sobie wierzchowca. Musimy zabezpieczyć te konie.

Harry zacisnął pięści. Potrzebował chwili, by odnaleźć właściwe słowa, gdy jednak się odezwał, brzmiał w nich ogień.

– Zatem, mój panie i ojcze, mamy chronić nasze konie i zostawić nasz lud, by kulił się ze strachu w swych chlewach? Czy dobrze zrozumiałem twoje rozkazy?

Wszyscy rycerze i zbrojni w zasięgu głosu umilkli jednocześnie. Lord Aelfric kipiał ze złości na wybiegu. Harry spuścił głowę i zniknął w stajni.

– Katherine Marshal. – Lord podjechał bliżej. – Zbierz swój dobytek. Dałem słowo honoru twojemu ojcu, że zabiorę cię w bezpieczne miejsce za murami mego zamku. Będziesz tam mogła zostać jakiś czas, chroniona przed wszystkim, co może zagrozić tym wieśniakom. Kiedy kryzys minie, każę mojemu seneszalowi zająć się twoją przyszłością, na wypadek gdyby John Marshal nie wrócił.

Katherine dygnęła.

– Dziękuję ci, mój panie.

Zaczekała, aż lord ją odprawi, po czym przebiegła przez ogród i wpadła do niewielkiej lepianki, którą całe życie dzieliła z ojcem. Ogień był zgaszony, podłoga zamieciona, wszystko starannie pochowane. Wyjrzawszy na dwór, dostrzegła Harry'ego, wyprowadzającego ze stajni Indygo. Pomachał do niej i pokiwał ręką.

Stanęła na progu, przez moment napawając się wizją ścieżki, której nie mogła wybrać. Och, jak dobrze by było przenieść się do zamku właśnie w chwili, gdy farma po raz pierwszy w życiu zdawała się niepewnym domem. Jak cudownie byłoby zamienić opiekę ojca na Harry'ego, bezzwłocznie przeskoczyć z jednego szczęśliwego snu w drugi. Jak łatwo byłoby zapomnieć o przerażonych sąsiadach i spać bezpiecznie za murami zamku. Jak łatwo porzucić Edmunda, by samotnie opłakiwał brata.

Podniosła tobołek i zarzuciła go na ramię. Po raz ostatni rozejrzała się po domu i zamknęła za sobą drzwi.

Rycerze zebrali między domem i stajnią dwa tuziny klaczy i źrebaków. Harry wyprowadził Indygo na podwórko. Odwrócił się do Katherine, ale sir Ranulf stanął między nimi.

– Chodź zatem, dziewczyno. – Wyciągnął rękę. – Możesz pojechać za mną.

– Nie zrobię tego, panie rycerzu. – Katherine skinęła głową przejeżdżającemu lordowi Aelfricowi. – Dziękuję ci, mój panie, za twą hojną ofertę, ale pójdę do wioski.

– Katherine? – Harry wyłonił się zza konia Ranulfa. – Zaczekaj, tam nie jest bezpiecznie!

– Dlatego właśnie tam idę. – Pchnęła furtkę. – Mój przyjaciel zeszłej nocy stracił brata, mieszkańcy mojej wioski drżą ze strachu w obawie o życie swoich dzieci. Jeśli zdołam, pomogę im, jeśli nie, będę cierpieć wraz z nimi.

Wyszła na gościniec do Dorham i obejrzała się na swój dom, chatę i stajnię, wybiegi i pastwiska, na wszystko, co dotąd znała. Miała wrażenie, jakby ktoś raz po raz wyrywał jej wnętrzności. Przyspieszyła kroku – nie da lordowi Aelfricowi satysfakcji oglądania jej łez.

– Chłopcze! – Głos lorda wzniósł się do krzyku i załamał: – Dokąd idziesz? Przed wieczorem mamy wiele do zrobienia.

Katherine odwróciła się i zobaczyła, że Harry podąża za nią, truchtem, bo po prawdzie to Indygo prowadził.

– Haroldzie, Haroldzie! Natychmiast skończ z tymi bzdurami! – Lord Aelfric podjechał do ogrodzenia. Rycerze wymienili drwiące uśmieszki, kilku z nich pokręciło głowami.

– Powiedziałeś mi, że jeden z tych koni jest mój, czyż nie? – odkrzyknął Harry przez ramię. – Wybrałem tego.

– W takim razie dokąd go prowadzisz?

– Do jego treserki.

Harry zrównał się z Katherine i podał jej wodze. Chwyciła je, ich palce splotły się na moment; na dłuższe dotknięcie nie mogli sobie pozwolić pod okiem tak wielu ludzi.

– Jeśli chcesz znać moje zdanie, Harry, to wybrałeś całkiem dobrą drogę.

– Zajrzę do wioski, gdy tylko będę mógł, najpóźniej jutro. – Ukląkł przed nią. Oboje wiedzieli, że nie potrzebuje pomocy, lecz i tak stanęła na jego dłoni i wskoczyła w siodło. Czuła na sobie gniewny wzrok lorda Aelfrica, ale nie odwracała się do niego.

Harry cofnął się.

– Ufaj swojemu ojcu. Ja ufam, to najwspanialszy człowiek, jakiego znam. – Spojrzał gorzko na farmę.

– Żałuję, że nie jest moim ojcem.

– Chciałabym być jego synem.

Harry uśmiechnął się szeroko.

– O nie. Każdego dnia dziękuję gwiazdom, że zamiast syna ma córkę.

Rozdział 18

Edmund siedział na stopniach gospody, naprawiając cep w słabym świetle dnia. Całe ciepło świata zdawało się odpływać w puste, niebieskie niebo. Z pozoru wioska powróciła do normalności i codziennej krzątaniny podczas żniw – jedyną ewidentną zmianę w obrazie zwyczajnej pracy stanowili strażnicy zamkowi, parami krążący po polach. Missa Dyer wymiatała kurz przez drzwi warsztatu brata naprzeciwko. Henry Twintree z pomocą najstarszego syna wypędzał stadko wołów na drogę. Nicky Bird kucał na dachu Baldwina Taylora, reperując strzechę, a sam Baldwin wrzeszczał na niego z placu poniżej, głośno oskarżając o kiepską pracę i używanie marnej słomy. Nawet Telbert Overbourne przeszedł obok, szurając nogami; wyglądał blado i mizernie, ale w dłoni trzymał sierp i najwyraźniej wybierał się do roboty.

– Ciężko pracujesz, co Edmundzie? – Dwaj strażnicy zamkowi podeszli gościńcem, stąpając wolno i mozolnie po długim patrolu w pełnych zbrojach. Młodszy i wyższy ukłonił się szarmancko. – A może powinienem rzec wasza czarodziejskość?

– Skoro jestem czarodziejem, to czemu rozwiązuję ten supeł palcami? – Edmund ponownie spróbował rozdzielić postrzępiony rzemień, łączący tłuczek cepa z uchwytem. – Widzieliście tam coś?

– Mogę szczęśliwie oznajmić, że nie mamy o czym meldować. – Głos strażnika zabrzmiał głucho, gdy mężczyzna schylił się, aby zdjąć kolczugę. – Tyle że teraz znam każdą ścieżkę i strumyk w tej wiosce, jakbym się tu narodził i nigdy nie przekroczył jej granicy. Zliczyłem też wszystkie liście na drzewach, stwierdzając, że są w dobrym zdrowiu, i pozwoliłem sobie nadać imiona wszystkim żabom nad rzeczką, łącząc je w klany na podstawie wzorów na grzbietach. Sam ogłosiłem się królem i władcą wszystkich żab. Gdyby tylko można było się wzbogacić, zbierając podatki w muchach!

Edmund skrzywił się, gdy jego paznokcie znalazły uchwyt i poluzowały węzeł. Kolczuga strażnika z brzękiem opadła na ziemię wraz z kaftanem, który nosił pod spodem. Missa Dyer przerwała zamiatanie i wsparta na miotle wychyliła się, by popatrzeć.

Drugi strażnik, mężczyzna o ziemistych policzkach, nieco starszy od towarzysza, spoglądał nieufnie w bezchmurne niebo.

– Jeśli to trochę potrwa, będzie ciężko. Zbyt wiele podobnych dni zapowiada późniejsze kłopoty.

– Wcale nie – nie zgodził się wyższy strażnik. – Wczesne mrozy oznaczają, że zima skończy się wraz z przesileniem.

– To bajania starych bab. – Starszy strażnik minął Edmunda i zniknął w gospodzie.

– Chyba go nudzę. – Wyższy zarzucił na ramię kolczugę i kaftan. Powęszył w powietrzu. – Mmm, pachnie, jakby ktoś gotował gulasz.

– Czyli żadnych śladów? – Edmund odwrócił się, omiatając go wzrokiem. – Niczego?

– Gdyby moja matka gotowała tak dobrze jak twoja, nigdy nie wychodziłbym z domu. – Strażnik podążył za swym towarzyszem.

Edmund spróbował wbić palce w węzeł po drugiej stronie cepa. Złamał paznokieć, zaklął i przycisnął zraniony palec do kciuka. Potem wsunął go do ust i possał, po czym uniósł wzrok, widząc energiczne machanie z drugiej strony ulicy.

– Co? – Przytknął dłoń do ucha. – Nie słyszę cię.

– Zapytałam – Missa zerknęła z uznaniem w otwarte frontowe okna gospody – czy on jest żonaty.

– Kto czy jest żonaty?

Missa machnęła ręką nad głową.

– Ten wysoki!

Zupełnie jakby była na targu.

– Skąd mam wiedzieć?

Jakby nic się nie stało.

– Zapytaj go!

Edmund zacisnął zęby.

– Nie widzisz, że jestem zajęty?

– Spytaj później! Proszę!

– Tak, tak, dobrze, w porządku. Później.

Zdołał w końcu pokonać drugi supeł. Chuchnął na zmarznięte palce i nowym kawałkiem rzemienia związał dwie części cepa. Wstał, kilka razy eksperymentalnie machnął narzędziem, po czym zarzucił je sobie na ramię i wrócił do gospody.

Strażnik stuknął kuflem.

– Chłopcze, hej! Tutaj!

Edmund pospieszył naprzód, udając, że nie widzi rąk uniesionych nad stołem przy kominku.

Łup, łup.

– Hej!

– Jak ma na imię ten chłopak? Ten jasnowłosy?

– Chyba Richard.

– Richardzie! Podaj nam drugą kolejkę, dobrze?

Edmund zatrzymał się w drzwiach kuchni i obejrzał. Pięciu strażników przez moment przyglądało mu się wyczekująco, potem jeden pokiwał kuflem.

Tupiąc głośno, zszedł do piwnicy.

– Należą się trzy ćwiartki – rzekł, wróciwszy z dzbanem piwa.

Strażnik o ziemistych policzkach ściągnął kaptur, odsłaniając wąską, łysiejącą głowę.

– Zamek płaci.

Edmund wzruszył ramionami i napełnił kufle.

– To ty, prawda? – spytał inny strażnik, który przybył niedawno z Northend. – Czarodziej.

– Nie.

– Ach.

Jeden z mężczyzn uniósł pełny kufel.

– Zdrowie lorda Aelfrica, który za wszystko płaci.

– Wypiję za to – odparł drugi i tak też uczynił.

– A skoro już o tym mowa... – Nowszy strażnik odwrócił się do Edmunda. – Nie najadłem się tą rybą. Macie coś jeszcze na zapleczu?

– Pójdę sprawdzić.

– Zostaw dzban, dobrze? Grzeczny chłopiec.

Edmund postawił dzban na stole i pchnął drzwi kuchni.

– Chcą więcej ryby.

Matka siedziała przy bulgoczącym gulaszu, na kolanach trzymała chochlę. Po dłuższej chwili uniosła wzrok.

– Mamo... – Edmund oparł się o framugę. – Mamo?

Sarra dźwignęła się i przygładziła sukienkę.

– Nie mogą dostać więcej ryby, chyba że sami jakąś złapią. – Powąchała swoje dzieło, potem zanurzyła w nim palec i skosztowała. – Podaj mi kości ze stołu, dobrze, skarbie?

Edmund zajrzał do tawerny.

– Nie ma więcej ryby. Mamy chleb i ser, jaglankę, zupę z pora i rzepy, to wszystko.

Strażnicy zrobili zawiedzione miny.

– Nie macie baraniny?

– Zjedliście całą dziś rano.

Wzruszyli ramionami.

– Może i tak.

Edmund nie mógł znieść myśli, że znów miałby zobaczyć matkę. Wyszedł frontowymi drzwiami i okrążył dom. Szopa z ziarnem stała na najwyższym wzniesieniu między gospodą i rzeką, nad pięknym kawałkiem ziemi opadającym łagodnie ku brzegowi. Zbocze opadało w prawo przez szeroką zagrodę, ciągnącą się od tyłu domu Henry'ego Twintree aż po rzekę i porośniętą tyloma jabłoniami, że zasługiwała na nazwę sadu. Jedna jabłoń wyrastała nad inne, potężny podwójny pień, od którego wzięło się nazwisko rodziny. Miles Twintree* dyndał w połowie drzewa na gałęziach. W zagłębieniu łokcia powiesił koszyk.

– Edmundzie! – Pomachał do niego jabłkiem. – Edmundzie, chcesz jedno?

Edmund wyciągnął ręce, by złapać jabłko. Podrzucił je, chwycił i pokiwał głową Milesowi.

– Dzięki.

Przez jedną krótką chwilę poczuł się lepiej. Otworzył drzwi szopy i ujrzał zapracowanego ojca młócącego energicznie pęk chmielu.

– Edmundzie. – Harman nawet się nie zawahał; uniósł cep i opuścił, odbijając szyszki od łodyżek i zbierając je do szerokiego, płaskiego sita.

– Ojcze... – Edmund już miał coś powiedzieć, ale nie zdołał się zmusić.

Dołączył do pracy. Ojciec i syn na zmianę spinali się i uderzali; jeden brał zamach, gdy drugi opuszczał rękę.

Napełnili sito i wynieśli je na dwór. Edmund wziął miech, by przedmuchać szyszki, ojciec je podrzucał. Nagle chłopak dostrzegł, że Harman mu się przygląda – dziwnym, skupionym wzrokiem, twardym, jak-

---

* Tweentree oznacza po angielsku bliźniacze drzewo. (przyp. red.).

by gniewnym. Kawałki plew wypadały szerokim wachlarzem na ścieżkę.

Edmund zaniósł przedmuchane szyszki do środka i wziął kolejny pęk. Znów prawie zdołał zebrać się na odwagę, ale stchórzył. Zrzucił chmiel na ziemię i schylił się, by rozciąć sznurek, którym go owiązano. Gdy tylko wstał i zszedł z drogi, ojciec zaczął tłuc cepem. Słońce widoczne za drzwiami czerwieniało, Edmundowi wbiła się drzazga z uchwytu cepa. Przerwał, by ją wyjąć i poczuł długi, palący ból, kiedy wyciągnął ją z ręki. Ojciec wyprostował się i znów posłał mu dziwne spojrzenie, a potem odwrócił się gwałtownie.

– Zaczyna się ściemniać. – Odłożył cep pod ścianę.

– Skończymy jutro.

Edmund nie mógł dłużej wytrzymać.

– Ojcze, on żyje. Geoffrey żyje.

Harman zamarł w drzwiach.

– Nie budź fałszywych nadziei, synu. Twojej matce już teraz jest trudno. Zabijesz ją.

– Nie są fałszywe! – Edmund zmusił się do mówienia, zanim ojciec wyjdzie. – Ojcze, ojcze, zaczekaj! Mam książkę!

Ojciec pochylił głowę i zgarbił się mocno.

– Nie wyrośnij na kogoś takiego jak ja, Edmundzie.

– Jego głos zniżył się i zadrżał. – Obiecaj, że nie wyrośniesz. – Przekroczył próg.

– Ojcze! – Edmund złapał ojca za koszulę. – Ty nie rozumiesz. Nie mówię, że Geoffrey żyje dlatego, że w to wierzę. Mówię, ponieważ mam powody tak sądzić.

Jego ojciec odwrócił się, cień w promieniach umierającego słońca.

– Mam pewną książkę – wyrzucił z siebie gwałtownie Edmund. – Chyba nie powinienem jej mieć, ale czytałem w niej o bolgugach i Otchłannym, i o mnóstwie różnych rzeczy. Chyba wiem, czego on chce, co próbuje zrobić. Składam to wszystko do kupy i myślę, że to znaczy, że bolgugi porwały Geoffreya żywego i zaniosły w góry. Otchłanny potrzebuje siedmiorga dzieci, dlatego z Roughy zniknęło ich kilkoro. Musi mieć siódemkę, ale ma tylko pięcioro. Proszę, ojcze, musisz mnie wysłuchać.

– Słucham cię. – Ojciec ukląkł blisko, wbijając mu wzrok w twarz. – Edmundzie, dokąd? Dokąd je zabrali?

– W głąb Pasa, do doliny, gdzie łączą się rzeki. Nie wiem jeszcze które, ale są tylko cztery możliwości. Katherine poszła prosić o pomoc Johna Marshala i... Możemy go uratować, ojcze, możemy ocalić Geoffreya. Możemy.

Ojciec zacisnął mu dłonie na ramionach.

– Zacznij od początku, synu, i mów powoli. Opowiedz, czego się dowiedziałeś i obiecuję ci...

– Edmundzie? – Na podwórku zadźwięczał głos matki. – Edmundzie, chodź do środka.

Harman podszedł do drzwi.

– Rozmawiamy, Sarro!

– Proszę, chodźcie, mój drogi. – Jej głos zabrzmiał przenikliwie i powrócił odbity echem od brzegu rzeki. – Czas na kolację!

– Kolacja może zaczekać.

– Już, Harmanie!

– Do diaska, kobieto, mówiłem ci... ech. – Harman chwycił drzwi. – Chodź synu, omówimy to w środku. Edmund miał wrażenie, jakby z ramion spadł mu ogromny ciężar. Podążył za ojcem zacienioną ścieżką przez podwórze. Drzwi kuchenne stały otworem, gulasz bulgotał w kotle, o mało się nie przelewając.

– Spali się przecież! – Harman zdjął kocioł z ognia.

– Sarro, gdzie jesteś?

Edmund minął go i wszedł do tawerny. Uczucie, że coś jest straszliwie nie w porządku pojawiło się o moment za późno.

Strażnicy zamkowi siedzieli bezwładnie przy stole, patrząc w pustkę i wydając z siebie bełkotliwe dźwięki, nieskładające się w słowa. Samotne łuczywo rzucało na nich rozedrgany cień; świeciło z góry, niemal spod powały. Edmund uniósł wzrok – jego matka wisiała w powietrzu. Nie trzymało jej nic, co by widział, lecz cokolwiek to było, ściskało tak mocno, że na rękach, brzuchu i z boku szyi dostrzegł zagłębienia. W jednej dyndającej ręce trzymała pochodnię.

– Nikogo nie wołajcie, jeśli łaska. – Migoczące światło oświetliło ostre rysy twarzy za plecami Sarry. – Żadnych krzyków ani dźwięków. Róbcie, co każę, a ona przeżyje.

– Kto to? Edmundzie, czy jest tam twoja matka?

Harman wpadł przez kuchenne drzwi. Sapnął i pobiegł naprzód, ale Edmund wyciągnął rękę i pokręcił głową.

– Edmund, zgadza się? – Nieznajomy wykrzywił twarz w złowrogim uśmiechu. – A to twój ojciec? Mogę tylko rzec, że ta dwójka nie wychowała cię jak należy. Nigdy ci nie mówili, że nie należy kraść?

Edmund gapił się, niezdolny drgnąć ani nawet myśleć, przygwożdżony spojrzeniem zmrużonych oczu nieznajomego. Po czole czarodzieja ściekały krople potu. Zakasłał i spazm wstrząsnął nim całym – Sarra zachybotała w powietrzu i o mało nie spadła, łuczywo wyleciało jej z palców i pełgało pośród zdeptanej słomy. O mało nie zgasło, a potem słoma zajęła się ogniem i salę zalało pomarańczowe światło.

Ojciec Edmunda uniósł ręce i przemówił tak wolno i spokojnie, jak tylko potrafił:

– Nie wiem, o co w tym chodzi, ale obiecuję, że możesz wziąć ode mnie wszystko, czego tylko zapragniesz, absolutnie wszystko, jeśli tylko ją wypuścisz.

– Wypuszczę ją, kiedy zechcę – odparł nieznajomy.

– Odłóż ten cep.

Pod warstwą grozy Edmund poczuł, jak coś porusza się w jego umyśle – i ze zdumieniem to rozpoznał. Przypominało to poruszenie, kiedy nauczył się czytać, gdy zawijasy i linie na stronie po raz pierwszy zamieniły się w utrwalone myśli. Było to uczucie jednocześnie obce i znajome, melodia, którą znał, choć wiedział, że nigdy wcześniej jej nie słyszał.

Wyczuwał magię nieznajomego.

Czuł, jak przepływa wokół niego, słyszał subtelny akord zaklęcia, rozpoznał jego kształt ze stronic księgi. Widział nawet jego skazy.

Nieznajomy zachwiał się, z każdym oddechem wydawał się coraz starszy.

– Czerpiesz z wnętrza. – Edmund ruszył naprzód, patrząc w skupieniu w przekrwione oczy obcego. – Brak ci sił, byś wytrzymał zbyt długo.

Tamten jakby od niechcenia pstryknął palcami. Matka Edmunda jęknęła – po jej szyi popłynęła strużka krwi. Suknia rozdarła się z boku, pod spodem pojawiła się szrama.

Harman podszedł bliżej Edmunda.

– Synu, cep.

Edmund spuścił wzrok – zapomniał, że go trzyma. Położył cep na podłodze.

– No dobrze – powiedział Harman – nie mamy broni. Co teraz?

Nieznajomy spojrzał gniewnie na Edmunda, twarz miał białą jak kość.

– Wiesz, czego chcę.

Edmund pobiegł do piwnicy, przeskakując po parę stopni. Odtrącił kawałek gipsu za ostatnią beczką, wyjął książkę i śmignął z powrotem do tawerny.

– Połóż ją tam, na stole, a potem się cofnij – polecił nieznajomy zdławionym głosem. – Nie wchodźcie mi w drogę. Jeśli ktokolwiek się zbliży albo wykona nagły ruch, przełamię ją na pół. Nawet przez chwilę nie myślcie, że nie potrafię.

Edmund podbiegł naprzód, nurkując pod dyndającymi stopami matki. Położył książkę na stole i cofnął się. Łysiejący strażnik zsunął się z krzesła i spadł na podłogę.

– A więc to wszystko twoja robota. – Jego ojciec zacisnął pięść. – Nigdy nie wierzyłem w to całe gadanie o Otchłannym.

– Och, powinieneś uwierzyć – odparł nieznajomy. – Choć tak naprawdę to, czy wierzysz, czy nie, nie ma żadnego znaczenia.

– Co zrobiłeś z moim synem?

– Trzymaj język na wodzy, chłopie, jeśli chcesz ocalić to, co ci jeszcze zostało.

Nieznajomy przysunął się do księgi, tak zajęty obserwowaniem Edmunda i jego ojca, że nie zauważył, gdzie stawia stopy. Stanął pośrodku płonącej słomy, obok upuszczonego łuczywa. Dyndające troczki spodni zajęły się natychmiast.

Wszystko wydarzyło się jednocześnie. Obcy krzyknął z bólu i schylił się, Sarra spadła, uderzyła o stół i przeturlała się na podłogę. Edmund skoczył po książkę, nieznajomy warknął i wyciągnął długi, cienki nóż.

– Edmundzie, wracaj!

Harman ominął stoły i rzucił się naprzód, odtrącając syna na ławę. Edmund potknął się, wylądował na podłodze, przed oczami ujrzał gwiazdy.

– Uciekaj, Edmundzie! – Matka próbowała go podnieść i uciec wraz z nim.

Odtrącił ją i zerwał się z ziemi – tylko po to, by ujrzeć ojca kołyszącego się nad płonącą słomą. W jego brzuchu tkwił nóż nieznajomego.

Tamten podszedł chwiejnie do stołu, chwycił książkę i rzucił się do ucieczki. Ojciec Edmunda runął na ziemię, Sarra wykrzyknęła głośno jego imię.

– Ojcze! – Edmund przeskoczył nad ogniem, klękając u jego boku.

– O nie! – Sarra podeszła bliżej, już płakała. – O nie, nie, nie.

Edmund przekręcił ojca na wznak. Pochylił się, żeby zbadać ranę. Harman sapnął i zaczął się krztusić, przyciskając dłoń do ciemnej plamy na koszuli.

– Pomocy! – Edmund wypadł na drogę. – Proszę, niech ktoś nam pomoże!

Rozdział 19

Dzwon wioskowy zadźwięczał dość głośno, by usłyszano go w promieniu kilku mil. Oddziały straży zamkowej z tupotem maszerowały gościńcami, pokrzykując do siebie nawzajem, by odmierzyć czas i zameldować, że niczego nie znaleźli. Sąsiedzi rozeszli się do domów, by samotnie martwić się i rozmyślać. Wcześniej ściskali ramiona Edmunda, mówili mu, że musi być dzielny, że matka go potrzebuje. Ktoś nawet nazwał go głową rodziny – nie pamiętał dokładnie kto, tylko tyle, że o mało nie walnął go pięścią. Wziął kijek i trącił dogasający żar, tak że ogień znów rozbłysnął. Przynajmniej miał jakieś zajęcie. Z góry dobiegały jęki. Matka mówiła coś cicho pośród pomruków uzdrowicieli. Przez szczeliny w deskach przenikał blask lampy.

Najgorsze były plamy krwi – seria rozbryzgów prowadząca schodami na górę. Ludzie zanieśli tam ojca, do jego sypialni, gdzie przeżyje bądź nie. Edmund stał nad miejscem, w którym padł Harman, proponując w duchu milczącą umowę. *Uratujcie go, uratujcie, niech przeżyje, a przysięgam, że będę dobrym synem.* Chwiejąc się, przeszedł przez pustą tawernę i usiadł przy kominku. Oparł głowę na rękach. *Niech on przeżyje.* Drzwi się otwarły. Edmund zasłonił twarz.

– Zamknięte.

Ktoś wszedł do środka.

– Powiedziałem... – Edmund odwrócił się.

W drzwiach stała Katherine. Miała na sobie haftowaną koszulę, spodnie i buty do konnej jazdy. W blasku ognia potargane kosmyki włosów przypominały aureolę. Na jednym ramieniu dźwigała skórzany worek, na drugim juki. Do worka sznurami przywiązała okrągłą tarczę, a do niej miecz wuja.

Położyła rzeczy na ziemi.

– Co z nim?

– Jeszcze nie wiedzą.

Trąciła stopą wypalony, mokry krąg na podłodze.

– Papa wyjechał.

– Wyjechał? – Edmund otarł rękawem oczy. – Ale dokąd?

– W głąb Pasa. Polować na Otchłannego. – Nagle zadrżała. – Potrzebuję noclegu.

Edmund ominął powywracane stoły i kłąb odrzuconych koców z poprzedniej nocy. Sięgnął po worek Katherine i przesunął go pod ścianę.

Uniosła ku niemu na dłoni zaśniedziałą monetę.

– Czy to wystarczy na kilka nocy?

Patrzył na nią tak długo, aż schowała pieniążek. Jakiś czas w milczeniu siedzieli razem przy ogniu. Otaczające ich hałasy powoli cichły i nastała cisza. Ogień syczał i mruczał; jedna z kłód jęknęła, potem rozpadła się z donośnym trzaskiem. Na dworze śpiewał wiatr, a nad nimi, niesione z każdym oddechem, coraz głośniej rozbrzmiewały bolesne jęki i sapnięcia, by w końcu zamienić się w krzyki.

– Chodź – powiedziała Katherine – odetchnijmy świeżym powietrzem.

Choć dom spotkań w Moorvale wyglądał nietypowo staro, to w porównaniu z mostem wznoszącym się łukiem ponad rzeką na wschodnim końcu placu, wydawał się niemal nowy. Most był niezwykle starożytny, masywny, nieproporcjonalnie ciężki w stosunku do otaczających go skromnych domów z drewna i słomy – nawet piękny nowy młyn Jarvisa sprawiał przy nim wrażenie zwiewnego i ulotnego. Głęboka rzeka pod łukiem rwała bystro, szemrząc między brzegami w niekończącej się, monotonnej pieśni złożonej z jednej nuty, która zmieniała się z każdą chwilą, a przecież pozostawała niezmienna.

Edmund przykucnął na brzegu, przyglądając się wirom w czarnej toni.

– Czy czułaś się kiedyś, jakby ziemia nie mogła cię utrzymać, nieważne, gdzie staniesz? Jakbyś wszędzie się zapadała?

– Tak.

Katherine usiadła, kładąc ręce na kolanach. Włosy opadały jej na twarz.

– Mam dosyć czekania, aż świat znowu mnie zrani.

– Edmund pomacał dookoła siebie, aż znalazł gładki, płaski kamyk i obrócił go w palcach. – Chcę coś zrobić.

– Złożyłam obietnicę – odparła Katherine. – Przyrzekłam papie, że nie będę się w nic wplątywać. Nawet gdybym złamała słowo, co możemy zrobić? Nie wiemy nawet, dokąd pójść, a co dopiero co począć, kiedy tam dotrzemy.

– To mój brat. – Edmund spróbował puścić kaczkę; kamyk odbił się raz jeden i zatonął.

– Mamy tylko czternaście lat.

– Ale sporo wiemy. Możemy tego dokonać.

– Obiecałam... – Katherine także rzuciła kamieniem, który raz po raz odbijał się od wody i w końcu zniknął w ciemności.

Edmund zwiesił głowę. Nie potrafił przekuć tego, co zapamiętał z książki, w jakikolwiek spójny kształt.

– Nie mogę, nie mogę dłużej myśleć.

Położył się na trawie. Katherine położyła się obok niego. Nad rzeką wiał mroźny wiatr, toteż zaczęli przysuwać się do siebie, ale tak wolno, że nawet się nie zorientowali, póki ich ramiona się nie zetknęły.

Dziewczyna odwróciła głowę.

– Wczoraj byłeś bardzo dzielny.

Edmund wbił palce w trawę i głębiej, w błoto. Przed sobą ujrzał nazwy konstelacji, które po chwili się rozpłynęły i na niebie znów pozostały tylko gwiazdy.

– Papa ich uratuje. – Głos Katherine zdawał się dobiegać z daleka. Nie dźwięczała w nim zwykła pewność siebie. – Na pewno.

* * *

Tom napiął mięśnie, mocniej zacisnął ręce na drzewcu i machnął siekierą. Ostrze trafiło w cel i rozszczepiło drewno, rozpoławiając je do końca. Zaparł się stopą, wyrwał siekierę, odwrócił się i znów zamachnął, oddychając ciężko, miarowo. Odgłos każdego uderzenia powracał do niego zwielokrotnionym echem znad ugoru. Słońce znikało za horyzontem. Łopoczące rękawy za dużej koszuli przeszkadzały w robocie, ale zrobiło się zbyt zimno, by ją zdjąć. Ułożył drwa w stertę obok brzeziny na brzegu, wlokąc każdy konar nad strumień, nim go porąbał i zostawił kawałki obok dołu, gdzie czekały na Aydona Smitha. Nie robił przerw, bo zwłoka jeszcze pogorszyłaby dręczący go głód.

Zmierzch już zapadł, a on pracował dalej, raz po raz przechodząc obok miejsca, w którym gościniec z Dorham krzyżował się ze strumieniem. Na gałęziach pobliskiej olchy przysiadła sroka. Przyglądała się, jak pracuje – ostatnie promienie słońca odbijały się w jej bystrych, ciemnych oczach. Uniósł siekierę i opuścił, odwrócił się, odłożył szczapy, i znowu, oddech za oddechem. Napięcie mięśni stanowiło część jego natury, podobnie rozluźnienie, pauza i głód. Na szarym niebie rozlewała się czerń, szybciej w miejscu, gdzie las był starszy, wśród drzew przycinanych ostatnio, nim jeszcze Tom się urodził.

Sroka zaskrzeczała i uciekła. Wytężył słuch, unosząc czujnie głowę. Odłożył siekierę.

– Kto tam jest?

Na mostku nad strumieniem zabrzmiał tętent kopyt. Po gościńcu przesunął się cień.

Tom zeskoczył na brzeg. Koń przystanął, pijąc wodę po drugiej stronie strumienia – nawet w gasnącym świetle wyraźnie widać było zarys pustego siodła na grzbiecie oraz zad ogiera bądź wałacha. Spod łęku zwisały juki, jeden zamknięty, drugi rozcięty i otwarty.

Toma ogarnęła lodowata groza. Wbiegł na most. Koń uniósł łeb, patrząc na niego.

– O nie. – Tom sięgnął po wodze. – Nie.

Rozdział 20

Tom biegł drogą z Dorham, prowadząc najszybciej, jak mógł, zbłąkanego konia Johna Marshala. Nie zachowując cienia ostrożności, minął zakręt wiodący na farmę swego pana i gęste zarośla obok. Nie zwrócił najmniejszej uwagi na panującą w nich niezwykłą ciszę. Nagle koń zarżał ostrzegawczo – za późno, bo z poszycia wysunęła się ręka i chwyciła chłopaka za ramię. A potem w ciemności pojawiła się twarz jego pana, wykrzywiona w nienawistnym, tryumfalnym grymasie.

– Teraz się doigrałeś, chłopcze – wykrakał Athelstan. – Teraz się doigrałeś.

Tom obrócił się, patrząc za siebie. Oswin trzymał go mocno za ręce.

– Ukradłeś konia, co? – Athelstan wyszedł na drogę i skinął na parobka. – Dobra robota. Gdybyś go tu nie złapał, do jutra dotarłby do Quentary.

– Ja nie uciekam! – Tom szarpnął się, stanowczo za późno. – To koń Johna Marshala, panie. Proszę, coś mu się stało.

– Zostaw konia, niech John Marshal go sobie poszuka.

Athelstan wyciągnął rękę, aby złapać Toma za koszulę. Oswin odsunął chłopaka szarpnięciem.

– Należy się pens.

Athelstan się skrzywił.

– Pens albo go wypuszczę.

Farmer sięgnął do pasa i wyciągnął monetę.

– Pół pensa teraz, pół, kiedy z nim skończę.

– Uczciwa wymiana.

Oswin pchnął Toma jedną ręką naprzód, drugą chwycił monetę. Cały czas odwracał wzrok, minę miał ponurą, zaciętą.

Mężczyźni naparli na Toma z obu stron i siłą poprowadzili na farmę. W oknie domu płonęła samotna świeca, w jej blasku widać było białe jak księżyc twarze. Athelstan skrzywił się jeszcze bardziej, po czym zerknął na Oswina.

– Przynieś żar z paleniska. I powiedz kobietom, że jeśli po wszystkim zobaczę choć cień, usłyszę choć szelest, pożałują.

– Żar? Po co?

Nie doczekawszy się odpowiedzi, Oswin wzruszył ramionami, wypuścił rękę Toma i pomaszerował do domu. Świeca zgasła, okno się zamknęło.

Athelstan chwycił chłopaka i wepchnął do obory. Tom potknął się w drzwiach i wylądował na kolanach w słomie. Wokół jego pniaka owijał się gruby pleciony bicz. Owce i woły kłębiły się z tyłu, becząc i mucząc, koty czyhały w kątach na ugiętych łapach, czekając na okazję do ucieczki. Łach podbiegł do Toma, a potem, ujadając ze strachu, zaczął się łasić u stóp Athelstana, unosząc prosząco łapy.

– Proszę! – Resztki oszołomienia Toma ustąpiły miejsca przerażeniu. – Panie, proszę! Przepraszam, więcej tego nie zrobię.

– O, na pewno nie zrobisz. – Athelstan podniósł bicz i rozprostował go w dłoniach. – Już ja o to zadbam.

Zawlókł chłopaka do jednego z dwóch szorstkich słupków podpierających sufit. Dawno temu w drewno wbito kołek, dość wysoko, by dorosły mężczyzna mógł zawisnąć na nim za ręce, uginając kolana.

– Od dłuższego czasu nie całowałeś już tego słupka. – Athelstan kilka razy eksperymentalnie strzelił z bata. – Można by sądzić, że nauczyłem cię już, gdzie twoje miejsce. Zapamiętaj moje słowa, chłopcze, tym razem się nauczysz.

Łach nie mógł dłużej wytrzymać: ruszył naprzód, ujadając gwałtownie i szczerząc groźnie zęby.

– Zamknij pysk, kundlu! – Athelstan chlasnął psa biczem po pysku. Łach ze skowytem uskoczył na tył obory, płosząc owce i jagnięta, które rozbiegły się na wszystkie strony. W tym momencie do środka wmaszerował Oswin, dźwigając w rękach misę rozżarzonych węgli, i zamarł na widok panującego w środku chaosu. Koty wykorzystały szansę i śmignęły na dwór przez otwarte drzwi. – Postaw tę misę, ty pustogłowy łachmaniarzu! – Athelstan dźgnął palcem Oswina w brzuch. – Łap sznur i bierzmy się do roboty.

Oswin postawił misę na pniu obok Toma. Na moment po jego ospowatej twarzy przemknął wyraz żalu, potem zastygła ona w kamienną maskę. Athelstan zdarł Tomowi koszulę z ramion, dźwignął go i pchnął twarzą naprzód na słupek.

– Panie, ja wracałem! – błagał Tom. – Właśnie wracałem, przysięgam. Więcej tego nie zrobię. Nie ucieknę, przyrzekam!

Ochrypły odgłos, który wydał z siebie Athelstan, tylko bardzo słabo kojarzył się ze śmiechem.

– Nie, więcej nie uciekniesz. Ale twoje obietnice nie mają tu nic do rzeczy.

Wetknął coś w węgle, coś, co zabrzęczało, uderzając o bok misy.

Oswin złapał Toma za przegub i uniósł do kołka. Tom zwijał się, próbując się wyrwać, ale Athelstan przytrzymał go i przycisnął go do drewna tak mocno, że chłopak stracił oddech.

– Ty niewdzięczny smarkaczu. – Syczący oddech padł na szyję Toma. – Wziąłem cię, kiedy byłeś niczym, osieroconym dzieciakiem, na wpół martwym z gorączki, pokrytym łajnem i zdychającym w smrodzie. Ubrałem cię, wykarmiłem i wychowałem – i oto, jak mi odpłacasz.

– Proszę, panie, przepraszam, przepraszam. Błagam, nie rób mi krzywdy.

Athelstan złapał go za włosy i szarpnięciem odchylił głowę.

– Powinienem był cię zostawić na śmierć! Myślisz, że kupiłem cię z dobroci serca? Co? Tak myślisz? Sądzisz, że kiedy wybrałem cię spomiędzy cuchnących bachorów wystawionych tego dnia na sprzedaż, zrobiłem to dlatego, że tak na mnie popatrzyłeś? Co? Nie, wybrałem cię, bo tego dnia w uliczce wszystkie inne dzieci na sprzedaż były dziewczynkami. Potrzebowałem kogoś, kto by pracował w polu, uczył się ode mnie, zarabiał dla mnie. Ale za każdym razem, gdy mojej żonie rósł brzuch, wyskakiwała z niego kolejna dziewczyna, kolejna dójka, kolejne wiano do spłacenia. I zamiast syna musiałem zadowolić się tobą. To dlatego cię wybrałem, chłopcze – bo nie mam synów.

Tom spojrzał z góry w twarde oczy swego pana.

– Mogłem być twoim synem.

– Nie jesteś z mojej krwi. – Athelstan walnął jego głową o słupek. – Należysz do mnie. Na tym świecie masz do zrobienia tylko jedno: służyć mnie i mojej rodzinie, póki nie zdechniesz.

Sięgnął po to, co wsunął wcześniej do misy.

– Wychłoszczę cię, chłopcze, to wiesz. Ale nie tylko, nie tym razem. – Uniósł to coś przed twarz Toma – połyskiwało ciemną czerwienią. – Napiętnuję cię jak durne zwierzę, którym jesteś. – Z powrotem wetknął piętno w rozżarzone węgle. – Będziesz nosił mój znak do końca swoich dni i nieważne dokąd uciekniesz, świat zawsze się dowie, że należysz do mnie.

Tom wydał z siebie syczący jęk, który załamał się w szlochu. Czuł, jak palce Oswina poruszają się, zadzierzgując węzeł.

Nagle rozległ się ostry warkot i czarno-biały kształt przemknął przez oborę. Łach rzucił się na mężczyznę, wbijając kły głęboko w rękę Oswina. Ten wrzasnął i odskoczył chwiejnie od słupka, wymachując rękami i próbując strząsnąć napastnika. Pies poleciał między owce, które spłoszyły się i w panice runęły na dwór przez otwarte drzwi obory.

– Poszedł! – Athelstan uderzył Łacha w pysk, otwierając ranę, którą zadał mu batem.

Pies zawył, podwinął ogon i odskoczył. Oswin wydał z siebie podobny dźwięk, przyciskając dłoń do krwawiącej ręki.

Athelstan dźgnął go palcem w brzuch.

– Zagoń te owce z powrotem, durniu! I zabij tego kundla!

– Nie!

Tom przekręcił się, by spojrzeć, błagać – i zamarł, ledwie śmiąc drgnąć. Sznury okalające jego ręce zaczęły ustępować pod ciężarem. Sięgnął w górę palcami i poczuł, jak węzeł rozluźnia się w jego rękach. Oswin go nie dokończył.

Mężczyzna zabrał szpadel z kąta i zamachnął się nim jak siekierą. Łach walczył ze wszystkich sił, ale przeciwnik był silniejszy. Po kilku uderzeniach i unikach wycofał się za drzwi, Oswin pobiegł za nim.

Tom wcisnął kciuk pod węzeł i pociągnął; potem uniósł ręce nad poluzowane końce sznura. Przycisnął głowę do słupka i powoli odetchnął głęboko.

– A teraz, chłopcze… – Athelstan znów się zbliżył. Przesunął końcem bicza po nagich plecach Toma i w jego głosie zabrzmiało znajome, odrażające pragnienie. – Tym razem przysięgam ci, że w końcu się nauczysz.

– Już się nauczyłem, panie.

Tom odwrócił się i rąbnął go mocno w szczękę, tak, że Athelstan przeleciał przez całą oborę.

Wybiegł na zewnątrz i ujrzał Łacha przypartego do muru. Oswin górował nad nim, szykując szpadel do ostatniego, morderczego ciosu. Tom poczuł nagle, jak wzbiera w nim prawdziwa wściekłość.

– Oswin!

Krzyk na moment zdekoncentrował tamtego. Wystarczyło. Tom spiął się i skoczył, wkładając w uderzenie cały swój ciężar. Rzucił Oswinem o ścianę, złapał szpadel i cisnął nim daleko na podwórko. Nie musiał mówić Łachowi, by pobiegł za nim. Razem wypadli na drogę i przemknęli przez mostek, nim Athelstan zdążył wszcząć alarm.

* * *

Ogień na palenisku w tawernie pryskał i pojękiwał. Edmund pochylił się, aby poruszyć kłody.

– Spałeś w ogóle?

Katherine, wciąż ubrana, zajęła jedno z dwóch prawdziwych krzeseł w gospodzie. Na kolanach położyła miecz w pochwie i skrzyżowała w kostkach nogi. Trwała niemal w bezruchu – jedynie dwa palce wystukiwały nieistniejący rytm na rękojeści miecza.

– Nie. – Edmund splótł ręce na piersi, ale nie mógł powstrzymać dreszczy. Od czasu do czasu jego umysł uczepiał się czegoś – człowiek służący Otchłannemu, żywy człowiek, czarodziej – ale potem myśli znów wciągał szaleńczy wir.

Katherine odłożyła miecz i narzuciła na ramiona koc.

– Powstrzymali krwotok. Twój ojciec ma szansę. Sporą szansę.

Edmund zatarł dłonie. Nie zdołał powstrzymać pytania.

– Czy kochałaś swoją matkę?

Katherine spojrzała na niego ze zdumieniem.

– Oczywiście.

– Czy udało ci się jej o tym powiedzieć, zanim... Czy byłaś tam pod koniec?

Powoli odwróciła się do ognia. Strzelający w górę płomień zatańczył w jej oczach i rzucił potrójny cień na ściany.

– Pamiętam ją taką, jaką widziałam po raz ostatni. Jej włosy, oczy, usta. Próbowała wziąć mnie za rękę, ale dłoń miała zimną i spoconą, więc się cofnęłam. „Zobaczymy się znowu, bardzo niedługo” – powiedziała. „A wtedy cały świat będzie jeszcze piękniejszy”. Potem zamknęli drzwi; próbowała urodzić mojego brata i umarła.

– Przykro mi – mruknął Edmund. – Nie powinienem był pytać.

Katherine oparła się na łokciu.

– I kiedy czuję nadzieję, kiedy ogarnia mnie rozpacz, ona zawsze do mnie powraca.

Edmund potargał sobie włosy.

– Na jakim my świecie żyjemy?

Katherine otworzyła usta, by odpowiedzieć – i zamknęła je szybko. Płomienie znalazły szczapę mokrego drewna, pochwyciły ją i zamieniły jęczącą w popiół.

Nagle rozległo się gorączkowe pukanie do drzwi. Edmund podszedł do nich, odciągnął rygiel i otworzył. Na progu stał Tom, półnagi, rozdygotany, krew z rozcięcia na czole ściekała mu do oka.

– Tom! – Katherine odrzuciła koc i podbiegła do drzwi. – Tom, co się stało? – Położyła mu dłonie na ramionach.

– Uciekłem.

– Zabiję go! – Katherine zacisnęła pięści. – Zabiję!

– Cicho! – Edmund dołączył do niej przy drzwiach. – Jak daleko są za tobą?

– Nie przyszedłem tu ze swojego powodu. – Tom odstąpił na bok. Za nim na ulicy stał osiodłany koń o długim, ponurym pysku, kasztanek w trzech białych skarpetkach. Katherine wydała zdławiony jęk, jakby rąbnął ją pięścią. – Znalazłem go na moście, na gościńcu do Dorham – wyjaśnił Tom. – Próbował wrócić do domu.

Edmund wyśliznął się na schodki. Nie trzeba było wielkiego znawcy koni, by dostrzec, że ogier Johna Marshala biegł całą noc.

– Papa! – Katherine uniosła ręce do twarzy. – O nie, nie, nie!

Edmund zaczął działać, nim zrozumiał, że podjął decyzję. Pobiegł do swojej kryjówki i wyciągnął ostatni ocalały kawałek pergaminu. Chwycił pióro i kałamarz, zaniósł pergamin na górę, położył na stole w świetle ognia i zaczął bazgrać: Drogi ojcze...

Tom spojrzał na kartkę, potem na przyjaciela.

– Co robisz?

Edmund sięgnął po miecz Katherine i uniósł za pochwę.

– Chcę, żebyście oboje zrozumieli, że tak naprawdę nie wiem, dokąd jadę – ale jadę. Zmierzam w głąb Pasa, by próbować uratować Geoffreya i pozostałe dzieci, i Johna Marshala, jeśli zdołam. Może to głupie, może zginę, ale jadę i jeśli chcecie, możecie pojechać ze mną.

Katherine przez chwilę wbijała w niego wzrok, potem jakby się ocknęła. Wzięła miecz.

– Idź do kuchni i zgarnij wszystko, co znajdziesz, byle cicho – polecił Edmund.

Sam wspiął się po rozchybotanych schodach do swojego pokoju, podkradł do skrzyni i wyciągnął grubą, wełnianą tunikę, którą uszyła mu matka poprzedniej zimy. Powiesił sobie na plecach kołczan, z kąta wziął łuk. Odwrócił się w drzwiach, bo przypomniał mu się nóż, szybko jednak zmienił zdanie i zabrał nóż Geoffreya.

Zbiegł z powrotem do tawerny.

– Masz dosyć prowiantu?

– Więcej nie udźwigniemy.

Katherine zalała wodą ogień w palenisku. Z kąta sali zabrała swój worek i zaczęła w nim grzebać, wyrzucając paski, pary pończoch i niebieską sukienkę, którą nosiła na jarmarku. Na ich miejsce upychała pospiesznie zapakowane jedzenie.

– Edmundzie? – Głos matki brzmiał słabo i głucho.

– Edmundzie, co się tam dzieje?

– Nic, mamo. – Edmund przytrzymał przed przyjaciółmi otwarte drzwi i zamykając je, wyszeptał: – Żegnaj.

* * *

Cień posągu na placu w Moorvale padał daleko w głąb drogi. Księżyc, który go rzucał, przypominał kocie oko wiszące nad ławicą chmur – oszczędnie szafujący światłem, ostrożny i przebiegły. Kolejna ława chmur wędrowała po przeciwległym horyzoncie. Między nimi wir powietrza wsysał poszarpane strzępy obłoków w głąb wielkiego teatru samotnych gwiazd.

Edmund wcisnął Tomowi w ręce wełnianą tunikę. Chwycił wodze konia.

– Jak ma na imię?

– Owoc – powiedziała Katherine.

– Tom może na nim jechać.

Edmund podprowadził Owoca do drzwi stajni. Zastał tam czekającego Łacha. Mimo krwawiącego skaleczenia na pysku pies nadal merdał ogonem.

– On też idzie – oznajmił Tom. – Nie ma dokąd pójść.

Indygo uderzył kopytem i parsknął w pierwszym boksie za drzwiami, Edmund musiał się przecisnąć pod jego łbem. W ciemności odnalazł drogę na koniec stajni, do boksu Różyczki, klaczy barwy skrzepniętej krwi; ojciec kupił ją tanio na zeszłorocznym targu z myślą, że posłuży rodzinie jako wierzchówka.

Tom stał rozdygotany w słabym blasku księżyca przy drzwiach.

– Dokąd jedziemy?

– Nałóż tę koszulę. – Katherine chwyciła siodło i narzuciła je na grzbiet Indygo. – Najpierw wydostańmy się z wioski, potem wszystko zaplanujemy.

Tom przecisnął głowę przez otwór w koszuli Edmunda i naciągnął ją; w ramionach pasowała całkiem dobrze, ale rękawy miała stanowczo za krótkie.

– Powinniśmy wyjechać z Elverainu dłuższą drogą.

– Edmund zdjął z wieszaka zakurzone siodło Różyczki. – Gościńcem do Longsettle, potem skrótem przy Woodyend i brzegiem Swift. Tamtędy dotrzemy za granicę.

– Papa pojechał zachodnim gościńcem. – Katherine zapięła popręg pod brzuchem Indygo. – Jeśli próbuje wrócić pieszo, wolałabym się z nim nie minąć.

Edmund grzebał w mroku, szukając uprzęży Różyczki.

– Gdybyśmy pojechali tamtędy, pan Toma mógłby nas usłyszeć i ruszyć w pościg.

Katherine wsunęła miecz w pętlę przy łęku.

– Jeśli chce, może nas ścigać do samego Pasa.

Indygo spuścił łeb, pozwalając Katherine nałożyć uzdę. Znów uderzył kopytem, nie mogąc doczekać się jazdy. Łach zaszczekał w odpowiedzi.

– A potem co? – Tom uciszył psa, drapiąc go za uszami. – Wiemy w ogóle, czego szukać?

– Mamy pewne domysły. – Edmund majstrował przy popręgu Różyczki. Za każdym razem, gdy zdawało mu się, że zapiął go prosto, odkrywał, że rzemień przekręcił się z jednej strony. – Szukamy wysokiej górskiej doliny z ruinami, w miejscu, gdzie łączą się dwie rzeki. Po drodze opowiem wam więcej.

Różyczka odwróciła łeb, cofając się przed uzdą. Była co najmniej trzy razy starsza od Indygo i zdecydowanie mniej entuzjastycznie powitała perspektywę nagłego wyjazdu w środku nocy.

Katherine wsunęła głowę do boksu.

– Edmundzie, jesteś gotowy?

– Eee, prawie.

– Jeśli tak jej dosiądziesz, wkrótce będziesz jechał pod nią. – Katherine podeszła i zaczęła szybko korygować bałagan, którego narobił z uprzężą. – Chodź, malutka. Chodź. Zacmokała lekko językiem, wywabiając Różyczkę z boksu. Indygo wyszedł z własnego, zanurkował w drzwiach i wyprowadził ich na drogę, a potem przystanął, patrząc na plac. Jednym okiem zerknął na Katherine i uderzył kopytami. Łach podbiegł naprzód i obejrzał się, czekając z postawionymi różnobarwnymi uszami.

– Indygo też pokazuje zachodni gościniec. To rozstrzyga sprawę.

Katherine wskoczyła na siodło, Edmund za drugim podejściem wciągnął się na grzbiet Różyczki. Tom jeździł nie lepiej od niego, był jednak tak wysoki, że niezgrabny skok powiódł się od razu.

Tymczasem chmury zasnuły księżyc, pogrążając wioskę w głębokiej ciemności. Edmund powiódł wzrokiem po twarzach przyjaciół. Zerknął na zamknięte okno sypialni rodziców. Nie pozostało nic do powiedzenia. Indygo pogalopował naprzód, pozostałe konie zrównały się z nim, podążając drogą do Longsettle na plac i dalej, za stary posąg rycerza.

Rozdział 21

Katherine pozwoliła, by Indygo sam dobierał tempo, w jakim jechali ku wznoszącym się w dali szczytom wzgórz. Różyczka ani Owoc nie wyglądali na uszczęśliwionych, ale nie zostawali w tyle. Łach wyraźnie uważał, że poruszają się stanowczo za wolno, mknął bowiem naprzód, zawracał i śmigał z powrotem raz po raz.

Po obu stronach drogi pojawiły się drzewa, dęby i wiązy, otaczające sioło Thicket. Pola pachniały sianem i młócką, las świeżo rąbanym drewnem. Edmund spodziewał się, że ktoś ich zawoła, przynajmniej z dworu w Thicket, ale wokół panowała cisza. Nikt nie poruszał się w domach, nikt nie wyszedł, by spytać, kto jedzie w ciemności.

– Naprawdę odjeżdżamy. – To Tom wypowiedział te słowa na głos.

Zostawili za sobą Wdowy, spróchniałe domki, porzucone pola i miejsce, w którym stał pomnik bitwy, a pod nim były długie groby. Wiatr rozwiał chmury, pozostawiając księżyc sam na niebie. Po lewej leżały martwe błonia dawno opuszczonej wsi, porośnięte splątaną trawą skąpaną w srebrzystym blasku. Po drugiej stronie gościńca rósł rząd drzew liściastych i chaszczy. Edmund wyciągnął długi nóż Geoffreya i zawiesił go sobie przy pasku. W każdej cienistej kępie drzew mogła czekać zasadzka; serce biło mu mocniej z podniecenia i strachu.

Zrównał się z Tomem.

– Byłeś tu kiedyś?

– Nigdy. Co to za kamienie?

– To kurhan. Jesteśmy we Wdowach, kiedyś ludzie nazywali to miejsce Byhill. – Edmund machnął ręką.

– Oto, dokąd dotarł Otchłanny ostatnim razem.

– Ach, bitwa na Polu Garncarza. To było tutaj? Katherine pokazała ręką.

– Tam, za dębami.

– Lubię pieśń, którą o niej ułożyli, choć jest bardzo smutna. – Tom omiótł wzrokiem groby. – Ale wszystko wygląda inaczej, kiedy widzi się to na własne oczy.

Czarna linia zachodniego gościńca wspinała się na pogórza, przecinając kolejne przeszkody, jakby jej budowniczowie uważali, że łatwiej poruszyć ziemię, niż zmienić kierunek. Dęby ustąpiły miejsca sosnom, jodły świerkom otaczającym porośnięte jeżynami pagórki domów, które zawaliły się po latach pod ciężаrem krzaków. Ostatnie pola po obu stronach gościńca stały odłogiem od tak dawna, że trudno było stwierdzić, czy kiedykolwiek je uprawiano.

– Już – oznajmił Edmund. – Właśnie teraz opuściliśmy Elverain.

Tom odetchnął z ulgą.

– Uciekłem.

Obejrzał się za siebie.

Katherine zwolniła, zrównując się z nimi.

– Cieszę się, że przyszedłeś.

– Ja także – dodał Edmund i nagle zrozumiał, jak bardzo szczerze mówi. – Wiesz, nie pomyślałem, powinniśmy byli zabrać dla niego broń.

Tom wzruszył kościstymi ramionami.

– I tak nie wiedziałbym, co z nią począć.

– Przed popasem powinniśmy opuścić zasiedlone ziemie. – Katherine poklepała Owoca po szyi. – Jak on się trzyma?

– Jest zmęczony – odparł Tom. – Nim go znalazłem, musiał przebyć długą drogę.

Na twarzy Katherine odbiła się głęboka troska.

– Papa.

Lekko poruszyła stopami; Indygo nie potrzebował dalszej zachęty, by znów przyspieszyć kroku.

Chmury zsuwały się z odległych szczytów Pasa, odsłaniając głębię nocy. Łach zrezygnował z biegania i trzymał się boku Toma. Edmund ponownie pogrążył się w myślach. Gdzieś przed nim, pośród czarnych, poszarpanych zębisk gór czekał brat; gdzieś za nim pozostał ojciec w agonii, może już martwy. Jego oddech parował w mroźnym powietrzu – im byli wyżej, tym bardziej robiło się zimno.

– Może powinniśmy przygotować jakiś plan. – Tom zrównał się z przyjacielem. – W historiach, które lubisz opowiadać, bohaterowie zawsze mają plan.

Katherine wyprostowała się w siodle.

– Powinniśmy. Zapominam o wszystkim, czego papa kiedykolwiek mnie nauczył.

– Ostatecznie rozpoczęliśmy niebezpieczną podróż – przypomniał Edmund. – Jak myślisz, co twój ojciec zrobiłby na naszym miejscu?

– Powiedziałby, że musimy zachować czujność podczas jazdy. – Katherine skierowała Indygo na bok. – Ja będę sprawdzać przód i lewą stronę, Tom prawą, Edmundzie, ty staraj się nasłuchiwać i jak najczęściej oglądać za siebie. I nałóż cięciwę na łuk – banda bolgugów nie będzie siedzieć i czekać, aż się przygotujesz.

– Tak, mój kapitanie.

Edmund odwrócił się i uśmiechnął do Toma.

Katherine podciągnęła pasy trzymające miecz tak, że miała do niego łatwy dostęp.

– Przed świtem powinniśmy dotrzeć do Upenough. Z tego co słyszałam, to mniej więcej trzydzieści mil za Ticket.

– Och! – Tom spojrzał naprzód. – Nie wiedziałem, że z tej strony leży więcej wiosek.

– Bo więcej już nie ma. – Edmund wyciągnął szyję, oglądając się przez ramię na gościniec. – Upenough wyznaczało najdalszą granicę królestwa przed przybyciem Otchłannego. Słyszałeś tę historię – to tam po raz pierwszy spotkali się Tristan i Vithric.

– Historie zawsze mi się mieszają – przyznał Tom.

– Nigdy nie pamiętam, co się działo, gdzie ani kiedy. Katherine lekko pchnęła łeb Różyczki, by powstrzymać ją przed skręcaniem w prawo.

– Nie musisz siedzieć tyłem, Edmundzie. Po prostu oglądaj się przez ramię.

– A, jasne. – Edmund znów się przekręcił i po chwili wahania Różyczka ruszyła prosto. – Potem zaczniemy szukać doliny, w której łączą się dwie rzeki. Powinny tam stać ruiny – jakaś wielka pradawna forteca. Czy ojciec opowiadał ci kiedyś o podobnym miejscu?

Katherine jakiś czas jechała w milczeniu.

– Nie pamiętam. Z tego co mówił, są tam dziesiątki ruin.

– Może jeśli poszukamy, znajdziemy te same znaki co Vithric.

Uśmiechnęła się – słabo, ale jednak.

– Jeśli ktokolwiek może tego dokonać, to tylko ty.

– Oczywiście z pomocą moich śmiałych kompanów.

Edmund odwrócił się, by pokazać, że dotyczy to też Toma. Przyjaciel patrzył przed siebie ze zmarszczonymi brwiami. Łach najeżył się, z jego gardła wydobył się głuchy pomruk.

– Wyczuwa coś – oznajmił Tom. – Ja także. Zapach śmierci.

Katherine dobyła miecza, Edmund wyciągnął nóż Geoffreya, ale schował go szybko – co może zdziałać nożem z końskiego grzbietu? Mocniej chwycił lejce.

– Co robimy?

– Jedziemy naprzód, powoli. – Katherine ściągnęła z pleców tarczę. – Obserwujcie wszystko i nie odzywajcie się ani słowem, chyba że to konieczne. Jeśli coś zrobię, naśladujcie mnie.

Indygo parsknął, stąpając z wysoko uniesionym, wysuniętym naprzód łbem. Edmund wbił pięty w boki Różyczki, aby dotrzymać mu kroku. Podążali dalej drogą pomiędzy drzewami na skraj jałowych ziem. Katherine skierowała Indygo pomiędzy dwa pozostałe konie, trzymając się o pół długości przed nimi. W promieniach księżyca guz na jej tarczy połyskiwał. Przecięli łąkę i ujrzeli nową fałdę terenu zwieńczoną przełęczą, której długości nie dało się ocenić w mroku. Im wyżej się wspinali, tym odleglejsze zdawały się górskie szczyty.

– Przed nami. – Katherine skręciła wraz z drogą, Edmund podążył za nią.

Na tle nieba widać było cieniste sylwetki domów. Martwa wioska Upenough przywarła do pasma wzgórz ostatnim skrawkiem nadającej się do uprawy ziemi wokół przełęczy. Zostało z niej tylko zbiorowisko zrujnowanych lepianek, które powoli się rozpadały. Pod niebem oprószonym iskrami gwiazd wisiała warstwa rzadkiego powietrza. Wokół nich panowała tak głęboka cisza, że ostrożne stąpanie koni powracało głuchym echem.

Tak musiał się czuć Tristan, pomyślał Edmund, rozglądając się lękliwie w prawo i w lewo. Za każdą zwaloną oborą spodziewał się ujrzeć błysk żółtych oczu.

– Stać! – Tom zeskoczył z grzbietu Owoca, o mało nie zahaczając nogą o strzemię. Szybko zniknął w przydrożnych chaszczach. Łach podążył za nim w ciemność.

– Co się dzieje? – syknął wystraszony Edmund.

Próbował popędzić Różyczkę, chcąc osobiście sprawdzić, ale odmówiła współpracy, kładąc uszy po sobie. Indygo przepchnął się obok, niosąc Katherine w stronę dużego, ciemnego obiektu przy drodze. Tom zmaterializował się obok. W powietrzu rozszedł się smród, od którego o mało nie zwymiotowali.

– Jest sztywny. – Tom przewrócił leżące cielsko na grzbiet. – Bolgug. Nie żyje co najmniej jeden dzień.

Edmund wciąż zasłaniał rękawem usta.

– Co go zabiło?

– Miecz. – Tom puścił rękę stwora. – Z góry.

– Z konia. – Katherine znów skierowała Indygo naprzód. – Jeśli dobrze pamiętam, gdzieś przed nami musi być gospoda. To pewnie jedyne ocalałe schronienie.

Tom wgramolił się na swego wierzchowca i ruszyli dalej, mijając zarośnięte krowie ścieżki, niegdyś służące też ludziom. Przed sobą mieli skupisko chat pozbawionych strzech i walących się w cieniu wypalonej skorupy domu spotkań.

– Tam! – Edmund pokazał ręką. – Ma drewniany dach i chyba stajnie na tyłach.

– Wszyscy zsiadamy. – Katherine zatrzymała ogiera. – Tom, weź konie.

Edmund posłusznie zsunął się z siodła. Znów dobył noża Geoffreya – skóra na jego rękach mrowiła pokryta gęsią skórką.

Katherine wezwała go w przejście.

– Czujesz?

Pokiwał głową – mdląco-słodki odór. Znów smród rozkładu, znowu martwe stwory.

Katherine zębami zdjęła rękawicę i chwyciła mocniej miecz.

– Gotów? No to ruszamy.

Kopnęła drzwi – popękane skórzane zawiasy ustąpiły i skrzydło runęło do środka. Przeszła po nim, unosząc tarczę i miecz tuż nad nią.

Edmund podążał za przyjaciółką. Nagle potknął się o coś miękkiego.

– Co to? – Głos Katherine zadrżał w mroku. – Czy to...

Edmund zmusił się, by uklęknąć obok trupa.

– Nie, to następny bolgug. – Wychylił się za drzwi, oddychając świeżym powietrzem. – Tom? Zapal łuczywo.

Szli dalej, wymacując sobie drogę w ciemności między zbieraniną opartych na koziołkach stołów.

– Wygląda to na tawernę, ale nic nie widzę. – Edmund wpadł otwartymi ustami prosto w pajęczynę. – Agh! – Wzdrygnął się i pochylił, plując; miał tylko nadzieję, że nie połknął pająka.

– Gdyby cokolwiek chciało zaatakować nas z ukrycia, raczej już by to zrobiło. – Katherine przeszła przez salę. – Znalazłam palenisko.

– Zostawiłem konie na tyłach.

Tom pochylił się ostrożnie, przechodząc pod wypaczoną framugą. Stał w środku, w jego dłoni migotała pochodnia.

Nagle Katherine krzyknęła.

Edmund odwrócił się, czując ucisk w żołądku. Dziewczyna klęczała nad leżącym na twardym klepisku mieczem – prostym, wyraźnie wojskowym, o szerokim, żelaznym jelcu i rękojeści owiniętej skórą.

– O nie! – Podniosła oburącz miecz; klinga pękła kilka cali od rękojeści. Edmund nie musiał zgadywać, do kogo należała broń.

– To nie znaczy, że on nie żyje – rzekł i przykucnął obok. – Naprawdę.

Nagle dostrzegł coś małego, zbryzganego krwią obok stopy Katherine i głośno wciągnął powietrze. Odczytała jego minę i spojrzała w dół, zanim zdążył podjąć decyzję, czy jej powiedzieć.

Krzyknęła rozdzierająco i odskoczyła od odciętego palca, palca mężczyzny, odrąbanego przy pierwszym stawie. Edmund schylił się i zaczął szukać: nie znalazł niczego więcej, lecz wśród plam niebieskawej czerni widocznych na podłodze znalazły się także rdzawoczerwone.

– Katherine. – Tom złapał ją za ramię. – Katherine, spójrz na mnie! Bolgug w drzwiach został zatłuczony. Rozumiesz, co to znaczy?

Patrzyła na niego bez słowa.

– Twój ojciec przeżył, wydostał się stąd. – Tom zaczął krążyć po sali. – Nie krwawił zbyt mocno. Wyszedł już po tym, jak został ranny – pewnie po drodze zabił bolguga.

– Ale... dlaczego nie wrócił do domu? – Katherine przysiadła na piętach. – Przecież był ranny.

– Bo jeszcze nie skończył – odparł Edmund. – Po cokolwiek tu przybył, nadal zamierzał to zrobić. Katherine dźwignęła się na ławę, wciąż cała się trzęsła. Edmund zerknął na Toma.

– Zostajemy tutaj.

– Do świtu. Musimy trzymać wartę. – Tom wsunął pochodnię w uchwyt na ścianie. – Pójdę naprawić drzwi. – Złapał za stopy cielsko martwego bolguga i wywlókł je na zewnątrz.

* * *

Ogień rzucał plamy światła na stromą, ukośną powałę – słabe i przygaszone odbicia mizernego żaru, który przygasał, przegrywając nierówną walkę z wiejącym od drzwi przeciągiem.

Edmund przekręcił się na bok, raz, potem drugi.

– Nie możesz spać? – Tom siedział na swoim posłaniu odwrócony od ognia. Długimi ramionami obejmował kolana, jego nagie plecy przecinały blizny po chłoście – niektóre stare, zaleczone i białe, inne świeże, czerwone.

– Chyba nie.

Edmund oparł się na łokciu. W szparę pomiędzy jego piersią i siennikiem wnikał chłód. Rozłożyli się możliwie najbliżej paleniska; Katherine, zwinięta w kłębek po drugiej stronie Toma, spała smacznie na poduszce z własnych włosów. Ostatnia ułożyła swój pled, niwecząc nadzieje Edmunda, że poczuje ciepło jej oddechu. Zamiast tego musiał się zadowolić oddechem Łacha – pies wcisnął się między niego i Toma i najwyraźniej śniło mu się coś związanego z pogonią, bo skrobał i drapał łapami posłanie. Na podłodze tawerny leżały zakurzona stara czapka, kawałek kości, odwrócony kubek. Każdy przedmiot rzucał za siebie długi cień.

– To dziwne tak spać w obcym miejscu. – Tom ostrożnie sięgnął do najbliższego stołu, pomacał w swoim worku i wyciągnął skórkę chleba. – Nie przywykłem do tego.

Edmund usiadł. Wetknął w żar niedopalony kawałek kłody. Drewno nie zajęło się ogniem.

– I nikt tu nie wrócił? – Tom przemawiał zniżonym głosem. – Przez te wszystkie lata?

– Z tego, co mi wiadomo, nikt od czasu przybycia Otchłannego. Widzisz tamte krzesła? – Edmund trącił ręką najbliższe. – Założę się, że właśnie na nich siedzieli Tristan i Vithric w noc, gdy się spotkali. Ludzie, którzy wraz z nimi dotarli do Elverainu, już tu nie wrócili: pewnie nie czuli się dość bezpiecznie. Wygląda na to, że niektórzy odeszli w trakcie kolacji.

Tom zebrał naręcze nadpalonych drew, które wypadły z kominka. Kolejno wsuwał je w płomienie.

– Chciałbym mieć takiego brata jak ty.

Edmund popatrzył na przyjaciela. Nie wiedział, co odpowiedzieć, więc zamiast tego pogrzebał w swoich jukach i wyciągnął jabłko.

– To z sadu Twintreech. Zawsze mają najlepsze.

– Jeśli ojciec Katherine ruszył dalej, to bez konia, pieszo. – Tom wziął jabłko i wgryzł się w nie. – Jeżeli podążymy tą samą drogą, może go dogonimy.

– Taką mam nadzieję. – Edmund odkrył, że bezwiednie powtarza pod nosem te słowa. Pogłaskał Łacha po brzuchu.

– Lubi to – mruknął Tom.

– Naprawdę? – Edmund podrapał nieco mocniej. Łach otworzył oczy i wysunął język.

Tom skończył jabłko, razem z ogryzkiem; nasiona wrzucił do ognia.

– Kiedy miałem pięć lat, mój pan wydzierżawił wschodnie pole Johna Marshala, za cenę jednego dnia mojej pracy co miesiąc. Odliczałem tygodnie do dnia, kiedy mnie tam pośle – nie mogłem się doczekać, marzyłem o tym. Zbierałem plewy, a John mi dziękował. Rąbałem drwa i Katherine przynosiła mi kubek wody. Nikt mnie nie wyzywał. Nikt nie bił. Przed powrotem do domu częstowali mnie kolacją. Nigdy wcześniej i później nie jadłem przy stole.

Ogień przygasł, twarz Toma pogrążyła się w czerwonawym cieniu.

– Nie mogę znieść myśli, że on nie żyje.

Katherine poruszyła się we śnie. Edmund zmusił się, by odwrócić wzrok, nim Tom zauważy, że się na niego gapi.

– Zapomniałem ci powiedzieć po drodze. Możliwe, że Otchłanny wciąż żyje.

– Domyśliłem się.

Edmund czuł, jak w ciemności budzą się jego lęki.

– Nie wiemy, dokąd zmierzamy.

– Wierzę w ciebie – oznajmił Tom. – Jesteś najmądrzejszym człowiekiem, jakiego znam.

Słowa te niemal dodały Edmundowi otuchy.

– Powinieneś się przespać. Teraz ja popilnuję.

Tom ułożył się wygodnie.

– Spróbuję.

Rozdział 22

Ostatnie gwiazdy migotały wysoko na zachodnim niebie nad Pasem, z każdą chwilą ustępując miejsca rozlewającym się łunom poranka. Stojący przed gospodą Edmund odwrócił się i zamarł. Przed nim rozciągał się cały świat, skąpany w zimnym blasku wschodzącego słońca. Na północy leżała bezkresna, ponadczasowa zielona puszcza Dorwood; zachodni gościniec wił się pośród wzgórz i przecinał łataninę pastwisk i pól. Za nimi słońce wschodziło w czerwieni nad wrzosowiskami, zalewając świat nowym światłem. Widok zaparł mu dech, ale potem mroźny wiatr wbił mu się pod kołnierz. Edmund pospieszenie okrążył gospodę i pchnął ramieniem drzwi stajni.

– Śniadanie. – Uniósł drewnianą miskę.

Katherine wyłoniła się z najdalszego boksu. W dłoni trzymała zgrzebło.

– Ugotowałeś je?

– Miałem pod ręką suche drwa i palenisko, więc czemu nie? – Edmund ruszył ku niej, lawirując pomiędzy połamanymi narzędziami, kawałkami drewna i stertami siana rozrzuconymi na twardym klepisku. Zastał Różyczkę osiodłaną i wyszczotkowaną, jego juki wisiały pod łękiem.

– O, ciepła! – Katherine objęła dłońmi miskę.

Ostre podmuchy wiatru bez trudu odnajdowały drogę do środka pomieszczenia, wpadając przez liczne szczeliny w ścianach, pojękując w upiornej harmonii i szarpiąc płomieniem lampy, który tańczył szaleńczo. Edmund zaczął szukać w boksie uzdy Różyczki.

– Brr, straszny tu przeciąg.

– Na dworze jest jeszcze gorzej. Na twoim miejscu cieszyłabym się schronieniem. – Katherine zaczęła zajadać owsiankę. – Pyszna! Jak ją zrobiłeś?

– Fakt, że zabrałaś ze sobą cały zapas ziół mojej matki zdecydowanie pomógł. – Edmund wbił palec pod uprząż Różyczki, ale ta wcale nie chciała się ruszać.

– Och, naprawdę? – odparła Katherine z pełnymi ustami. – Było ciemno.

W sąsiednim boksie rozległ się kopniak.

– Mój pan domaga się marchewki. – Katherine sięgnęła do torby. – Masz, daj też Różyczce.

Edmund przełamał marchewkę na pół i uniósł kawałki na dłoni. Różyczka zastrzygła uszami. Chłopak cofnął się, a wtedy klacz wyszła za nim z boksu, patrząc to na marchewkę, to na drzwi.

- Kiedy przyszedłeś, właśnie się zastanawiałam...
- Katherine zabrzęczała uzdą w swoim boksie. – Tristan musiał zostawić tu Janowca wiele lat temu.

Edmund rozejrzał się dokoła. Nigdy nie wyobrażał sobie żywej historii jako wspaniałego miejsca, ale też nie oczekiwał podobnej ruiny. Poczuł w dłoni miękkie chrapy – Różyczka dostała marchewkę prawie za darmo.

- Papa zawsze powtarzał, że w następnych dniach Janowiec na równi ze swoim panem przyczynił się do ocalenia mieszkańców wioski – dodała Katherine.

- Mówił, że stratował dziesiątki bolgugów, że atakował ohydne stwory, gdy większość mężczyzn stchórzyła – drugi najwspanialszy koń świata.

- Drugi?

Katherine wyszła z boksu.

- Drugi. – Indygo maszerował za nią, przeżuwając marchewkę.

Edmund trzymał swoją w dłoniach tuż poza zasięgiem Różyczki, wabiąc klacz na zewnątrz. Drzwi stajni otwierały się na zachód, widać z nich było wyniosłe szczyty, śnieżne czapy różowiały w promieniach wschodzącego słońca.

- Jak to daleko?

Katherine zastanowiła się chwilę.

- Trudno powiedzieć, nie przywykłam do podobnego terenu. Może czterdzieści mil.

- Ugh. – Edmund pomasował nogi. – Po wczorajszej jeździe wciąż wszystko mnie boli.

Znaleźli Toma na połamanym wozie. Spoglądał na wschód, na pokonane przez nich długie wzniesienie, w stronę domu. Trzymał Owoca za lejce, pozwalając mu skubać skąpą trawę przy drodze.

Edmund uniósł dłoń i Różyczka rzuciła się na marchewkę.

– Żegnasz się?

– Sprawdzam, czy nikt nas nie ściga. – Tom odwrócił się i spuścił nogi z wozu. Wyglądał jak bocian, ale bez problemu dosiadł konia.

– Zjadłeś choć trochę owsianki? – Katherine zaczerpnęła kolejną łyżkę z miski.

– Była bardzo dobra. – Tom obrócił Owoca naprzeciw wznoszącej się drogi. – Smakował mi tymianek i pietruszka.

– Edmund ma dar swojej matki.

Katherine obejrzała się za siebie, potem odłożyła pustą miskę na wóz. Łach potraktował to jako sygnał i rzucił się wylizywać resztki.

– Będziemy musieli wypatrywać miejsca, w którym droga może się rozdzielać. – Edmund wsunął stopę w strzemię i przygotował się do skoku na siodło. – Albo rzeki, każda z nich może... Różyczko, Różyczko, stój!

Różyczka obejrzała się i położyła uszy. Edmund podskoczył na jednej nodze, podążając za nią.

– Przestań! – Położył dłoń na jej zadzie, próbując zatrzymać klacz. – Zawsze to robi.

– Możesz wejść na wóz, Edmundzie. – Katherine założyła Indygo uzdę. – Tom tak zrobił.

– Nie, nie. Wiem jak. – Edmund napiął nogę. Tym razem mu się uda, w blasku słońca, na oczach Katherine. Skupił się i skoczył w siodło.

Różyczka jednak przesunęła się w połowie skoku i Edmund ciężko wylądował na ziemi.

– Ty durna stara chabeto.

Różyczka spuściła łeb i odeszła na bok tanecznym krokiem.

Katherine podała mu rękę.

– Nie martw się. Trzeba czasu, żeby się tego nauczyć.

Nie poczułby się gorzej, nawet gdyby wyśmiała go i kopnęła. Jej dotyk nic nie znaczył, póki uważała go za mizeraka, który nadaje się tylko do gotowania owsianki, słabeusza podobnego do matki.

– Nie wiem, co robię nie tak. – Skrzyżował ręce na piersi. – Po prostu mnie nienawidzi.

– Poruszaj się przy niej wolniej. – Katherine chwyciła wodze i zarzuciła na łeb Różyczki. – Kiedy podchodzisz, mów ciszej i zawsze kładź dłoń na jej boku, jeśli przechodzisz na tył.

– Ty tak nie robisz z Indygiem.

– Różyczka to nie Indygo.

– Boi się ciebie – oznajmił Tom, prowadząc obok Owoca. – Miała ciężkie życie. Kiedy się złościsz, myśli, że zaraz ją uderzysz.

Edmund miał powyżej uszu Toma i jego chłopskich mądrości.

– A skąd to wiesz? Kupiliśmy ją rok temu.

– Widać to po tym, jak chodzi – odparł Tom – po jej pysku. Wzdryga się, kiedy ludzie podnoszą głos. Nie wiem, do kogo należała, zanim kupił ją twój ojciec, ale poprzedni właściciel traktował ją bardzo źle.

Edmund obejrzał się na Różyczkę.

– Och. No cóż, nie chciałem jej zranić.

Różyczka przyglądała mu się w napięciu, podejrzliwie, w końcu pozwoliła, by pogładził ją po szorstkim kłębie. Po jakimś czasie wepchnęła mu pysk w dłoń. Nie pamiętał, by kiedykolwiek wcześniej tak się zachowała.

– Jeszcze zrobimy z ciebie jeźdźca, Edmundzie. – Katherine uklękła, splatając dłonie. – Wskakuj.

Edmund nie wiedział, jak odmówić. Postawił stopę na dłoniach Katherine i pozwolił, by wsadziła go na grzbiet klaczy.

W wykonaniu Katherine skok na siodło Indygo wyglądał tak łatwo, że nawet dziecko mogłoby to zrobić – choć Indygo był trzy piędzi wyższy od Różyczki. Ruszyła powoli naprzód, przez miejsce, które stanowiło niegdyś centralny punkt wioski. Różyczka zdecydowała się podążać tuż za Indygo, Tom pozwolił Owocowi dreptać z tyłu. W milczeniu minęli wypaloną skorupę domu spotkań, potem skierowali się ku przełęczy.

– Rozumiem już, dlaczego uznali to miejsce za granicę. – Katherine obejrzała się przez ramię. – Spójrzcie tylko!

Jej głos powrócił zwielokrotniony echem. W chwili gdy pokonywali szczyt wzniesienia, Edmund obejrzał się i po raz ostatni dostrzegł dom. Pomyślał o ojcu, wypowiedział milczące życzenie – a potem Różyczka postawiła kolejny krok i wszystko zniknęło.

Dolina, w której się znaleźli, opadała przed nimi przez sto jardów, potem wznosiła się, skręcając na południowy zachód – długa blizna w boku Pasa, o murach ze świerków i jodeł idealnie wpasowanych w zbocza, które rozchodziły się i zbiegały i znów rozchodziły, opadając w dół ku drodze. Las zamienił się w zagajniki, przechodzące stopniowo w rozrzucone kępy drzew, a następnie samotne potężne drzewa i w końcu wyjechali na otwarte hale, na których zieleń stopniowo przechodziła w szarość, a potem w biel. Edmund wciągnął w płuca powietrze ostre od mrozu i żywicznej woni, pozbawione wszystkiego prócz zapachów skał i suchej ziemi.

– Gdyby nie gościniec, sądziłabym, że jesteśmy jedynymi ludźmi, jacy kiedykolwiek tu przybyli – mruknęła Katherine. – Jedynymi na całym świecie.

Słońce wschodziło za ich plecami, krzesząc nagłe ognie na odległych śniegach szczytów. Na grzbietach koni wystąpił pot. Wzdłuż drogi tłoczyły się sosny i świerki, zwieszające gałęzie, tak że jeźdźcy musieli od czasu do czasu schylać się, by ich twarze nie zamieniły się w poduszeczki na szpilki.

Korzenie drzew wyraźnie postanowiły podjąć pracę dawnych budowniczych, przesuwając grunt i odsłaniając ostre krawędzie ciasno ułożonych kamieni, ukrytych pod trawą i ziemią. W górze przed sobą ujrzeli szczyt przełęczy, nagie, skaliste siodło pomiędzy dwoma białymi szczytami.

Tom odetchnął głęboko przez nos.

– Mógłbym tu mieszkać.

W miarę wspinaczki czuwające po obu stronach drogi świerki, osłaniające ich przed mrozem i wysokością, zaczęły rzednąć i znikać. Gościniec biegł samotnie pośród rozszeptanych, suchych traw. Słońce minęło zenit i rozpoczęło powolną wędrówkę w dół.

– Powinniśmy już go zobaczyć. – Edmund zaczekał, aż Katherine wyprzedziła ich o kilka długości i szepnął do Toma, ale wiatr wybrał akurat tę chwilę, by ucichnąć.

Katherine spojrzała na nich przeciągle przez ramię i przyspieszyła, rozglądając się gorączkowo na każdym wzniesieniu, a potem opadając w siodle, za każdym razem niżej.

Zjedli, nie zsiadając z koni, nie chcąc odpoczywać, póki mogły nieść ich dalej. Nawet Indygo zaczynał się męczyć – oddychał głośno, chrapliwie, kołysząc łbem przy każdym kroku. Edmund nie potrafił znaleźć pozycji, w której nie czułby irytujących otarć od siodła. Po jakimś czasie myślał tylko o bólu i o mrozie.

– Co to? – spytał Tom.

– To moje nogi. – Edmund ostrożnie pomasował dłonią wewnętrzną stronę ud. – I wszystko. Wszystko mnie boli.

Nie chciał wspominać o tym więcej, gdy Katherine była w pobliżu, ale zastanawiał się, dlaczego właściwie jazda konna nie stanowiła wyłącznej domeny kobiet.

– Nie o to mi chodzi. – Tom pokazał ręką przed siebie. – Co to? O, tamto?

Edmund uniósł wzrok. Katherine zatrzymała się kilka długości dalej, a kawałek za nią – wydawało się blisko, ale najpewniej dzieliła ich od tego jeszcze mila –

wznosiło się coś zrobionego z kamienia, coś wyższego niż dom.

– Zsiadajcie. – Katherine zeskoczyła na ziemię. – Tu, na górze, konie nam nie pomogą. Edmund zsunął się z siodła, chwycił łuk i powiesił na ramieniu kołczan. Nie do końca odzyskał oddech, choć może sprawiało to górskie powietrze. Tom chwycił wodze wszystkich koni. Mieli wrażenie, że nim dotarli do kamiennej budowli, minął rok, bo istotnie stała dość daleko i była znacznie wyższa od domów; wysokością dorównywała zamkowej wieży.

Droga zbliżała się do niej długim zakrętem, prowadząc w sam jej środek – i przez nią. Widniało tam łukowate przejście.

Katherine przypięła tarczę do ręki.

– Edmundzie, nałóż strzałę.

Kamienny łuk stał samotnie na zboczu. W pobliżu nie było niczego, a on stanowił bramę wiodącą w pustkę. Edmund, przechodząc, odruchowo pochylił głowę, choć błękitnoszare zwieńczenie wznosiło się trzy razy wyżej, niż sam sięgał. Popatrzył w górę – okazało się, że to nie jeden, ale cztery łuki, budynek wspierany przez wielkie, narożne kolumny podtrzymujące wysklepiony dach. Na sklepieniu zachowały się rzeźby osłonięte przed najgorszymi atakami żywiołów. Rząd mężczyzn ustawionych w szereg – jeden miał na głowie jelenie rogi, drugi być może skórę niedźwiedzia. Stali przed posągiem, który trzymał w dłoniach dysk i sztylet, dysk przed sobą, sztylet w górze. Czubek klingi przebijał chmurę.

Wokół i poniżej tańczyły inne sylwetki. Nie należały do ludzi.

– Nie podoba mi się. – Tom odmówił wejścia pod łuk, podobnie Łach i konie. – Nie podobają mi się te rzeźby ani ludzie, którzy je stworzyli.

Katherine minęła Edmunda.

– O nie! – Wyjrzała przez każdy kolejny łuk. – Którędy mamy pójść?

Edmund okręcił się dookoła. Północ, zachód, południe – trzy możliwe odpowiedzi. Każda droga prowadziła w głuszę, zachodnia przez śnieżną przełęcz, dwie pozostałe kamienistymi, górskimi łąkami. Poza łukiem nie widział niczego, co mogłoby się przydać. W żadnej z historii o wielkich bohaterach, jakie kiedykolwiek czytał, bohater nie przegrywa tylko dlatego, że nie może znaleźć przeciwnika. To nie do zniesienia.

– Co uczyniłby Vithric?

Edmund wyciszył swój umysł. Z tego, co czytał, wynikało, że Vithric nie należał do osób, które pozwalałyby uczuciom wpływać na rozum. Vithric nie wymachiwałby wściekle pięścią; zacząłby porządkować to, co wie, analizując kolejne fakty, póki nie znalazłby rozwiązania.

– Jeśli chcemy to ustalić, musimy odgadnąć, co myśleli sobie tamci ludzie, kiedy budowali to miejsce. – Edmund powrócił na środek łuku i przyjrzał się rzeźbom nad głową. – Musimy spróbować myśleć jak oni.

Katherine dreptała obok niego.

– Czyli musimy myśleć jak banda strasznych, starych martwych ludzi, którzy służyli okropnemu potworowi?

– Owszem. – Edmund położył się na wznak. – Kiedyś to były rozstaje, ludzie przejeżdżali tędy codziennie. Zbudowali je dla siebie, nie dla nas.

– Przerażająca myśl – Katherine usiadła, opierając się plecami o jeden z filarów. – Pomyśl, co musieli czuć, żyjąc całe życie pod władzą Otchłannego? Myślisz, że wszyscy tego pragnęli, że sami byli źli?

– Nie przypuszczam – odparł Edmund. – Nawet kiedy całe królestwo się psuje, niektórzy ludzie usiłują wciąż pozostać dobrzy – a wielu innych po prostu przywyka do nowych warunków i stara się przeżyć życie, nie mieszając się w kłopoty.

Katherine chwyciła zbłąkany kosmyk włosów i wplotła go z powrotem w warkocz.

– Mam nadzieję, że ja bym się nie poddała.

– Nie przypuszczam. – Edmund uśmiechnął się. – Katherine banitka.

– Raczej Katherine powieszona za nogi. – Uniosła wzrok. – Musimy dokonać właściwego wyboru albo być może nigdy na czas nie znajdziemy papy i dzieci.

Edmund, mrużąc oczy, przyjrzał się rzeźbom na sklepieniu. Próbował wydobyć znaczenie symboli oplatających kamienne bloki, było ich jednak zbyt wiele – więcej niż kiedykolwiek widział, nawet w książce. Tak naprawdę umiał odczytać spośród nich może dziesięć.

– Te cztery, po jednym z każdej strony, są znacznie większe od pozostałych. – Katherine pokazała mieczem. – Jeśli to są rozstaje, może informują, dokąd iść.

Edmund przyjrzał się im.

– Możliwe.

– Zatem północ. Co to?

– Mogę tylko powiedzieć, co według mnie znaczy – wyjaśnił Edmund. – Nie potrafię stwierdzić, jak ma brzmieć.

– Brzmienie nie ma znaczenia. Znaczenie owszem.

– Brązowy-Postrach-Pszczół.

Katherine spojrzała na niego.

– Brązowy Postrach Pszczół?

– Niedźwiedź – zabrzmiał z zewnątrz głos Toma.

– Słusznie, słusznie! – Edmund klasnął w dłonie. – Tom, to było bardzo mądre!

– Dziękuję. – Tom rzucił patyk Łachowi.

– Czyli tak to robili. – Katherine skrzyżowała ręce. – Używali symboli, które nie mówiły dokładnie, co znaczą.

– Może tam rozciągała się głusza – podsunął Edmund.

Katherine zerknęła na północ.

– Teraz z całą pewnością. Jaki jest symbol wschodu, z którego przybyliśmy?

Edmund odwrócił się.

– Wioska-Niewolnicy-Pszenica.

– Zatem tam, gdzie mieszkamy, leżały najlepsze pola. Zachód?

– Nie wiem, czy właściwie to odczytałem: Środek-Wywyższony-Tysiąc Ludzi.

– Brzmi obiecująco. – Katherine wyciągnęła szyję.

– I wskazuje przełęcz. A południe?

Edmund spojrzał.

– Źródło-Dobroci.

– Źródło Dobroci? – Katherine przyjrzała się. – To nie może być to. Głosuję za zachodem. Wygląda na to, że znów czeka nas wspinaczka.

– Chwileczkę. – Edmund przyjrzał się Źródłu Dobroci. Dokładnie obejrzał rysunek procesji przed obliczem wielkiego mężczyzny.

– Pamiętam z książki, że czarodziej pisał o dwóch ośrodkach, dwóch miejscach. Jednym było ich wielkie miasto, drugim specjalne miejsce, zarezerwowane dla najwyższych dostojników, Zbieraczy.

– Ale czy Otchłanny nie mieszkał w samym centrum, skoro wznieśli królestwo wokół niego?

Edmund pokazał ręką.

– Popatrz na ten rysunek. Widzisz wielkiego człowieka? To Ten, Który Przemawia ze Szczytu Góry. A teraz widzisz, jak spogląda w górę? Otchłanny ta to para rąk. – Nagle poczuł absolutną pewność. – Wielki władca królestwa przyjmuje daninę małych ludzi, ale władzę otrzymuje z nadania czegoś innego.

Katherine zadarła głowę.

– Skoro Otchłanny stanowił źródło całej władzy, dlaczego go nie pokazali?

– Wątpię, by większość tych ludzi wiedziała, jak wyglądał Otchłanny. Istniały kasty władające całą resztą, to oni znali ukrytą prawdę. Ten Który Przemawia ze Szczytu Góry jest królem, ale też sługą, wysłannikiem Otchłannego. Tajemnica Otchłannego stanowi część jego potęgi, znaną tylko nielicznym.

– Łowcy, rolnicy, wojownicy, matki i rzemieślnicy. – Katherine podążała wzrokiem wzdłuż procesji. – Wszyscy przynoszą dary temu człowiekowi, który zapewne w istocie nie jest olbrzymem, tylko tak go narysowano, bo był ważny. Założę się, że za życia nie imponował wzrostem. – Jeśli jesteś kimś ważnym, to swoje miejsce w życiu zawdzięczasz Otchłannemu. – Edmund wyszedł od południowej strony i chwycił wodze Różyczki. – Jeśli jesteś jednym z maluczkich, Otchłanny pozostaje ukrytą mocą, niewidoczną potęgą ukrytą za tronem. Może być wszystkim, wszędzie, może słuchać, kiedy przeklinasz pod nosem. Nie śmiesz ujawnić prawdy.

Katherine zawahała się, zerkając na zachodni łuk.

– Edmundzie, jesteś pewien?

– Jestem pewien. – Chłopak wsunął stopę w strzemię.

Różyczka nie sprawiała najmniejszych kłopotów.

Rozdział 23

Droga przed nimi zdawała się złudzeniem; nawet najlżejsza koleina nie zagłębiała się w ziemi, nie widzieli ani śladu udeptanego gruntu. Zupełnie jakby podążali szczęśliwą serią zakrętów po pofalowanym terenie – lecz przy każdym z nich, w każdym miejscu, gdzie nie wiedzieli, którą naturalną trasą podążyć, stał kolejny kamień wyglądający jak Kamień Życzeń w domu, wygładzony niekończącymi się wiatrami i niezliczonymi ulewami. Katherine jechała czujnie, plecy miała spięte, w jednej dłoni trzymała wodze, drugą unosiła w gotowości tarczę.

Edmund zerknął przez ramię. Ruszyli ze skrzyżowania w blasku zachodzącego słońca, zmierzając z wyżyn przełęczy w głąb długiej, opadającej nisko doliny. Z zachodu wiał wiatr, gnając po niebie poszarpane chmury i świszcząc między szczytami, atakował mu policzek.

– Spójrzcie. – Tom wychylił się z siodła. Między drzewami daleko w dole Edmund dostrzegł wodę, pasmo rozmigotanego srebra wśród zieleni, po chwili znów stracił ją z oczu.

– Trochę mała na rzekę, nie sądzisz?

– Jeśli pojedziemy za nią, zamieni się w rzekę – odparł Tom.

– Ale czy to właściwa rzeka? – Katherine nie znała odpowiedzi na własne pytanie. Podobnie żaden z nich. Minęli kolejny łuk – Edmund przeszedł pod nim, przyjaciele dookoła. Mężczyźni w zalęknionej procesji przechodzili przed tronem, para rąk zdawała się unosić w powietrzu – długie, chude dłonie, dzierżące dysk i sztylet.

Wielki mężczyzna stał po drugiej stronie tronu odziany w bogate szaty. Trzymał symbol – literę, przekrzywioną pętlę z bocznymi kreskami. Edmund przyjrzał się jej, mrużąc oczy – Śmierć-Sztuka-Dawać-Tysiąc Pór Roku – i znaczenie to dręczyło go, niemal zamieniając się w myśl.

– Czy to bolgugi? – Katherine skierowała Indygo tuż obok łuku. – Tam, przed tronem.

– Owszem, i inne stwory. To chyba kamieniupiór.

– Edmund jeszcze chwilę przyglądał się całej scenie. – I stoją przed tronem, odwrócone od niego ku małym ludziom. Nie przynoszą też darów.

– To strażnicy – odparła Katherine. – Jego armia.

– Ludzie służą Otchłannemu, a stwory Otchłannego służą ludziom. – Edmund ściągnął wodze Różyczki; nienawidziła łuków tak samo jak Tom. – To daje im władzę nad innymi ludźmi, wieloma innymi, i pozwala niszczyć każdego, kto się sprzeciwi. Spójrzcie na te trupy z boku.

– A ci tam: obcinają im dłonie, a tamtym... Brr. – Katherine odwróciła głowę.

– Część z tego mogę przeczytać. – Edmund podążył wzrokiem za symbolami wyrzeźbionymi najdalej w środku, osłoniętymi przed wiatrem. Zaczął czytać na głos, przeskakując fragmenty, których nie rozumiał: „Ich ludzi wziąłem do niewoli... Części obciąłem stopy i dłonie, innym nosy i wargi, jeszcze innych oślepiłem. Zrobiłem trofea z głów ich wodzów na cześć Źródła Dobroci... Ich kobiety wziąłem sobie za żony... Miasto zrównałem z ziemią, ich pola zasypałem solą w służbie Źródła Dobroci..." – Edmund umilkł, po plecach przebiegł mu dreszcz. – Wyryli to w kamieniu. – Wymienił z Katherine pełne grozy spojrzenia. – Byli z tego dumni.

– Niedługo powinniśmy poszukać schronienia. – Tom pozwolił Owocowi wysunąć się na czoło. – Czeka nas dziś bardzo zimna noc.

– Na razie nie jest jeszcze tak źle. – Edmund przystanął tuż pod dachem. – Te obrazki mogą nam pomóc ustalić, czy jedziemy w dobrym kierunku.

Katherine skierowała Indygo na otwartą przestrzeń.

– Posłucham Toma. W końcu on przez pół roku sypia na dworze.

Za łukiem dolina się kończyła, zamykały ją skalne ostrogi, ale droga nie biegła tamtędy. Wiodła w dół, na nizinę, z dala od nagiej góry, na ziemie pełne drzew, przez korzenie splecione z korzeniami i jeszcze dalej, jarem, aż do wylotu tunelu.

Rzeka – zebrała bowiem po drodze dość strug i strumieni, by zasłużyć na to miano – wpływała do środka spienionym nurtem. Droga biegła obok, twarda, kamienna ścieżka, z jednej strony granicząca z wodą, z drugiej ze ścianą.

– Spójrzcie tylko! Ktoś musiał to kiedyś zbudować. Edmund zajrzał do tunelu, a potem rozejrzał się dokoła. Kamienie otaczające wylot pokrywały symbole – Stosowni, Zbieracze, Poczciwi Ludzie i Najwyżsi z Domostwa. Poruszył lekko kolanami, wiedząc, że Różyczka nie pójdzie przed Indygo. Słabe światło wieczoru oświetlało rzeźby na ścianie tunelu, przedstawiające kolejny szereg ludzi dźwigających dary. Zdobiły ich pióra, głowy wilków, maski śmierci. Unosili ręce w pokornym pozdrowieniu.

– Na tych zostało trochę kolorów. – Edmund wyciągnął rękę i cofnął szybko od grubej warstwy błota i śluzu.

– Edmundzie, uważaj! – Rzeka zakłóciła echo słów Katherine. – Bądź ostrożny.

Nagle Różyczka zmiażdżyła coś kopytem, przestraszona parsknęła i odskoczyła na bok, omal nie wysadzając Edmunda z siodła.

– Spokojnie, malutka. – Objął ramionami jej szyję. – Spokojnie! – Potem zerknął na dół. – To kości. Mnóstwo kości.

Katherine skrzesała iskrę i przyłożyła hubkę do pochodni. Uniosła ją i sapnęła głośno. Indygo roztrzaskał kopytem jakąś czaszkę. Twarze na murach zdawały się patrzeć na nich szyderczo.

– Proszę, malutka. – Edmund wyczuwał panicznie wygięty grzbiet Różyczki. – Spokojnie. – Przerzucił nogę przez siodło i zeskoczył na ziemię, kości zachrzęściły pod jego stopami.

– Czy to jest grób? – Podniósł jedną z kości, rozkruszyła mu się i rozpadła w dłoni. – Pamiętasz, co pisali w księdze o grobach dzieci, ofiarach ułożonych w rzędach?

Katherine zsiadła i pomacała dookoła stopą.

– Żadna z tych kości nie należy do dzieci i nie spoczywają w grobach. – Dziewczyna uniosła piszczel. – To kości dorosłych mężczyzn – i innych stworów, pomieszane ze sobą.

– Tunel kończy się przed nami. – Tom stanął na skraju kręgu światła. – Wieje wiatr.

– Kiedyś stoczono tu bitwę. Dawno temu. – Katherine podniosła coś okrągłego – hełm ze szpikulcem na czubku, kawałek odłamał się i z brzękiem spadł na ziemię. – Brąz.

Edmund sięgnął do juków po łuczywo, zapalił je od pochodni Katherine i rozejrzał się dokoła. Światło odnalazło inne kształty pośród kości – grot włóczni, sprzączkę, tarczę kształtem nieprzypominającą żadnego, który znał. Zielona śniedź pokrywała wszystko niczym mech i prawie nic nie wytrzymywało poruszenia ani dotknięcia. Nawet tarcza, masywny rzeźbiony prostokąt niemal wysokości Edmunda, przełamała się wpół, gdy spróbował ją dźwignąć. Czaszka pod nią odturlała się na bok, szczęka z dwoma rzędami ostrych jak szpilki zębów odpadła.

– Wszystko to jest okropnie stare. – Edmund przykucnął. – Ich królestwo upadło, może zostało zniszczone.

– I bardzo dobrze. – Katherine cofnęła się tunelem. – Spójrz na ich układ, tu, gdzie stoimy, wszystko się pomieszało, ale dalej leżą głównie kości ludzi, jeszcze dalej kolejnych bolgugów, musiały stanowić pierwszą linię obrony. Za nimi – nie wiem, co to za kości, i wolę nie wiedzieć. Większość z nich padła, patrząc w stronę, z której przybyliśmy, jakby się wycofywali. To oznacza, że ludzie zwyciężyli, potwory przegrały, a potem... Edmundzie! Spójrz na to!

Edmund uniósł pochodnię i stwierdził, że kości leżą teraz w wysokich stertach, aż w końcu dotarł do miejsca, gdzie wznosiły się wokół pary ogromnych płyt z brązu.

– Drzwi. – Przysunął płomień. Wyrwane z zawiasów drzwi leżały na masie zmiażdżonych kości i zbroi.

– W porządku, Łachu. – Tom zsunął się z siodła w ciemności za ich plecami. – Jestem tu, nie bój się.

Konie zarżały, najpierw Różyczka, potem Owoc.

– To była strażnica. – Katherine rozejrzała się dokoła. – Jeśli ktoś chciał pojechać na południe, to tylko tędy. Cokolwiek znajduje się po lewej stronie, było doskonale strzeżone, przynajmniej od północy.

– Jedziemy wzdłuż rzeki – wtrącił Edmund. – W księdze pisali, że Otchłannego można znaleźć w dolinie, w której łączą się dwie rzeki.

– Myślę, że dobrze nas pokierowałeś. – Nawet w sercu tunelu uśmiech Katherine wystarczył, by dusza Edmunda zaśpiewała. Dziewczyna przeszła przez zasłany kośćmi korytarz i wręczyła swoją pochodnię Tomowi. – Idźmy dalej, raczej tu nie odpocznę.

– Jedną chwilkę. – Edmund obrócił się z powrotem do ściany i uniósł płomień dość blisko, by obejrzeć rzeźby.

Osłonięty tunel sprawił, że zachowało się tu jeszcze więcej kolorów niż przy wejściu, ukazując wyraźne, obrzydliwe szczegóły. Rzeźby przedstawiały sceny wychwalania Tego Który Przemawia Ze Szczytu Góry. Jedną ręką unosił topór, a drugą – odrąbaną ludzką głowę. Za jego plecami czekała znacznie niższa armia, a w powietrzu unosiły się ręce Otchłannego, rozłożone szeroko, jakby błogosławiły wszystkich. Edmund dreptał wzdłuż ściany, czując jednocześnie fascynację i odrazę. Ten Który Przemawia Ze Szczytu Góry przyjmował hołdy, wymierzał surową sprawiedliwość, rozkazywał i był słuchany. Prowadził armie, zarówno ludzi, jak i potworów, i górował nad nimi wszystkimi, władając błyskawicami, zabijając z daleka całe narody. Wyciągał rękę, wskazując spichrze pełne po wręby, czynił znaki i spadał deszcz, inne znaki – i świeciło słońce. Ludzie radowali się i padali z czcią do jego stóp. Nad każdą sceną wznosiły się ręce Otchłannego, osłaniając sojuszników i wskazując wrogów.

– Kim ty byłeś? – Edmund bliżej przysunął pochodnię; ruchome światło sprawiało, że rzeźbione twarze zmieniały się, miał wrażenie, że patrzą na niego szyderczo. Na moment wzdrygnął się, czując irracjonalny strach, że Ten Który Przemawia Ze Szczytu Góry oderwie się zaraz od ściany i ruszy ku niemu. Następna scena zaparła mu dech w piersiach. Gwiazda, a na niej dzieci. Edmund nie był pewien, czy przyjaciele usłyszeli go pośród szumu rzeki, więc tym razem zawołał:

– Gwiazda, jest tutaj! – Odwrócił się i odkrył, że zagłębił się daleko w tunel. Płomień pochodni Katherine przypominał teraz niewielką świecę, między nimi zalegała ciemność.

– Powinniśmy już iść. – Edmund ledwie usłyszał Toma. – To miejsce... nie podoba mi się.

– Założę się o wszystko, że dalej natkniemy się na coś jeszcze gorszego. – Katherine chwyciła wodze koni. – Edmundzie, ruszajmy.

– Chodźcie to zobaczyć! – Edmund uniósł łuczywo. Rzeźba Tego Który Przemawia Ze Szczytu Góry poruszyła się, raz jeszcze wydało się, że spogląda w górę na Otchłannego z dziką, wyczekującą radością.

– Mam wrażenie, jakby ktoś nas obserwował.

Tom przyszedł pierwszy, prowadząc Owoca i trzymając pochodnię Katherine. Za nim biegł Łach, ocierając mu się o nogi, ogon podkulił pod siebie.

– To tylko rzeźby. – Edmund starał się, aby w jego słowach zabrzmiała odwaga, której tak naprawdę nie czuł. – Złudzenie oka, nic więcej.

– Co znalazłeś? – Katherine trzymała w rękach wodze Różyczki i Indygo, tarczę powiesiła na ramieniu.

– To. – Obrócił się z powrotem do ściany, wskazując malowidła. – Spójrzcie.

– Ależ to obrazek z twojej książki! Dzieci na gwieździe.

– Jest identyczny, jakby tamten ktoś przerysował go z tej ściany.

Pochodnia Edmunda sypnęła iskrami i przygasła. Różyczka zarżała, uderzając kopytem o ziemię i odtrącając na bok kość. Łach zaczął ujadać, lecz szczekanie szybko zamieniło się w skomlenie.

Tom wodził wzrokiem między przyjaciółmi.

– Ktoś nas obserwuje. Jestem tego pewien.

– Nie ruszaj światłem. – Edmund przyjrzał się bliżej ścianie. – Widzicie te symbole na jego rękach?

Katherine podążyła za nim wzrokiem.

– Myślałam, że to broń.

– To słowo. – Edmund przesunął po nim palcem. – Śmierć-Sztuka-Dawać-Tysiąc Pór Roku. I spójrzcie, tu, na gwieździe. Widzicie, jak patrzy na Otchłannego, unosząc ręce? Otchłanny daje mu moc zrobienia czegoś z dziećmi.

Odpowiedź pojawiła się nagle i znów zniknęła.

– Z całą pewnością nie wygląda, jakby miał zjeść je na obiad. – Katherine odebrała Tomowi pochodnię. – A to tutaj, co to?

Edmund popatrzył.

– Liczby obok symboli, których nie umiem odczytać – chyba nazwy miejsc.

– Jakie liczby? – Katherine przesunęła światłem z prawa na lewo.

Edmund nie miał wyboru, musiał podążyć za nim wzrokiem – jego własna pochodnia zaledwie pełgała.

– Ta górna to pięćset piętnaście.

– A ta?

– Czterysta dziewięćdziesiąt osiem. – Edmund zamrugał. – Och.

Zaczął czytać w blasku płomienia.

– Następnie czterysta siedemdziesiąt sześć, czterysta pięćdziesiąt trzy, czterysta dwadzieścia osiem... Liczby z książki. Te obok to muszą być nazwy wiosek! Wszystko stanowi część tej samej sceny – myślę, że to lata, w których rzucano zaklęcie. Tak! Widzicie? Jest miejsce na kolejne zapisy.

Łach zaczął ujadać, jego przerażony głos powracał raz po raz, odbity echem ponad korytem rzeki. Konie też się spłoszyły – nawet Indygo parskał i tupał.

– Boją się. – Tom rozejrzał się w prawo i w lewo. – Czują, że coś się zbliża. Ja także.

– Powinniśmy iść – dodała Katherine.

– Zaczekajcie, już prawie mam. – Edmund przesunął palcami po ścianie. – Ten Który Przemawia Ze Szczytu Góry służy Otchłannemu i z jego pomocą buduje królestwo. Co dwadzieścia lat przyprowadza przed jego oblicze siedmioro dzieci i rzuca zaklęcie, które je zabija, zaklęcie nazwane Śmierć-Sztuka-Dawać-Tysiąc-Pór-Roku... – Nagle zrozumiał, jakby ktoś chlusnął na niego lodowatą wodą. – Życie. – Odwrócił się do Katherine. – Wieczne życie.

– Ach. Oczywiście. – Katherine ze zgrozą spojrzała na wyrzeźbione podobizny. – Dwadzieścia lat. Dość długo, by młodzieniec zaczął się starzeć i znów chciał odmłodnieć.

– Największy dar ze wszystkich – dodał Edmund. – Czy istnieje lepsza nagroda dla najwierniejszego sługi Otchłannego?

– Świetnie! Bardzo dobrze! Doskonała robota. Ja sam tylko odrobinę szybciej pojąłem znaczenie tego wszystkiego.

Edmund upuścił pochodnię, głos rozległ się tuż obok. W nagłej mdlącej fali zrozumienia pojął, że słyszał go już wcześniej.

– Nazywasz się Edmund, prawda? – Mężczyzna sprawiał wrażenie starszego, niż wyglądał – mocny, gładko wygolony podbródek i para twardych, okrutnych oczu spijających blask pochodni. – Jakże to miło z twojej strony! Dostarczyłeś mi dokładnie to, czego potrzebowałem.

Rozdział 24

Cóż za szczęśliwy traf. – Nieznajomy miał mocno popsute zęby. – Szykowałem właśnie nową wyprawę, by dopełnić siódemkę, ale oto jesteście.

Katherine dobyła miecza.

– Tom, Edmund, uciekajcie!

– Mają uciec? Przede mną?

Nieznajomy uniósł rękę i świat zaczął się rozdzielać. Górna i dolna połowa pola widzenia Edmunda rozłączyły się, a potem nagle wszystko powróciło do normy. Edmund zachwiał się w miejscu. Nieznajomy kucał przed nim, wymiotując krwią na posadzkę jaskini.

– Ty!

Edmund poczuł, jak budzi się w nim furia. Uniósł pochodnię, by rąbnąć nieznajomego w głowę – lecz coś masywnego odtrąciło go na bok, nim zdążył ją opuścić. Różyczka z rżeniem przebiegła obok, popychając

Edmunda na ścianę i niemal tratując nieznajomego. Z tyłu i z przodu zbliżały się ciężkie kroki – bolgugi uzbrojone w pałki i włócznie, zgrzytające długimi, ostrymi jak szpilki zębami.

Nieznajomy cofnął się chwiejnie.

– Łapcie ich!

Bolgugi zawyły chórem i skoczyły.

– Edmundzie, jeśli znasz jeszcze jakieś zaklęcia, to byłaby dobra pora, by ich użyć!

Katherine dźgnęła i cięła pierwsze stwory, odpierając je i dając Tomowi szansę podniesienia z ziemi kawałka jednej ze starych, strzaskanych tarczy. Indygo zarżał i wierzgnął. Edmund obejrzał się na rzekę, usłyszał punkt zwrotny w jej szumie, w pamięci pojawiły się karty książki, zaklęcie, które czytał tylko raz i nigdy nie zamierzał wypróbować. Utworzyły się słowa, uniósł ręce...

Poczuł potężne uderzenie w ramię, a potem ciężar napierający na plecy – i ból. Runął na kolana.

– Edmundzie! – Głos Katherine wzniósł się w krzyku. – Tom, dopadli Edmunda!

Pomknęła na bok, mijając uniesiony miecz bolguga i wbijając swą klingę prosto w jego paszczę.

– Nie! Trzymajcie ich, nie zabijajcie! – Głos nieznajomego urwał się nagle. – Mają zostać przy życiu!

Edmund sapnął, leżąc na kościach. Nie mógł poruszyć prawą ręką. Odwrócił się – nigdy nie słyszał o czymś podobnym. Wznosiło się czerwienią, setka segmentowatych nóg, bez głowy ani twarzy, wszędzie sterczały ostre kolce. Każdy koniuszek zdawał się rozszczepiać w dziesiątki mniejszych, falujących i chwytających ze środka, który zdawał się odbiciem siebie samego, wiecznie zapadającym się w głąb. Kolejny kolec wystrzelił naprzód – trafił Owoca w zad i koń w panice pogalopował w głąb tunelu.

– Powiedziałem, trzymajcie! – Rozbłysło fioletowomroczne światło, czerwony stwór umknął w ciemność. Nieznajomy w nagłym ataku wymiotów zgiął się wpół, oparty o ścianę. Edmund sięgnął za siebie, spróbował wyrwać kolec i o mało nie zemdlał z bólu. Podniósł się ciężko – nie mógł oddychać zbyt głęboko.

– Brać ich, żywcem.

Bolgugi cofnęły się, unosząc włócznie, i utworzyły krąg zaciskający wokół Edmunda i przyjaciół.

Łach wyszczerzył kły i warknął. Indygo wierzgnął, ciskając bolguga na ścianę. Przez chwilę zdawało się, że mają szansę – a potem Tom zarobił mocny cios w tarczę i runął na ziemię. Pochodnia zgasła – świat wokół Edmunda eksplodował brzękami i warkotami. Coś nadepnęło na niego, kopnęło.

Najgorszy, naprawdę najgorszy ze wszystkich był jęk, jaki wydała z siebie upadająca Katherine.

– NOC TO DZIEŃ. – Para oczu rozbłysła bielą. Nieznajomy ruszył naprzód, resztę jego sylwetki nadal spowijał cień. – Zbierzcie ich i zabijcie tego konia.

Edmund zaczął się cofać, ze wszystkich sił starając się robić to cicho. W uszach słyszał coraz głośniejszy ryk rzeki spienionej w swym korycie tuż za jego plecami. Poczuł, jak coś bulgocze mu w gardle. W korytarzu zabrzmiało ogłuszające rżenie, a potem ochrypłe krzyki bolgugów.

– Gdzie ten ostatni? – Oczy nieznajomego poruszyły się, a potem skupiły na Edmundzie. – Ach.

Edmund nabrał głęboko powietrza, odwrócił się i skoczył do rzeki.

* * *

– Ile masz lat, piętnaście?

Katherine nie odpowiedziała. Czuła zmianę nachylenia gruntu, echa powracały odrobinę słabsze, z góry padało światło, czerwony blask słońca u kresu dnia.

– Może nawet mniej. – Czarownik skręcił ku niej.

– Nigdy nie umiałem właściwie oceniać podobnych rzeczy.

Spróbowała podnieść głowę i utrzymać ją dość długo, by się mu przyjrzeć. Bolgugi związały jej ręce i nogi i przewiesiły przez grzbiet Owoca. Ledwie czuła rękę, w której trzymała wcześniej tarczę – w miejscach, gdzie nie zdrętwiała, pulsowała i piekła. Kiedy spróbowała zgiąć łokieć, coś zgrzytnęło.

Rozluźniła mięśnie.

– Gdzie Edmund?

– Ten mały blondyn? – Czarodziej jechał na kudłatej, nieśmiałej klaczy. – Założę się, że już się utopił. To nieważne, mam swoją siódemkę. – Wyciągnął rękę i odgarnął jej włosy z twarzy. – Jeszcze nie kobieta. Dość młoda do moich celów.

Katherine próbowała cofnąć się przed jego dotykiem, ale bolgug złapał ją za nogę i przytrzymał mocno. Kolejny maszerował obok, ściskając w szponach wodze Owoca i z łatwością dotrzymując mu kroku. Jechali tak pod budzącymi się gwiazdami, wysoko na zboczu czegoś ciemnego i olbrzymiego, czegoś, co sprawiało, że ich głosy powracały, jakby inna, odległa grupka ludzi przypadkiem mówiła dokładnie to samo. Owoc szedł naprzód, zmęczony, ale przerażony, na grzbiecie dźwigał Toma i Katherine i stawiał wysokie kroki konia niepewnego, czy powinien spróbować ucieczki.

– Wypuść mnie albo mój papa sprawi, że pożałujesz – powiedziała Katherine, choć miała świadomość, że jej słowa brzmią śmiesznie.

– Oho, naprawdę musimy o tym gadać? – Czarownik wypuścił jej głowę, pozwalając, by opadła na spocony bok konia. – No dobrze, czeka nas długa jazda. Nie, moja dziewczynko, kimkolwiek jest twój papa, nie pozostanie mu nic prócz żałoby i opłakiwania twojej śmierci.

Katherine usilnie starała się wymyślić coś odważnego. Tom poruszył skrępowanymi dłońmi. Udało mu się chwycić palec dziewczyny

– Jakież to wzruszające – mruknął czarodziej. – Czy ten chłopak był ci przyrzeczony? Może to twój wybranek?

– Jestem jej przyjacielem – odparł Tom – i nie ma po co pytać, ile mam lat, bo sam nie wiem.

– Nie skończyłeś jeszcze rosnąć, tylko to mnie interesuje. Na co patrzysz?

– Na drzewa.

Czarodziej zaśmiał się, chrapliwie zakasłał i splunął na drogę.

– Coś ukrywasz?

– Nie możesz odebrać mi myśli.

– Och, mogę odebrać ci wszystko. Katherine nie chciała tego mówić, sądziła już, że zwyciężyła z samą sobą, ale potem usłyszała własny cichy głos: – Czy to boli?

– Zaklęcie? – Czarodziej skierował swą klacz bliżej. – Wyobrażam sobie, że ćwiartowanie żywcem jest gorsze, ale nie przesadnie. Cały ból starzenia – wszystkie drobne dolegliwości ciała i serca zamknięte w paru chwilach. Twoje ciało pomarszczy się i oklapnie, zanim zdąży zakwitnąć. Włosy stracą blask, zrzedną i posiwieją. Poczujesz, jak się kurczysz i rozpadasz, sześćdziesiąt lat w ciągu paru oddechów. To z pewnością niezbyt przyjemne.

Katherine przytrzymała się mocno palców Toma.

– Dlaczego? Po co to robisz?

– Bo będę żył, a to znaczy, że wy musicie umrzeć. – Czarownik zwymiotował i rąbnął się pięścią w pierś.

– Nie ma niczego innego, żadnej innej sprawy.

– Źle postępujesz. To złe.

Czarodziej jakby namyślał się chwilkę.

– Choć to proste słowa, istniały czasy, kiedy mogłyby mnie powstrzymać, zmusić do myślenia. – Machnął ręką. – To było dawno temu, od tamtej pory wiele się nauczyłem. Wystarczy rzec, że życie ukazuje nam prawdziwe oblicze rzeczy, jeśli przetrwamy dostatecznie długo, by je ujrzeć.

Ogień gasnącego słońca ostatni raz rzucił światło na górę. Ze świata zniknęły barwy.

– Próbowałem zarówno dobra, jak i zła – ciągnął czarodziej – i odkryłem, że to nic więcej, tylko słowa. Nie istnieje nic oprócz życia – życia tu i teraz – i nieważne, jak długo trwa, zawsze pragniemy więcej. Wszelkie inne myśli, wszelkie sentymenty z czasem kurczą się i gasną, pozostawiając tylko pragnienie, by żyć dalej, żyć dłużej, żyć więcej.

Tom uniósł głowę.

– Żałosny z ciebie człowiek. Czeka cię marny koniec.

Czarownik wykrzywił usta w szyderczym grymasie.

– Nie spodziewałem się niczego więcej po prostym analfabecie. Musisz zrozumieć, chłopcze, że dzięki temu, co wkrótce uczynię z tobą i pozostałymi, nie zaznam końca.

– Ależ zaznasz, tak jak ci ludzie wyrzeźbieni na ścianie. Wiesz o tym, zawsze będziesz wiedział i każdą pozostałą ci chwilę przeżyjesz w strachu. – Tom przygwoździł czarodzieja wzrokiem. – Dla kogoś takiego jak ty cały czas tego świata nie wystarczy, nieważne, jak wiele lat wykradniesz. Będą wymykać ci się z rąk niczym pył i kiedy nadejdzie koniec, przyjmiesz go przerażony, bo nie wiesz, czym jest życie.

Czarodziej położył dłoń na szyi Toma. Wypowiedział słowo, które zdawało się brzęczeć ze wszystkich stron. Tom krzyknął, zaczął kopać i szarpać się, o mało nie zrzucił Katherine z grzbietu Owoca. Jeden z bolgugów chwycił go i przytrzymał, drugi mocno szarpnął wodze.

– Uważaj, co mówisz. – Czarodziej puścił. – Potrzebuję cię żywego, niekoniecznie całego. – Spiął klacz ostrogami i pomknął naprzód.

– Och. – Tom zadrżał i jęknął. Leżał bezwładnie. Katherine wcisnęła twarz w bok Owoca. Ogarnęła ją panika. Wiedziała, że po raz ostatni oddycha jesiennym powietrzem, po raz ostatni widzi gwiazdy, czuje zapach koni. Z mieczem w ręku, stając przed wrogami, umiała być dzielna – ale obezwładnili ją, powalili, choć cięła i rąbała. Indygo walczył i wierzgał, póki bolgugi nie odpędziły go ogniem. Odetchnęła z ulgą, kiedy znalazła Toma żywego, skrępowanego obok niej na grzbiecie Owoca – z drugiej strony, może byłoby lepiej, gdyby jeden z bolgugów wbił mu nóż w serce, pozbawiając czarodzieja zdobyczy.

Tom znów odnalazł jej palce i ścisnął mocno.

– Nie poddawaj się – wyszeptał.

Odwróciła się, przyciskając policzek do poruszającej się nogi ogiera. Oczy Toma błyszczały w mroku niezdrowo, krzywo obcięte włosy sterczały z czubka głowy.

Coś w jego głosie, w tym, jak omijał ją wzrokiem, sprawiło, że poczuła większą nadzieję, niż mogły przebudzić jakiekolwiek słowa. Znów pozwoliła swojej głowie opaść i odwróciła ją powoli, udając, że nie patrzy na nic w szczególności. Dostrzegła go tylko przez moment, niewyraźną sylwetkę odcinającą się na grani na tle gwiazd. Może nic to nie znaczyło, nie miało zbyt wiele sensu, ale wystarczyło.

Łach biegł za nimi.

* * *

Edmund nie czuł już zimna. Kawał drewna, który znalazł, utrzymywał go na wodzie. Wcześniej rozglądał się dokoła, próbując odgadnąć i ocenić wiatr, w nadziei, że zdoła przeciąć nurt i dotrzeć do brzegu. Jakiś czas próbował kopać, odpychać się, ale rzeka wciąż niosła go ze sobą.

Zrobiło się ciemno, po pustym niebie przemykały poszarpane chmury, cały świat zapadał się i zapadał... Z nagłym wzdrygnięciem pojął, że zasnął i osunął się pod powierzchnię. Uniósł głowę i zaczął pluć wodą; odrobina dostała mu się do płuc – wykrztusił ją, czując, jak spazmy wstrząsają całym jego ciałem. Pragnął tylko, by śmierci, kiedy nadejdzie, nie towarzyszył ból.

W jego głowie pojawiały się nieproszone myśli, wszystko, czego kiedykolwiek pragnął i czego nigdy już nie dostanie. Nie były to szczęśliwe myśli, ale nie umiał ich powstrzymać. Kochał dziewczynę – szczerze kochał Katherine, a ona jego nie i nigdy nie pokocha. Może zatem śmierć nie jest taka zła, może Katherine zdoła jakoś przetrwać, pewnego dnia znajdzie męża i odrobinę szczęścia. Pragnął tego, życzył jej życia i pożegnał się.

Na brzegu rzeki śpiewał słowik i Edmund uznał, że to najlepsza chwila. Zwolnił uchwyt – kłoda natychmiast uniosła się, wypływając obok na powierzchnię. Chłopak pospiesznie ją złapał. Zanurzyła się pod nim, znów utrzymując jego ciało na powierzchni. Z poczuciem grozy zrozumiał, że w pewnym momencie zabraknie mu sił, by dalej utrzymywać kawałek drewna.

Za każdym razem, gdy zanurzał się w wodę, w jakiś sposób unosił odrobinę głowę, by spojrzeć na ten świat i znów spróbować żyć. Jego ciało kochało życie, kochało i pragnęło żyć dalej. Ale miłość, pomyślał, podobnie jak życie, zawsze źle się kończy. Po prostu chciał, żeby nie bolało.

Wspominał inne radości. Kiedy ujrzał słowa w książce, kiedy naparł na nie wzrokiem i odnalazł w miejscach, w których każda myśl łączyła się z innymi... Zanurzył się. Zaczął pluć i kasłać, ciemna woda ściekała mu z oczu. Odetchnął. I uwielbiał śpiewać. Kochał swoją rodzinę, naprawdę kochał, chciał, by rodzice zrozumieli, kim jest, ale nie udało mu się ich przekonać. Był dumny, że umie pływać – na tę myśl zachciało mu się śmiać.

Miał wrażenie, że gdyby tylko zdołał się odwrócić, ujrzałby tego chłopca gdzieś w górze bądź w dole.

Znów wypuścił kłodę, lecz tym razem niezamierzenie. Wypłynęła na powierzchnię, odbijając mu się od pleców. Rozpaczliwie zamachał rękami i zaczepił palec o sterczący kawałek odłamanej gałęzi, nim kłoda zdążyła odpłynąć. Obrócił ją, leżąc z ręką wykręconą nad barkiem, jedynie twarz wystawiał nad wodę. Jego ciało zaczęło się przesuwać. Przez krótką chwilę patrzył w chmury nad wodą. Zastanawiał się, czy zdoła pokochać milczący ruch, tak by uczucie to starczyło mu aż do końca.

Coś poruszyło się i pojawił się ból – czubek kolca ponownie otarł się o łopatkę. Edmund od dłuższego czasu nie myślał o tej ręce, bo stracił w niej władzę i czucie.

Z czasem ból ustąpił i pojawiło się odrętwienie.

Patrzył w gwiazdy. Widział swoje życie takie, jakim było naprawdę, i siebie samego. Płakał, ale nie za Edmundem Balem.

– Oddałbym wszystko – nie wiedział, czy mówi, czy też tylko myśli – oddałbym wszystko za nią, za nich. Nie wiedział nawet, że znów zwolnił uchwyt, pojął tylko, że nie czuje obu rąk. Wstrzymał oddech świadom, że serce nie przestanie próbować bić nawet wtedy, nawet pod powierzchnią. Ale powietrze się skończy, a potem zjawi się woda.

Będzie bolało i bolało, aż w końcu przestanie.

Rozdział 25

Edmund ocknął się, czując, że coś trzyma jego ręce. Pamiętał, że tonął, umierał – ale przecież nadal żył. Zaczął się szarpać i walczyć, próbując się uwolnić.
– Edmundzie! – Ktoś go dotknął. – Edmundzie, odpocznij, nie ruszaj się.

Otworzył oczy. Pierwszą rzeczą, jaką ujrzał, był ogień.
– Jesteś bezpieczny, ale musisz być cicho.

Dłoń cofnęła się – dłoń spowita szmatą, nasiąkniętą krwią.

John Marshall kucał obok.
– Pamiętasz, co się z tobą działo?

Edmund spojrzał na niego, a potem dalej. Nastała noc, w górze świeciły gwiazdy, pod plecami czuł miękkie posłanie. Leżał na ziemi w gęstej kępie świerków, wiatr świstał w górze, zawodząc pośród wierzchołków drzew – gałęzie kołysały się w kolejnych porywach, lecz tu, w dole, wisiały nieruchomo. Próbował się poruszyć i ramię natychmiast przypomniało mu o swoim istnieniu. Jęknął z bólu, omal się nie krztusząc.

– Całe szczęście, że kiedy cię znalazłem, byłeś nieprzytomny. – Głos Johna Marshalla poruszał się nad i za jego głową. – Znacznie trudniej byłoby wyciągnąć ten kolec, gdybyś to czuł.

Edmund spróbował się przekręcić, aby złagodzić ból ramienia.

– Tonąłem.

Ale też śnił – i odrobina snów powróciła. Śnił o lataniu. Wtulił twarz w trawę, robiąc w niej zagłębienie na policzek. Ognisko było maleńkie – jedynie żar i kilka gałązek – koszula, płaszcz i buty Edmunda dyndały nad płomieniami na zaimprowizowanym wieszaku z patyków. Coś poruszyło się dalej w ciemności, światło zamigotało na metalowych sprzączkach uprzęży – Indygo.

– Nie mamy czasu na długie relacje. – John Marshall przyniósł mu miskę czegoś ciepłego. – Tuż za wylotem tunelu wpadłem w zasadzkę i musiałem się wycofać, poszukać kryjówki. Kiedy zszedłem na dół, by znów spróbować, zobaczyłem bolgugi próbujące w jarze osaczyć Indygo. Daliśmy im do wiwatu – wątpię, by którykolwiek uciekł, aby ostrzec innych. Potem znalazłem tę tu Różyczkę i właśnie zaczynałem się zastanawiać, co to wszystko znaczy, kiedy zobaczyłem cię na brzegu rzeki.

Edmund odwrócił głowę. Różyczka spojrzała na niego krzywo, strzygąc uszami w blasku ognia. Gdzieś podczas swojej ucieczki nastąpiła na dyndające wodze i zerwała je.

– Szukałem w tunelu i znalazłem to. – John Marshall zważył na dłoni miecz Katherine. – Edmundzie... Wiem, że jesteś ranny i nigdy nie naciskałbym na ciebie w takim stanie, ale muszę wiedzieć. Czy Katherine przyjechała z tobą?

– Znaleźliśmy pana konia – odparł Edmund. – Myśleliśmy, że potrzebuje pan pomocy.

John Marshall wyglądał, jakby walczył z ogarniającą go rozpaczą.

– Czy ona... Czy także wpadła do wody?

– Nie, nie, mości Marshallu! – Edmund wyciągnął zdrową rękę spomiędzy koców. – On ich porwał, wciąż żyją, muszą żyć. Potrzebuje ich żywych.

– On? O kim ty mówisz?

– Nieznajomy. Czarodziej. Pan nie wie?

– Zaczynam podejrzewać, że wiem stanowczo zbyt mało. – John Marshall podsunął mu miskę pod nos. – Zjedz trochę i najszybciej, jak potrafisz, opowiedz mi dokładnie, czego się dowiedziałeś.

Od zapachu jedzenia Edmund poczuł mdłości. Odepchnął miskę na bok.

– Za tym wszystkim stoi czarodziej, to on porwał dzieci. Zabiera je do Otchłannego, by rzucić zaklęcie, które ukradnie im życie.

John otworzył juki i zaczął przekładać ich zawartość z Indygo na Różyczkę.

– Gdzie? Gdzie to się stanie?

– W górach, w jego komnacie. – Edmund skrzywił się, odrzucając koc. Mróz zaatakował go gwałtownie. – Musimy się spieszyć. Do zaklęcia potrzeba siedmiorga dzieci, a teraz już je ma.

– Najbezpieczniej będzie, jeśli zostawię cię tu, w kryjówce. – John założył uzdę na pysk Indygo. – Jeśli nie wrócę w ciągu jednego dnia, będziesz musiał spróbować sam znaleźć drogę do domu.

– Nie. – Edmund dźwignął się z ziemi i o mało nie wpadł w ogień. – Jadę z panem.

John pokręcił głową.

– Nie narażę cię na większe niebezpieczeństwo.

– Ten czarodziej porwał mojego brata i przyjaciół. Zranił mojego ojca.

Edmund sięgnął po koszulę i spróbował wsunąć w rękaw najpierw zdrową rękę. Zaplątał się w fałdach, John pomógł mu ją nałożyć.

Edmund z ulgą stwierdził, że kiedy porusza zranioną ręką, ta boli, ale słucha.

– W tych górach wszędzie jest niebezpiecznie. – Chwycił buty. – Jeśli pojedzie pan beze mnie, ruszę za panem.

John pokiwał głową i uśmiechnął się lekko.

– Najwyraźniej cię nie doceniałem. – Zdjął z patyka płaszcz Edmunda i podał mu. – Kryjesz w sobie znacznie więcej, niż sądziłem.

Indygo parsknął, zagryzając wędzidło. Różyczka cofnęła się przed Edmundem, strzygąc uszami na wszystkie strony.

– Chciałbym móc powiedzieć to samo o twojej klaczy. – John zapiął juki. – To urocza staruszka, ale brak jej bojowego ducha. Nic jednak nie poradzimy – musimy tam dotrzeć najszybciej, jak się da.

Edmund pozwolił Różyczce utrzymać dystans.

– Masz w jukach jabłka. Zgadza się, na grzbiecie. Mógłbym ci je dać.

Różyczka odwróciła łeb, przyglądając mu się, machnęła mizernym ogonem. Edmund wyciągnął rękę dłonią do góry.

– Grzeczna dziewczynka. – Pozwolił jej podejść i powęszyć. – Kto chce jabłko? – Sięgnął do torby, znalazł łuk i kołczan, wciąż przypięte obok.

John chwycił dyndające końce wodzów Różyczki i związał je.

– To niesprawiedliwe, dajesz Różyczce jabłko, a Indygo wciąż jest głodny. – Wyjął kolejne i położył je na płaskiej dłoni. Indygo nie dał mu leżeć zbyt długo.

Poprowadzili konie wzdłuż zbocza, John pierwszy, Edmund za nim, co chwila przystając i nasłuchując. Słyszeli jedynie skowyt wiatru wśród drzew – żaden stwór w pobliżu nie wydał z siebie jakichkolwiek dźwięków. Dotarli na otwartą przestrzeń, a potem na drogę.

– Musimy pokonać jeszcze jedną przełęcz. – John pomógł Edmundowi dosiąść klaczy. – Dalej rzeka przepływa przez wąwóz, nie da się jechać wzdłuż niej. Musimy zachować najwyższą ostrożność, zwłaszcza... – urwał, sycząc boleśnie.

Edmund obejrzał się szybko.

– Czy boli pana ręka, mości Marshallu?

John dosiadł Indygo, używając lewej ręki zamiast prawej.

– Wracając do domu, Tristan powtarzał, że każda wielka przygoda sprawia, że zyskujesz coś nowego – ale przy okazji coś tracisz.

* * *

Czarne linie pod gwiazdami. Świat był pustą sceną. Edmund wsunął dłonie w rękawy, trzymając w nich zawiązane wodze.

Obrócił się w siodle. Krainę za nimi spowijały cienie. Jechali na zachód, w górę Pasa, ścieżką, która często niebezpiecznie zbliżała się do rzecznego wąwozu. Mijali dęby i olchy, świerki i jodły, i nadal podążali w górę po twardym gruncie. Rzeka zostawała coraz niżej i niżej, jej huk zamienił się w odległy, nieustający szum.

Różyczka dyszała i parskała, pot ściekał jej po bokach zimnymi strużkami. Z trudem odnajdowała drogę w mroku. Po obu stronach zionęła przepaść. Edmund przyciskał kolana do boków klaczy, próbując poruszać się w rytm jej kroków, nieważne, jak bardzo bolały go otarcia i rana na ramieniu. Nieco dalej z przodu John jechał na Indygo – słabo połyskujący miecz u pasa był najjaśniejszą rzeczą na zboczu góry.

Skręcili wraz z drogą, ostro skrajem wąwozu, a potem pokonali skalne strome siodło. Przez dłuższą chwilę wpatrywał się w kształty po drugiej stronie, nim zrozumiał, co to takiego – przypominające strzaskane zęby kamienne budowle były wspanialsze niż wszystko, co oglądał. Ruiny leżały u podstawy wyższego, odleglejszego wzniesienia. Szlak skręcał, przebiegając pod nimi, a potem znowu wiódł na przełęcz. Różyczka trzymała się jak najdalej od krawędzi, z nerwową ostrożnością stawiając kopyta. Pokonawszy zakręt, Edmund znalazł się w cieniu ruin. Klacz nie chciała się do nich zbliżać, on sam wolałby ominąć je wzrokiem, ale nie mógł się powstrzymać. W porównaniu z tymi ruinami zamki wyglądały jak zabawki – każdy kamień był swoim własnym pomnikiem, kolumny i nadproża leżały rozrzucone w alejach; martwe domy olbrzymów. Promienie księżyca załamały się na chwilę, przeświecając przez szerokie przejście i padając na twarze wyrzeźbione wzdłuż ściany, pełne grozy, pogardy i gorzkiego majestatu. Puste oczy. Usta wiecznie otwarte w krzyku. Edmund odwrócił spojrzenie.

– Co to za miejsce? – Skulił się, słysząc własny głos. Góry pożarły go i wypluły echem niewiele głośniejszym od wiatru.

– Pamiętam, że pytałem o to Vithrica – odpowiedź Johna zabrzmiała gdzieś w górze, w ciemności. – Musiała się tu mieścić wielka twierdza Otchłannego, bo cóż gorszego mogłoby się znajdować w podobnym miejscu? – Zaśmiał się cicho, bez cienia rozbawienia.

Różyczka źle postawiła kopyto na szlaku, pośliznęła się na kamieniu i potknęła. Edmund chwycił mocniej siodło i skulił się. Polecieli w stronę przepaści, żołądek Edmunda podszedł do gardła – spadali – a potem

Różyczka odzyskała równowagę i zaparła się na tylnych nogach. Powoli się wyprostowała. Oboje dygotali, Edmund skulony na jej grzbiecie, i oboje dyszeli – głośno i ciężko.

– Edmundzie, nic ci nie jest?! – Głos Johna wzniósł się w krzyku. – Edmundzie!

Edmund odzyskał mowę.

– O mało nie spadliśmy.

– W takim razie zejdź z siodła. Musimy poprowadzić konie.

Edmund posłuchał, okrążył klacz, ściągając juki, ani razu jednak nie odwracał się plecami do ruin. Pogrzebał w torbie, szukając ostatnich jabłek.

– Chodź, malutka. Od tej pory pójdziesz spacerkiem. Będzie łatwo.

Różyczka położyła uszy po sobie, przewróciła oczami – chciała uciec, ale nie mogła. Było stromo, a ona była zbyt zmęczona.

– Wiem, wiem, to złe miejsce. – Edmund wyciągnął ku niej jabłko. – Ja też się go boję. Chodźmy stąd.

Wtuliła mu pysk w dłoń, powęszyła, potem zjadła. Edmund dotknął kępki rdzawej sierści pośrodku jej czoła.

– Grzeczna dziewczynka. – Narzucił juki na ramię i ruszył w górę szlakiem, chwytając wodze. Napięły się, a potem Różyczka podreptała za nim.

W najbardziej stromym miejscu John czekał na nich wraz z Indygo. Wyciągnął rękę, by poklepać klacz po niezgrabnym zadzie, a potem pomaszerował pierwszy.

Edmund wbijał wzrok w ziemię, sprawdzając grunt

przy każdym kroku, nim przeniósł ciężar ciała na przód. Po plecach spływał mu pot i wsiąkał w koszulę, po jakimś czasie nie czuł już zimna. Gwiazdy maszerowały powoli po nocnym niebie, juki wpijały mu się w ramię, czuł coraz większe zmęczenie. W końcu szlak opadł łagodnie pomiędzy dwoma szczytami.

– Teraz bądź czujny. – John zrównał się z nim. – Zbliżamy się do miejsca bardzo łatwego do obrony. Jeśli cokolwiek ich strzeże, zobaczą nas z daleka, nawet w nocy.

Na tle gwiazd rysowała się czarna sylwetka zrujnowanej wieży, wychodzący z niej mur kiedyś sięgał aż do jaru, teraz jednak leżał od dawna strzaskany – masywne bloki kamienia, zwietrzałe i zapadnięte w ziemię łagodnej przełęczy. John trzymał miecz w gotowości. Wiatr pędził po zboczu, wyjąc w szczelinach skał.

– Usiądź na chwilę. – John krążył między strzaskanymi fundamentami muru. – Jest tylko kilka przejść przez to gruzowisko. Rozejrzę się.

Edmund pozwolił, by wodze wymknęły mu się z odrętwiałych palców; ani przez moment nie bał się, że Różyczka dokądkolwiek pójdzie. Znalazł miejsce pod osłoną wieży, wiatr nie kąsał tam aż tak boleśnie. Jego zmęczonymi nogami wstrząsały skurcze, myślał o Geoffreyu, potem o Katherine, wreszcie o ojcu – aż w końcu spróbował nie myśleć o niczym.

Indygo pasł się obok wieży, skubiąc mizerną trawę, wyraźnie nie znajdował jej zbyt wiele. Różyczka spuściła łeb do ziemi, spała twardo na stojąco. Edmund opatulił płaszczem ramiona, położył się i spojrzał w górę. Spodnią stronę nadproża pokrywały rzeźby długich, chudych dłoni, Zbieraczy i ich ofiar. Znaki, które umiał odczytać, mówiły o zmianach pór roku w gwiazdach, potędze króla i armii, uporządkowanej harmonii w górze i w dole.

– Byli tak pewni siebie, tak potężni i dumni – rzekł.

– Sądzili, że ich królestwo przetrwa wiecznie.

– Nic nie trwa wiecznie, nie na tym świecie. – Głos Johna przemówił spomiędzy kamiennych bloków. – Podbijali innych i zaprowadzali porządek, starali się zmienić swój świat na podobieństwo własnych myśli – a teraz wszystko legło w gruzach, pozostały tylko rysunki i słowa, których nikt do końca nie rozumie.

Edmund zrezygnował z prób odczytania napisów.

– Czy wiedząc to, nie myśli pan czasami, że budowanie czegokolwiek nie ma sensu?

– Myślę tylko, że kocham moją córkę i uratuję ją, jeśli zdołam. Myślę, że rzeczy takie jak miłość i nadzieja to treść życia, a to, co wyrzeźbiono na ścianie wieży, zupełnie się nie liczy. Chodź, pokażę ci coś, co znaczy dla mnie więcej niż każde słowo w każdym znanym języku.

Edmund wstał, sięgnął po związane wodze Różyczki i poprowadził ją między blokami. Nie domyślał się, co znalazł John, ale spodziewał się czegoś nieco ciekawszego niż kawał końskiego łajna.

– Nie jestem wielkim tropicielem, ale cała życie oglądałem końskie odchody. Te pochodzą z dzisiejszej nocy. – John sięgnął po wodze Indygo. – Jesteśmy blisko, ruszajmy naprzód. Dalej możemy jechać.

Indygo wystartował z zapałem, gdy tylko John wskoczył w siodło. Różyczka parsknęła, z wysiłkiem dotrzymując mu kroku. Trawa ustąpiła miejsca gołej ziemi, spod której gdzieniegdzie przezierała naga skała. Kąt wzniesienia pod kopytami koni malał, pozwalając Edmundowi spojrzeć w dół. Znaleźli się na płaskim szczycie przełęczy, wiodącym w dolinę tak szeroką i głęboką, że zakręciło mu się w głowie. Ogromna połać głębokiej ciemności. Świerki, sosny i jodły przypominały z tej odległości trawę. Patrzył w dolinę, próbując ocenić, jak jest głęboka. Ale to nie rozmiar doliny stanowił największy cud. Wokół niej, ze wszystkich stron, wznosiły się ściany szarości i śniegu, iglice tak wysokie, że wydawało się, iż mogłyby przebić księżyc. Ogarnął go nabożny podziw.

– W najmroczniejszych godzinach życia wiedziałem, że kiedyś tu wrócę. – John wbił pięty w boki Indygo, ruszając długą, wąską drogą wiodącą z przełęczy w dół. Osobliwe światło i otaczające ich góry sprawiały, że Edmund nie potrafił ocenić ich rozmiarów, ale ujrzał mury, szerokie aleje i kolejne splątane gniazdo strzaskanych wież.

Usłyszał muzykę rzeki na długo przed tym, nim ją zobaczył, spływała w pędzie z zachodniej ściany doliny, pod mostem przypominającym w każdym szczególe stary kamienny most w Moorvale. Różyczka wyraźnie mu nie ufała i musiał ją przeprowadzić na drugi brzeg.

– Niech się napiją. – John zeskoczył z grzbietu Indygo. – Musimy zastanowić się nad dalszą drogą. Zjedz coś, jeśli zdołasz.

Edmund wyciągnął z juków płócienny tobołek, poczuł przyjemny zapach placków upieczonych z odrobiną przypraw. Aromat niósł ze sobą wspomnienie domu, ale nie budził on głodu. Edmund schował prowiant.

– Która to góra? – Dołączył do Johna Marshalla na skraju drogi.

Droga schodziła zakolami na dno doliny, pokonali już połowę zbocza. Wszystkie otaczające ich szczyty wyglądały niemal jednakowo.

– Tam. – John wyciągnął zdrową rękę. – Musimy zdecydować, czy poszukać szlaku w górę, który Bliźniacy znaleźli za pierwszym razem, czy podążać drogą w głąb doliny.

Edmund zrozumiał, że mężczyzna prosi go o radę.

– Jakie są wady i zalety każdej z dróg?

– Na pierwszej ryzykujemy, że nie dość szybko ją znajdę. Bliźniacy byli najlepszymi przewodnikami, jakich znałem, znaleźli ów szlak i poprowadzili nas tak stromą i zdradziecką drogą, że w żadnym razie nie dało się zabrać koni. Druga wiąże się z innym niebezpieczeństwem. To najkrótsza i najprostsza droga do wejścia w głąb góry, ale pełno wzdłuż niej kryjówek, a trzydzieści lat temu w miejscu tym roiło się od najgorszych potworności, jakie zdołasz sobie wyobrazić. Nie mam pojęcia, co w dzisiejszych czasach mieszka w dolinie, ale na miejscu czarodzieja, o którym wspominałeś, tam właśnie urządziłbym zasadzkę na każdego, kto próbowałby mnie ścigać.

Edmund odszedł na bok, by się zastanowić. Dolina była rozległa i ciemna, ale zbocza góry od strony północnej wyglądały jak idealne miejsce do tego, by tutaj zginąć, skręcając sobie kark.

– Głosuję za drogą w dół, przez dolinę. Nie możemy sobie pozwolić na stratę czasu.

– Myślę tak samo, ale chciałem, byś wiedział, co nas czeka. – John uniósł rękę. – Zaczekaj jednak chwilkę. Na pewno nie chcesz się wycofać? Edmundzie, jesteś młody, masz przed sobą całe życie – być może tylko ty zostałeś twoim rodzicom. Nie mówię tego, bo cię nie doceniam. Mówię, bo bardzo cię cenię i chciałbym abyś dorósł, został mężczyzną i żył szczęśliwie, jeśli zdołasz.

Edmund ucieszył się, że towarzysz go spytał.

– Wątpię, bym mógł być szczęśliwy, gdybym teraz zawrócił.

John skinął głową.

– Dobrze zatem – wsunął stopę w strzemię – od tej chwili noś kołczan na plecach i miej pod ręką nóż.

Rozdział 26

Droga skręcała z wzniesień i opadała w głąb bardzo osobliwego lasu, gęstego od iglastych drzewek do wysokości końskich kłębów, a wyżej nagiego. Powietrze nie kąsało już tak boleśnie jak na wyżynach. Bezlistne gałęzie falowały w górze tworząc wąskie cienie na tle granatowego nieba.

– Strasznie tu dziwnie. – Edmund po raz pierwszy od przybycia do Pasa nie usłyszał echa własnego głosu.

– Kiedy ostatnio tu byłem, ogniaki usilnie starały się podpalić całą dolinę. – John ściągnął wodze Indygo, zrównując się z Edmundem. Pochylił się w siodle i obejrzał nogi Różyczki.

– Co się stało? – spytał Edmund.

– Nie czujesz? Zaczęła kuleć.

– Ach. Myślałem, że to kwestia wybojów.

John usiadł prosto.

– Jest stara, Edmundzie. Ma za sobą bardzo ciężką jazdę. Nie poniesie cię już długo.

Edmund pogładził dłonią grzywę klaczy.

– Kiedy wrócimy, ludziska nie uwierzą, jak wiele dokonałaś.

Im bardziej zbliżali się do dna doliny, tym bardziej napierały na nich zarośla po obu stronach szlaku. W końcu niemal połączyły się ze sobą, zmuszając ich, by jechali pojedynczo. Grunt uniósł się na moment i wyrównał. Między krzakami ziemia zmieniła się w błoto. Różyczka nastąpiła na gałązkę, która pękła z trzaskiem – spłoszona klacz zachwiała się, zbyt znużona, by skoczyć. Wszędzie wokół, pośród drzewek i chaszczy, leżały potrzaskane, zwietrzałe kawały omszałych kamieni.

Edmund skulił się i przecisnął przez koronę splątanych gałęzi.

– Co to było za miejsce?

– Miałem nadzieję, że ty mi powiesz. – John raz po raz ciął mieczem, oczyszczając drogę. Szum rzeki znów stał się głośniejszy – choć rozbrzmiewał dostojniej, bo woda płynęła wolniej po płaskim podłożu.

Edmund pogonił Różyczkę i dogonił Johna Marshalla czekającego na widoku. Ich droga łączyła się tu z drugą, w cieniu gigantycznego kamienia przypominającego Kamień Życzeń, tyle że trzy razy wyższego.

– Stąd skręcamy na północ. – Może sprawiło to ukształtowanie terenu, ale głos Johna zdawał się dobiegać ze wszystkich stron jednocześnie. – Na południu, tuż za tym kamieniem, rzeka łączy się z drugą. Przez szczelinę wypływa z doliny. Nie znalazłem żadnej przeprawy, ale zbadałem jej brzegi z Tristanem, gdy obaj byliśmy młodzi.

– Zaślubiny dwóch rzek. Tak jak w książce. – Edmund pozwolił Różyczce podejść do rozstajów w wybranym przez nią tempie. Klacz poruszała się naprzód chwiejnym krokiem. Dotknął jej kłębu. – Niedługo odpoczniesz. Obiecuję.

Pożałował, że nie ma jabłka, by ją nagrodzić. John skręcił na północ przy kamieniu, Edmund przystanął na rozstajach. Rozejrzał się dokoła, nasłuchując. Słyszał ryk wód dwóch łączących się rzek, dostrzegł spieniony nurt, bielejący w promieniach księżyca. Rzeźby na wielkim kamieniu powtarzały to, co już wiedział: że znalazł się w uświęconej fortecy Otchłannego i że jeśli jest dobrym i wiernym sługą, powinien paść na kolana.

– Naprzód! – John nie dał mu czasu na długie rozmyślania.

Północna droga wznosiła się po zboczu cienistego wzniesienia – wspaniała, martwa aleja, wzdłuż której wyrastały szczątki wież, murów i rezydencji wzniesionych z masywnych bloków błękitnoszarego kamienia. Pomiędzy wypalonymi szkieletami drzew sterczały ściany i kolumny, miejscami wyłaniając się z młodszej roślinności i zachowując swój poprzedni kształt na tyle, że Edmund mógł dośpiewać sobie resztę. Kryła się w nich atmosfera ceremonii, popisu, wiadomość dla każdego, kto wędrował tą drogą – być może odnajdziesz łaskę Tego Który Mieszka Wewnątrz Góry albo też rozpacz.

– Dwory Zbieraczy… – odwrócił się do Johna. – Jak pan myśli, jak to było w tamtych czasach mieszkać tak blisko…

– Cicho… – John zacisnął dłoń na ramieniu towarzysza i dodał pełnym napięcia szeptem: – …słyszysz?

Edmund zamarł, serce podeszło mu do gardła. Różyczka uniosła łeb, kładąc uszy po sobie. John skierował Indygo w bok. Edmund odwrócił się w siodle – niczego nie widział, lecz nagłą ciszę zakłóciła szybka seria odgłosów dochodzących gdzieś zza ich pleców. Zaczęły się od niewinnego szelestu, lecz szybko narastały i zbliżały się, aż w końcu pojął, że coś bardzo dużego zmierza ku nim wśród drzew.

– Galopem! – John dobył miecza. – Na wyższy teren, Edmundzie. Już!

Z zachodu dobiegł trzask pękającego drzewa, Różyczka zarżała ze zgrozy i bez zwłoki puściła się pędem naprzód.

Edmund chwycił wodze i zgarbił się w siodle, strzały w jego kołczanie podskakiwały, grożąc, że wypadną. Raz jeden odważył się obejrzeć i dostrzegł coś bardzo wysokiego, górującego nad narożnikiem zburzonego kamiennego domu.

– Ciernica! – Rozejrzał się, szukając wzrokiem Johna. Mężczyzna pędził tuż za nim.

W tym momencie ciernica rzuciła się za nimi z szybkością i siłą atakującego niedźwiedzia, łamiąc poszycie wzdłuż drogi.

– Bądź gotów uskoczyć! – krzyknął John. – Teraz! Ściągaj wodze!

Edmund szarpnął wodze – grzbiet Różyczki wygiął się w łuk, o mało go nie zrzuciła. Ciernica skoczyła przez drogę, przesuwając pędami w miejscu, gdzie by się znaleźli, gdyby nie zwolnili, i zderzyła się z drzewem po drugiej stronie.

– Teraz galopem! – John minął go. – Prędko, pośród drzew biega szybciej!

Edmund wbił pięty w boki Różyczki, choć o ułamek sekundy wcześniej klacz sama zaczęła galopować. Spojrzał przed siebie – jeszcze dwie bruzdy i szeroka droga wybiegnie spomiędzy drzew na twardą skałę, w bezpieczne miejsce.

– Jeszcze jedna!

Ostrzeżenie Johna zabrzmiało w samą porę – pędy śmignęły przy twarzy Edmunda, coś oderwało się od siodła. Wyciągnął rękę i złapał swój łuk, zanim zsunął się na ziemię. Indygo wbił się między Różyczkę i ciernicę, robiąc Johnowi miejsce, by mógł ciąć mieczem skręcające się, chlastające ciernie.

Edmundowi pozostało tylko skulić się na grzbiecie Różyczki i próbować nie przeszkadzać jej w biegu. Wyczuwał słabość jej tylnej nogi jakby swojej własnej, czuł, jak bliska jest wywrotki za każdym razem, gdy na niej lądowała.

– Jeszcze jedna bruzda, Edmundzie, jeszcze jedna i pozbędziemy się ich. – John zrównał się z nim.

Drzewa zafalowały i runęły, ciernica znów skoczyła. Oba konie spuściły łby i wystrzeliły w ostatnim rozpaczliwym zrywie. Pnącze wyciągnęło się i chwyciło Różyczkę za nogę. Klacz zarżała, ale nie zwolniła, przeskakując nad zwalonymi kamieniami, nim Edmund w ogóle je zauważył. Grunt się podnosił, drzewa rzedniały...

A potem zostawili ciernicę za sobą.

Nim Edmund się zorientował, wyleciał w powietrze. Zaskoczony wypuścił łuk – miał czas się obejrzeć i ujrzeć, jak Różyczka pada. Tylne kopyto ugrzęzło w dziurze i skręciło się ostro. Uniosła łeb i runęła. John wykrzyknął jego imię, a potem ziemia zbliżyła się i chłopak miał przed oczami już tylko biel.

– Edmundzie!

Coś huknęło obok, coś innego zachrobotało z drugiej strony. Edmund nie mógł odetchnąć, nie był w stanie unieść i opuścić klatki piersiowej. Przeturlał się, łamiąc jedną ze strzał, które wysypały się z kołczana, zranione ramię zaprotestowało boleśnie, kość zgrzytnęła. Różyczka leżała na ziemi kilka jardów dalej, jej tylna noga sterczała pod przerażającym kątem. Ciernica wyrwała drzewo i wyszła na drogę, korzeniami drapała i rozcinała ziemię. Jej pozbawione światła oczy chłonęły wszystko.

Klacz odwróciła łeb, patrząc na ciernicę, jęknęła i spróbowała się odsunąć – dźwignęła się na przednich nogach, lecz nie zdołała wstać. Edmundowi udało się przekręcić na bok, wszystko bolało – ale niezbyt długo. Ciernica uniosła się do ataku.

– Edmundzie! Ręka! – Grzmot stał się głośniejszy.

Edmund odwrócił głowę – Indygo pędził prosto na niego, zataczając łuk tuż poza zasięgiem ciernicy. John wychylił się z siodła i wyciągnął dłoń. Edmund podniósł rękę i poczuł, jak siła zderzenia omal nie wyrwała mu jej ze stawu. Gwiazdy zawirowały, potem zastąpił je widok pędzącej przed jego oczami ziemi.

– Mam cię! – John przerzucił go przez siodło. Lęk wbijał się boleśnie Edmundowi w brzuch. Rozpaczliwe rżenie Różyczki wypełniało dolinę.

– Nie patrz! – Mężczyzna zasłonił mu dłonią oczy. Indygo galopował gładko i ostro, pędząc stromą, skalną drogą. Gdy w końcu John ściągnął wodze, wszystko ucichło.

– Złamałeś sobie coś? – Uniósł go za tył koszuli. – Możesz się ruszać?

Edmund sprawdził ręce, potem nogi. John zsadził go z siodła obok sterty kamieni.

Boki Indygo unosiły się i opadały niczym miechy. John klęknął nad Edmundem, zbadał jego kości.

– Niczego nie złamałeś, może oprócz żeber. No chodź. Wstawaj.

Edmund z pomocą Johna podniósł się chwiejnie. Obejrzał się bezwiednie. Ciernica przykucnęła pośrodku drogi jak rozedrgana, zwijająca się plama, a potem odeszła między drzewa, pozostawiając na gościńcu kupę kości w ciemnoczerwonym błocie.

– Nigdy jej nie zapomnij. – John obrócił go siłą. – Dopóki żyjesz, nie zapomnij jej.

Rozdział 27

John poprowadził ich zdradziecką trasą w górę. Maszerował, trzymając w jednej ręce wodze, drugą podtrzymując Edmunda.

Wspięli się na skałę poza zasięg morderczej ciernicy, ścieżką, która po lewej kończyła się pionowym urwiskiem, a po prawej była tylko odrobinę mniej niebezpieczna. Było jasne, dokąd wiedzie. Długi język paszczy w zboczu góry.

– Odpocznij tutaj. – John przyjrzał się wejściu do jaskini. Wyglądała, jakby ktoś rąbnął ją pięścią, zmiażdżył z jednej strony, tak że kamienie wysypały się na ścieżkę. Edmund padł na kolana – nie był w stanie odetchnąć, bo czuł się, jakby ktoś wbijał mu coś między żebra.

– Różyczka.

Przez cały czas, kiedy mieszkała z jego rodziną, ledwie o niej myślał. W głowie miał tylko to, jak wmanewrować Geoffreya w sprzątanie łajna z jej boksu. Zginęła, próbując ocalić ich obu. Zwinął się w kłębek i zapłakał, jak wtedy, gdy był maleńki. Po jakimś czasie zastanowił się nad tym, gdzie jest teraz. Wstał i pokuśtykał na skraj przepaści. Okalał go rząd płaskorzeźb, ale Edmund nie zdołał się zmusić, by znów oglądać Tego Który Przemawia Ze Szczytu Góry z jego bezkresną, morderczą próżnością, ani patrzeć na rozłożone ręce Otchłannego. Dalej otwierała się przepaść tak głęboka, że każdy, kto w nią wpadał, miał dość czasu, by zastanowić się nad śmiercią. Wiatr jęczał głośno w wylocie tunelu upiornym głosem drwiącym z wszelkiej nadziei.

Po chwili zjawił się John, blady jak pergamin. Przeszedł obok – zgarbiony, jakby postarzał się na oczach Edmunda. Ten odwrócił głowę.

– Co się stało?

– Nie rozumiem. – Mężczyzna przysiadł na głazie.

– Wejście jest zablokowane. Nie da się przejść.

Edmund zajrzał do środka.

– Nic tam nie ma?

– Nic oprócz skalnego rumowiska i kości mych starych druhów. – John rozejrzał się w panice, wodząc wzrokiem po ciemnych zboczach góry. – Edmundzie, tak mi przykro. Nie wiem, co robić.

Jęki wiatru rozbrzmiewały coraz głośniej i bardziej piskliwie. Edmund spróbował zatkać sobie uszy. Myśl o Katherinie, Geoffreyu, Tomie i pozostałych, których czekała śmierć w środku góry, była zbyt potworna, by dało się ją znieść.

– Tak być nie może, nie może!

John wstał, wyciągnął gwałtownie ostatnią pochodnię z juków Indygo i z powrotem wbiegł do środka.

Edmund pomyślał, że może jednak, może jednak – nie zamierzał się poddawać, póki został mu w piersiach oddech. Ześliznął się z powrotem, wypatrując z lewej i prawej strony innej ścieżki. Przed sobą znalazł drogę zasłaną strzałami, które wysypały mu się z kołczanu – wyglądało to, jakby oddział wybitnie nieutalentowanych łuczników wypuścił salwę. Pozbierał strzały, znalazł też łuk zaplątany w gałęziach krzaka. Już miał odważyć się wyjść na drogę – z powrotem w zasięg ciernicy – kiedy usłyszał coś, od czego zabiło mu serce.

– Hau.

Nie był to dźwięk głośny, ale wyraźny dostatecznie, by wiedział, kto go wydał.

– Łach? – Popatrzył po skałach. – Łach!

Czarno-biała sylwetka wybiegła z dołu ścieżką tak wąską, że z góry w ogóle nie przypominała przejścia. Ale w jakiś sposób pies zdołał się nią przedostać.

– Hau! – Zwierzak pomerdał ogonem.

– Panie Marshall! – Edmund odwrócił się i zamachał. – Panie Marshall, tutaj! – U wylotu jaskini zajaśniało światło.

– Edmundzie? – John Marshall zszedł ze zbocza, prowadząc Indygo tak szybko, jak się dało.

– Tu, w dole. – Edmund przykucnął nad kamieniami, Łach siedział obok i czekał.

– Możesz to nazwać szczęściem, jeśli chcesz. – John zostawił pochodnię i wszystko inne oprócz miecza. Wymacał krawędź przepaści tuż za ścieżką. – Ostatnio, kiedy tu byłem, trochę się spieszyliśmy. Gdybyśmy wiedzieli o tej drodze, część z moich przyjaciół może by przeżyła.

Edmund obejrzał się na bok, pomyślał i głośno przełknął ślinę.

– Nie wyobrażam sobie, żeby czarodziej wspiął się tędy. Jest bardzo ciężko chory.

– Zakładasz, że szedł pieszo. – John sięgnął na grzbiet Indygo, ściągnął czaprak i siodło. – Założę się, że bolgugi go zaniosły, pewnie też i dzieci. Trudno uwierzyć, jakie są silne. – Posłał Edmundowi ponury uśmiech. – Z drugiej strony ty pewnie byś uwierzył, prawda?

– Ale jak zdołamy zabrać Indygo?

– Nie zdołamy. – John objął ramionami łeb konia i cofnął się, zdejmując mu uzdę. – Koń takiej wielkości nie pokona podobnej drogi. Będziemy musieli liczyć na to, że zdoła sam trafić do domu. – Indygo wypluł z pyska wędzidło i potrząsnął lśniącą grzywą. John przeszedł naprzód i spojrzał mu w jedno z wielkich, brązowych oczu. – Nie waż się iść za nami. – Rozpiął popręg i odłożył siodło na kamień. – Biegnij do domu, biegnij szybko, zrozumiałeś? – Ogier zastrzygł uszami i uderzył kopytem o ziemię.

John westchnął.

– Pozostaje nam tylko nadzieja. – Pomacał stopą z boku, ominął przepaść i przeszedł parę stóp dalej. W słabym świetle wyglądało na to, że następny krok postawi w powietrzu. Wyciągnął za siebie rękę. – Ruszajmy. Nie myśl.

Edmund chwycił jego dłoń – tę ranną, poczuł kikut odciętego palca. John syknął z bólu.

– Przepraszam!

– Trzymaj się mocno, durniu! Naprzód. Łach zaczekał, aż go dogonią, a potem odwrócił się bezdźwięcznie i pomknął wzdłuż krawędzi. Wiatr świszczał nad przepaścią, zawodząc w skałach i chłodząc Edmundowi dłonie, aż stracił czucie w palcach. Księżyc zniknął za wierzchołkami gór, zabierając ze świata swój blask akurat wtedy, gdy najbardziej go potrzebowali.

– Mości Marshallu. – Edmund zaczął macać wśród rumowiska i kamieni, aż w końcu natrafił na skałę. – Mogę coś panu powiedzieć?

– W żaden sposób nie zdołałbym cię powstrzymać. – John wspinał się przed nim. – Tutaj jest niebezpiecznie. Nie stawaj, przekrocz ten kawałek, wyciągnij nogę i już.

– Chciałem powiedzieć, że… – Edmund był pewien, że nie zdoła się utrzymać, ale dał radę, odetchnął głęboko. – Lubię pana córkę.

John zaśmiał się cicho.

– Wiem.

– To znaczy, bardzo ją lubię. – Każdy krok mógł być tym ostatnim. Nie widział dna, nawet gdyby zaryzykował kolejne spojrzenie. – Bardzo.

– Wiem, co próbujesz powiedzieć. – John pomógł mu ominąć wielki głaz na szlaku.

– Ale ja ją kocham. Naprawdę.

Mężczyzna zerknął na niego.

- To całkiem możliwe. Zdarzały się dziwniejsze rzeczy.

Idący przed nimi Łach o mało nie spadł – przerażone szczeknięcie odbiło się wielokrotnym echem od górskich zboczy – potem jednak najwyraźniej znalazł drogę w bezpieczniejsze miejsce, bo zawrócił i wystawił łeb spoza czarnej, skalnej ostrogi. Edmund podążył w ślad za Johnem. Nagle znaleźli się w miejscu, które w porównaniu z wcześniejszym przypominało królewski gościniec – na krętej ścieżce wspinającej się po przerażająco stromym zboczu, ale takiej, na której mógł postawić obie stopy obok siebie. Obejrzał się tam, skąd przyszedł, i poniewczasie ogarnął go przemożny strach.

Szlak wiodący w górę był bardziej męczący niż niebezpieczny – tu błędny krok nie oznaczał już pewnej śmierci, lecz prędzej skręconą nogę w kostce. Po jakimś czasie Edmund zaczął oddychać lżej i choć miał wrażenie, że nie została mu żadna część ciała niepokryta siniakami, zaczął sądzić, że może jednak nie połamał sobie żeber. Łach biegł przed nimi i zawracał, obwąchując ścieżkę z wysoko uniesionym ogonem. Nagle umknął na bok, w ciemności drapiąc pazurami o gołą ziemię.

– Wyciągnij nóż. – John zszedł ze ścieżki.

Edmund dobył nóż i podążył w górę. Ledwie widział kwadrat odsłoniętej ziemi przed grubą deską.

– Deska na ziemi? Tutaj?

Rozejrzał się dookoła. Pokonali stromą przełęcz – nawet nocą widział wyraźnie, że góra Otchłannego była praktycznie nie do zdobycia, pomijając wejście na końcu drogi. Garstka ludzi mogła odeprzeć całe armie na drodze, którą przyszli z Johnem, wszędzie indziej ciągnęły się skały i przepaść.

– Położono ją niedawno. Jakbyśmy potrzebowali dodatkowych dowodów. – John wcisnął palce pod deskę.

– Jeśli zobaczymy czarodzieja, co mamy robić?

– Zadźgaj go na śmierć. Nie muszę chyba mówić. – John napiął się, dźwignął i przewrócił deskę, odsłaniając kamienny szyb.

– Ktoś tam rozmawia. – Edmund przykucnął przy otworze. – Głośno, ale daleko – i czuję dziwny zapach.

– Ukląkł, wyciągając rękę. – Drabina.

John odwrócił się i postawił stopę.

– Trzyma mocno.

Łach obwąchał wylot szybu i spróbował postawić w nim łapę.

– Nie. – John poczochrał go między uszami. – Grzeczny piesek, zostań.

Zszedł szczebel niżej i popatrzył na Edmunda.

– Powtórzę raz jeszcze, od tego miejsca zrobi się naprawdę niebezpiecznie. Możesz tu zostać – nikt nie będzie miał do ciebie pretensji.

Edmund tak bardzo zapragnął wrócić do domu, że aż zabolało. Zwalczył to szybko.

– Idę.

– No dobrze. – John zniknął mu z oczu. – Od tej pory zachowujemy się możliwie jak najciszej.

Edmund odwrócił się, szukając stopą drabiny. Stanął na szczeblu, potem na kolejnym i głębiej, zanurzając się pod ziemię.

W końcu dotknął kamiennej posadzki pokrytej grubą warstwą nagromadzonego przez setki lat pyłu i zaschniętych owadzich trucheł. Coś małego o wielu nogach umknęło w mrok.

– Złap się mojej koszuli – wyszeptał mu John do ucha. – Będziemy musieli się czołgać.

Kwadrat gwiazd w górze przypominał jasny letni dzień w porównaniu z mroczną otchłanią, w której się znaleźli. Tunel odchodzący z szybu wyczuli dzięki lekkiemu przepływowi powietrza i echom rozchodzącym się w głębi długiej, wąskiej gardzieli. Pachniał starą ziemią i zwietrzałym kamieniem, wilgocią i pleśnią.

John schylił się, obmacując niskie sklepienie tunelu przed sobą. Edmund podążył za nim najciszej, jak potrafił. Wędrowali w kucki, co parę jardów opadając na kolana, by przecisnąć się pod skalnym nawisem. Ściany napierały im na ramiona, Edmund czuł pajęczyny wplątujące się we włosy. Trupki owadów chrzęściły pod nogami. Nie widział nawet sugestii światła, najlżejsze dźwięki nabierały wyraźnych kształtów w ogłuszającej ciszy – szelesty i trzaski ich niezgrabnej wędrówki, oddech Johna i jego własny oddech, a pod wszystkim nagle niepokojąco wyraźne, napięte bicie jego serca.

Edmundzie.

Głos wstrząsnął nim, sprawił, że zaczął przerażony nasłuchiwać źródła.

– Kto tam?

Edmundzie Bale. Po co pełzniesz na spotkanie własnej śmierci?

Edmund rozejrzał się gorączkowo – był jednak w tunelu, po obu stronach wznosiły się lite ściany. Głos rozbrzmiewał bez echa – nie słyszał go uszami. **Nie rzucaj swego trupa na stos.** Głos ów brzmiał podobnie do głosu jego matki i Katherine – miękki, kobiecy, melodyjny jak kołysanka. **Jesteś wart znacznie, znacznie więcej.** Edmund przystanął.

– Kim jesteś? – wyszeptał. **A jak myślisz?** Skulił się, niemal dotykając twarzą zasypanej śmieciami kamiennej posadzki. Wiedział. **Na moich oczach pierwsze drzewo wykiełkowało z nasienia, przy mnie ostatnie zeschnie się i umrze. Możesz mnie nazywać każdym dowolnym imieniem.**

– Dlaczego ze mną rozmawiasz? – Edmund poczuł, jak John ucisza go mocnym uściskiem ręki. **Przemawiam tylko do tych, których uznam za godnych, by mnie usłyszeli. Umysły większości ludzi są boleśnie ciasne.** John podjął wędrówkę w głąb tunelu. Edmund podążył za nim. Chwile mijały bez widocznych efektów. Podłoże opadało, słabo lecz dostrzegalnie, potem wyrównało się i spłaszczyło. Skradali się dalej i dalej, nie wydając żadnych dźwięków; miał wrażenie, że trwa to całą wieczność. **Masz w sobie tak wielki potencjał, Edmundzie Bale. Zaiste, możesz stać się wszystkim, o czym marzysz, ale nie wtedy, jeśli będziesz upierał się przy tej głupiej misji.**

John przystanął, pociągnął rękę Edmunda w dół, by dotknęła podłogi. Edmund obmacał palcami dziurę ciągnącą się na całą szerokość tunelu; wydobywał się z niej zapach, dławiący i słodki, coś jakby gnijący rumianek zmieszany ze smrodem rozkładającego się trupa.

– Uszkodzony komin – wyszeptał mu John do ucha. Edmund wyciągnął się płasko na skraju dziury, zasłaniając rękami głowę. Na próżno. Nie dało się ukryć przed Głosem. **Skąd wiem, co ma nadejść? Dziecko, w jaki sposób przemawiam w twoich myślach? Jak przywracam starcom młodość? Czy po wszystkim, czego się dowiedziałeś, nadal sądziłeś, że będę zaślinionym potworem, tępą bestią, którą trzeba tylko dźgnąć mieczem? Nie jestem śmiertelnikiem, Edmundzie, i nie ogranicza mnie nic, co więzi istoty podobne do ciebie. Widzę przed tobą ścieżki i to, dokąd doprowadzi cię każda z nich.**

– Kolejna drabina. – John przysunął się do niej, szurając. – Prowadzi w dół.

Edmund pomacał i chwycił szczebel, zaczął schodzić, starając się jak najbardziej oszczędzać zranioną rękę. Wylądował w od dawna nieużywanym palenisku – w samym środku pustego, zardzewiałego żelaznego kotła. To, dokąd John poprowadził go dalej i czym mogły być kiedyś pomieszczenia i korytarze, które mijali, nie miało dla niego znaczenia, nawet gdyby je widział, bo Głos znów się rozległ, przesłaniając wszystko inne.

Z każdym krokiem zbliżasz się do własnego końca – a będzie to bardzo bolesna śmierć. Wyjaśnij mi zatem – czemu tak pędzisz jej na spotkanie?

Edmund przywołał w myślach obraz Geoffreya, spróbował nakreślić go najbardziej szczegółowo: zadarty nos i piegi. Z jakiegoś powodu szło mu łatwiej, gdy wyobraził go sobie rozgniewanego, zazdrosnego, z cierpkim grymasem, który pojawiał się na jego twarzy, kiedy myślał, że się go nie słucha.

Czy rzeczywiście kochasz swego brata? Jeśli tak, czy jedynie dlatego, że pochodzicie z tego samego łona? Zastanów się chwilę, a potem może porozmawiamy o tym, co nazywasz miłością.

Poddał się i spróbował pomyśleć o Katherine – Katherine, jej oczach i ustach, wodospadzie włosów...

Nie, niezbyt długo kochasz tę dziewczynę. Ujrzyj ją starą, poszarzałą, z obwisłą skórą i spróbuj taką pokochać.

Edmund przywołał gniew. Zebrał go w sobie, starając się wzmocnić swą determinację.

Czy po to tu przybyłeś? By mnie powstrzymać? Równie dobrze mógłbyś chcieć powstrzymać wiatr. Nie jestem złem, dziecko, nie istnieje coś takiego jak zło. Jest tylko życie, a potem śmierć. Tylko walka i szarpanina, a potem bezruch.

– Edmundzie!

Wszystko się trzęsło, on także – John nim potrząsał.

– Co się z tobą dzieje? – Wypuścił go.

– Nic. Nic mi nie jest. – Edmund odwrócił głowę. – Dokąd dalej?

Pomacał dookoła, potykając się o coś, czego kształtu i wcześniejszego zastosowania nie umiał odgadnąć. Przystanął przy skrzyżowaniu dwóch korytarzy, jeden biegł płasko, drugi ostro opadał.

– Sam do końca nie wiem. – John mówił niewiele głośniej od oddechu. – Ale ktoś nas szuka, słyszysz? Edmund znów znieruchomiał i usłyszał tupot stóp, który zdawał się dobiegać ze wszystkich stron jednocześnie. Po chwili ktoś wrzasnął, kłapnęły zęby.

Od wielu lat czekam, żeby cię poznać, Edmundzie. Nici twojego przybycia zadrżały pod moją ręką stulecia przed twoim narodzeniem. Wysłuchaj mnie, przyjmij moją radę i stań się panem własnego losu na tyle, na ile może to uczynić jakikolwiek śmiertelnik.

Edmund zagryzł wargę.

– Odejdź.

Dla mnie, Edmundzie, nie istnieje miejsce, z którego mogę odejść.

Położył dłoń na ścianie, wyczuł zimny kamień ułożony bez zaprawy, każdy blok idealnie gładko łączący się z drugim, a wszystkie od wysokości kolan do wysokości ramion pokryte płaskorzeźbami. Przesunął palcem po kamiennych rękach Źródła Dobra – miał wrażenie, jakby poruszyły się, by go dotknąć.

Pociągnął Johna za rękaw.

– Tędy. W dół.

Ich korytarz opadał stromo, co chwila natrafiali na rumowiska tak wysokie, iż parę razy sądził, że nie da się przez nie przejść. Powietrze było stęchłe i nieruchome – porywisty wiatr na zboczu daleko w górze wydawał się wspomnieniem rodem z innego świata. Tunel kończył się w olbrzymiej zimnej komorze, ich kroki powracały raz po raz echem z daleka, z góry i boków.

– Nasłuchuj, czy nie urządzili zasadzki.

John ruszył naprzód, szurając zmęczonymi stopami. Edmund, ściskając jego koszulę, pomaszerował za nim, potykając się w nieprzeniknionej ciemności. Machnął ręką i dotknął kamienia, filara, nie: arkady ciągnącej się daleko w stronę, w którą zmierzali.

– Przechodziłem tędy, kiedy byłem tu poprzednio – wyszeptał mu przy ramieniu John. – Tą właśnie drogą Vithric dotarł do komnaty. Przeciągnęliśmy go tędy w czasie ucieczki – pamiętam, że krzyczał w malignie i próbował coś chwycić.

Edmund przesunął palcami, wymacując zagłębienia wzdłuż rzędu filarów. W większości miejsc tkwiły gładkie kamienne tablice, oznaczone wyrytymi pod spodem symbolami.

– To biblioteka. – Kolejny rząd półek stał o łokieć dalej.

Oto moje myśli, Edmundzie, tajemna wiedza, przez stulecia przekazywana w darze moim sługom – więcej mądrości i mocy, niż zdołałbyś zgromadzić ze wszystkich miast waszego małego królestwa. Edmundzie, może być twoja.

Wypuścił koszulę Johna. Odetchnął głośno.

Masz w sobie nasiona wielkości. Czyżbyś ich nie czuł? Tak wiele moglibyśmy zdziałać wspólnie, gdybyś tylko mnie posłuchał.

Zaczął dotykać tablicy za tablicą – księgi za księgą, setek tysięcy w rzędach i stosach.

Zrozum dobrze, co ci oferuję. Stracisz brata, ale tak naprawdę nigdy go nie potrzebowałeś. Stracisz dziewczynę – Edmundzie, masz dopiero czternaście lat. Będą inne. Wiele innych.

Głos zdawał się coraz bliższy, tak bliski, iż Edmundowi wydało się, że czuje na karku ciepły oddech. **Wieczne życie, Edmundzie. Moc, o jakiej nie marzyli królowie. Moja miłość jest jedyną, jakiej będziesz kiedykolwiek potrzebował.**

– Edmundzie? – syknął z ciemności John Marshall. – Edmundzie, gdzie jesteś? Musimy się śpieszyć!

Edmund stał nieruchomo jak posąg. Głos zdawał się go pieścić, obejmować swoim szeptem. **Służ mi, Edmundzie. Dołącz do mnie. Wstąp na ścieżkę wiodącą ku wyżynom. Nie istnieją dobre ani złe wybory, jedynie mądre i głupie. Poszukaj wewnątrz siebie – moje słowa to prawda, jedyna prawda. Trzymasz w rękach przyszłość. Nie pozwól, by wymknęła ci się z palców.**

Edmund istotnie zaczął szukać wewnątrz siebie, samotny, w milczącej ciemności. Przez chwilę czuł się, jakby z powrotem znalazł się pod wodą i raz jeszcze tonął w lodowatej rzece.

Odnalazł prawdę – albo ona odnalazła jego. Miał ochotę się zaśmiać, bardziej z siebie niż z kogoś innego.

– Ty się mnie boisz. – Cofnął dłoń od półki. – To dlatego ze mną rozmawiasz. Może widzisz przyszłość i obawiasz się tego, co kiedyś zrobię.

Jedno jest pewne, Edmundzie Bale. Głos stracił wiele ze swej słodyczy. Jeśli nadal będziesz występował przeciw mnie, stanę się twoją śmiercią. Zapisano to w gwiazdach, wyryto w ziemi. Rzeki mruczą to, kiedy nie słucha ich żaden śmiertelnik. Wybór należy do ciebie.

– Okłamujesz mnie. Kłamiesz, bo chcesz, żebym zrezygnował. **I chcesz postawić na to własne życie?**

Edmund pomacał przed sobą, poza rząd półek. **Cóż za zawód.**

– Przed nami! – John chwycił go za rękaw. – Widzisz?

Edmund spojrzał i ku swemu zdumieniu przekonał się, że faktycznie widzi – odrobinę, blask tak słaby, że z początku nie miał pewności, czy istnieje naprawdę. Widział fioletowoczarne zarysy półek, ciągnących się zaledwie przez sto jardów. Gdzieś z przodu dobiegały odgłosy jakiejś rozmowy. Teraz potrafił już odróżnić głos – samotny i męski, ostry i lekki, niemal zrozumiały mimo echa zniekształcającego dźwięki w komorze wokół nich.

– Ten głos... – Na twarzy Johna Marshalla odbił się wstrząs, a potem furia. – Znam ten głos.

Rzucił się naprzód, ku źródłu światła, pochylając głowę w wylocie korytarza.

– Mości Marshallu, zaczekaj!

Edmund najszybciej, jak potrafił, wbiegł do środka. Gdzieś przed nimi nieznajomy nucił i kasłał, jego słowa nakładały się na siebie. John Marshall przystanął na zakręcie, rozpłaszczony przy wewnętrznej ścianie. Korytarz skręcał pod niewielkim kątem, migotliwe światło z przodu rozlewało się długą plamą po przeciwległej ścianie, rzucając cień na rozsypujące się kamienie. Cień był zbyt słaby i zniekształcony, by przybrać znajomy kształt, ale co kilka chwil poruszał się i przesuwał z wyraźnym niepokojem. Z jednej strony sterczało coś przypominającego grot włóczni.

– JAKO PŁONIE TEN OGIEŃ, JESTEŚCIE POCHŁANIANI. – Głos nieznajomego dochodził spoza końca tunelu. – DYM WAS POCHŁANIA. GDY OGIEŃ STAJE SIĘ ZIEMIĄ, WY OBRACACIE SIĘ W PROCH I PYŁ. POŻERA WAS TO, CO CZEKA, BY PRZEWAŻYĆ SZALĘ TEGO ŚWIATA. POŻERA WAS I ZAMIENIA W PYŁ, A JA CHŁONĘ WAS DO SYTA. WYPIJAMY WAS, WYSĄCZAMY, WASZE ŻYCIE STAJE SIĘ NASZYM. WASZE ŻYCIE STAJE SIĘ MOIM ŻYCIEM.

Edmund przeturlał się naprzód, wspierając ręce na brudnej, zaśmieconej podłodze. Tunel za zakrętem rozszerzał się, sklepienie podnosiło. Na skąpanych w blasku ognia kamieniach widać było cień bolguga stojącego dziesięć kroków dalej.

– WASZE ŻYCIE STAJE SIĘ MOIM – głos nabierał siły.

Bolgug potrząsnął bulwiastą głową i kłapnął długimi zębami. John odwrócił się, patrząc Edmundowi w oczy, potem skręcił za róg i zaatakował.

Gdy dzieliło ich pięć kroków, bolgug wrzasnął i uniósł włócznię. John zanurkował pod nią i uciszył krzyki jednym pchnięciem miecza. Odtrącił na bok wstrząsanego drgawkami bolguga i przebiegł ostatnich kilka jardów, wypadając z tunelu, z jego klingi ściekała kroplami czarna krew. Edmund chwycił łuk, nałożył strzałę i ruszył za nim. Wiedział, że nie czas się bać. Przed sobą ujrzał szerokie wejście – kwadrat światła, dymu i ognia.

Wysklepiony sufit komnaty wznosił się wyniosłymi łukami, gładkie ściany ułożone z wielkich bloków błękitnoszarego kamienia bez zaprawy tworzyły wokół nich ośmiokątną komnatę, poznaczoną sadzą ze starożytnego pożaru. Pod fragmentami zwalonego sklepienia leżała rozpadająca się sterta strzaskanych przedmiotów – naczynia z szerokimi kryzami pokryte zieloną śniedzią, gobeliny na wpół przegniłe w proch. Z komnaty wyprowadzało siedem drzwi, każde przysadziste, każde skryte w głębokiej wnęce, zrobione ze starożytnego, wyschniętego na wiór dębowego drewna. Tylko jedno stanowiło wyjątek, zasypane gruzowiskiem. Pośrodku komnaty wznosił się wysoki na stopę postument, oczyszczony z wszelkich śmieci – siedmioramienna gwiazda pokryta rzeźbami. Mimo pokrywających ją mrowisk i pozostałości zaprawy, nadal budziła nieludzki lęk. Nawet jej kształt, siedem ramion w ośmiościennej komnacie wydawał się w swej nieparzystości niezdrowy i obrzydliwy. Lecz nie dlatego Edmund zamarł ze zgrozy.

Pośrodku gwiazdy płonął ryczący ogień, jedyne źródło światła w komnacie, nad nim wisiał żelazny kocioł, którego zawartość przelewała się i bulgotała, wydzielając ohydny smród. Znad powierzchni wzbijały się kłęby gęstego, czarnego dymu. Dym nie ulatywał ku sklepieniu, tak jak powinien, tylko falował i skręcał się, rozszczepiając w podobne do lin pasma. Na ramionach gwiazdy leżało siedem postaci różnych rozmiarów. Tom spoczywał najbliżej, jego kościste ręce opadały aż do ziemi. Katherine wyglądała, jakby umarła w trakcie koszmaru, ręce skrzyżowała na piersi, jak gdyby próbowała odeprzeć cios. Geoffrey leżał skulony na boku, tak jak zawsze sypiał – sprawiał wrażenie młodszego, niż był w istocie; nieznośny smarkacz, którego Edmund chronił i znęcał się nad nim, odkąd pamiętał. Pasr¬a dymu wciskały się w usta kolejnych ofiar, wypływały nosami i tworzyły w środku gwiazdy kształt, który z każdą chwilą gęstniał.

Czy chciałbyś ujrzeć mnie pod postacią smoka? – Głos Otchłannego nie przypominał już głosu matki Edmunda ani Katherine. Brzmiał jak wygłodniały robak, wwiercający się w bok głowy chłopaka. Dym pulsował w rytm jego kadencji. **Jeśli chcesz, mogę. Pewien lud składał mi ofiary w tej właśnie postaci – wówczas to nazwali mnie imieniem, którego i ty używasz.**

Edmund przycisnął ręce do uszu.

– Czym ty jesteś?

A może wolisz piękną, młodą kobietę, jak wcześniej? Otchłanny formował się wewnątrz zwojów dymu, wężowe pyski o zbyt wielu językach, dręcząca świadomość, że coś lada moment sięgnie i chwyci cię z tyłu – że nie ma dokąd się zwrócić, dokąd uciec i nigdzie nie jest bezpiecznie. **Przez jakiś czas nawet mi się to podobało – ale tym razem mam ochotę szarpać i miażdżyć.** W dymie pojawiały się kształty – potworne twarze, szpony, najeżone kolcami kończyny, rozedrgana masa oczu.

– Jako płonie ten ogień, jesteście pochłaniani – nieznajomy uniósł ręce nad żarnikiem i rozłożył ukośnie, w dłoniach trzymał znaki potwornej mocy. – Dym was pochłania. Gdy ogień staje się ziemią, wy obracacie się w proch i pył. – Obok niego, na ambonie, leżała księga, jej stronice przygniatał ząbkowany nóż z brązu. Pod ścianami komnaty stało pół tuzina bolgugów – zaczęły warczeć i skowytać, sięgając po broń.

John Marshall na moment stał oszołomiony, przymurowany w miejscu tym, co zobaczył.

– Vithric... – Uniósł miecz, jego głos wzniósł się niczym grzmot. – Vithric!

Edmund spojrzał na nieznajomego. Vithric?

Zaklęcie częściowo już zadziałało: głos Vithrica nie załamywał się w zaśpiewie, zmarszczki zniknęły z jego twarzy, włosy nabrały kasztanowej barwy, skóra zarumieniła się od krwi, wargi nabrały ciała – wykrzywione w grymasie lubieżnej, przerażającej błogości.

– Vithric! – John ciął na odlew bolguga. Skoczył ku gwieździe, ku miejscu, gdzie leżała jego córka – ale kolejne bolgugi nadbiegły ze wszystkich stron, było ich zbyt wiele. Vithric uśmiechnął się złośliwie i podjął zaśpiew.

Edmund naciągnął łuk i wypuścił strzałę – groza sparaliżowała mu palce i omal nie trafił Katherine. Wiedział, że nim zdoła odetchnąć dwa razy, Johna Marshalla otoczą trzy bolgugi. Pozostałe dwa pilnowały Vithrica, unosząc w gotowości miecze.

Kiedyś zamieniłeś ognisko w światło, co omal nie zatrzymało ci serca – Otchłanny unosił się i zwijał, jakby chciał przygwoździć go wzrokiem. – **Sprzeciw mi się, a przypieczętujesz swój los. Pokłoń się przede mną, a śmierć nigdy nie nadejdzie.**

Ktoś jęknął, maleńka postać poruszyła się na promieniu gwiazdy – siwe włosy, pomarszczona twarz wykrzywiona w agonii. Postać znieruchomiała – dziecko, które w kilka chwil umarło ze starości. Dym zgęstniał, ogon chlasnął w przód, wielość oczu stała się jedną parą ukośnych i jaskrawopomarańczowych.

Edmund słyszał, widział i czuł potworny prąd młodości przepływający od dziecka do Vithrica i coś jeszcze, wnikające w Otchłannego. W końcu zrozumiał znaczenie zaklęcia – Vithric kradł im życie, a Otchłanny żywił się cierpieniem umierających umysłów; z każdym umęczonym jękiem jego moc rosła.

– Pożera was to, co czeka, by przeważyć szalę tego świata. Pożera was i zamienia w pył, a ja chłonę was do syta. Wypijamy was, wysączamy, wasze życie staje się naszym. Wasze życie staje się moim życiem. Wasze życie staje się moim.

W jednej chwili Edmund zrozumiał. Wiedział, jak powstrzymać to, co się działo i wiedział, jak straszną cenę zapłaci.

Odrzucił łuk.

– Mości Marshallu, oczyść mi drogę!

Pochylił głowę i puścił się biegiem, choć para bolgugów uniosła ciężkie miecze, by go powstrzymać. John Marshall parował, nurkował i uskakiwał, jego miecz tańczył i błyskał – odtrącił na bok jednego z bolgugów, drugi złapał kołczan wiszący na plecach Edmunda. Ten zrzucił go szybko, rozsypując dokoła strzały i zanurkował przez lukę między stworami. **Nic nie możesz zrobić, Edmundzie. Wszystko stracone. Ratuj się.**

Zaklęcie Vithrica było niezwykle sprytne, niewiarygodnie sprytne – koszt czaru, agonię ofiar pochłaniał Otchłanny. Żaden czarodziej w dziejach nie zdołałby zablokować go bezpośrednio, toteż Edmund zamiast tego postanowił się przyłączyć. Bolgugi strzegące Vithrica wrzasnęły, zgrzytając zębami. Jeśli zaklęcie go nie zabije, zrobią to one.

Po raz ostatni spojrzał na uśpioną twarz Katherine.

– Przyjmuję ten koszt i biorę go na siebie – zanucił, dopasowując kadencję swego głosu do zaśpiewu Vithrica. – Zatrzymuję w sobie ich ból, słyszę w myślach ich myśli. Biorę na siebie ich ból. – Odwrócił znaki Vithrica, kreśląc symbole Życia i Tworzenia. – Przyjmuję ten koszt i biorę na siebie.

Zadziałało. Bolało, jak bardzo bolało, ale zadziałało. Pod Edmundem ugięły się nogi, zalały go cierpienia konającej Tilly Miller. Czuł, jak dziewczynka próbuje uczepić się kurczowo jednego szczęśliwego obrazu, matki uśmiechającej się do niej, gdy była maleńka. Jak usiłuje pogodzić się z życiem, którego nigdy nie zaznała. Słyszał jej krzyki we własnym zawodzącym głosie. Gdzieś pod tym wszystkim kryła się świadomość bólu w jego ciele. W ustach rozszedł się słony, metaliczny smak.

Z twarzy Vithrica zniknął uśmiech. Jego oczy rozszerzyły się ze zgrozy.

Edmund przytrzymywał w sobie ból, odmawiając Otchłannemu uczty. Potykając się, dopadł gwiazdy i sięgnął po pomarszczoną dłoń Tilly. Ściskał ją mocno, gdy umierała.

Zaklęcie Vithrica straciło swą moc.

Wszystko zamarło.

Pomarańczowe oczy przygwoździły Edmunda, w dymie pod nimi jakby przypadkiem uformowały się usta.

Niechaj i tak będzie, Edmundzie Bale.

Vithric krzyknął z wściekłości i zawodu. Oczy rozpłynęły się, pasma zmalały, rozpadły się i uniosły ku sklepieniu jak zwykły dym.

Rozdział 28

Edmund odetchnął. Serce wciąż mu biło – szybko, ale miarowo i silnie. Vithric kucał skulony i rozdygotany za kotłem. Otchłanny wznosił się między nimi w bezkształtnym paśmie dymu. Głos nie odzywał się więcej w umyśle Edmunda.

Przez jedną oszołomioną chwilę zastanawiał się, czemu wciąż żyje. Jego zaklęcie zadziałało. Nie zabiło go, ale zapłacił za nie – odrobiną krwi, potokiem łez i koszmarami, które wystarczą do końca życia.

Rozejrzał się dokoła. John Marshall leżał na trupach ostatnich dwóch bolgugów, miecz wypadł mu ze zranionej ręki.

Vithric jęknął i ciężko dźwignął się z ziemi, Edmund spojrzał mu prosto w oczy. Powinien był wykorzystać ten moment do ataku, ale zamiast tego pojawiły się słowa:

– Byłeś bohaterem.

Tamten warknął i przeskoczył przez gwiazdę. Edmund dobył nóż, ale Vithric okazał się szybszy. Cios w brzuch sprawił, że Edmund zgiął się wpół i poleciał do tyłu, zrzucając na ziemię kocioł, księgę i ambonę. Nóż odturlał się po podłodze; nim zdołał go podnieść, poczuł na szyi dłonie czarodzieja.

– Pozwól, że udzielę ci lekcji w temacie bohaterów. – Jako człowiek w rozkwicie lat, Vithric był mężem rosłym i silnym, kipiącym gwałtowną energią. – Bohaterowie często umierają młodo.

Edmund szarpał się i kopał, ale nie mógł się uwolnić, nie mógł oddychać. Wzrok przesłoniła mu eksplozja czerwieni – przekleństwa, które syczał Vithric, zdawały się dobiegać z coraz bardziej daleka. Nagle świsnęło powietrze, coś łupnęło, zabrzmiał jęk bólu. Edmund poczuł, jak ręce wokół gardła rozluźniają uchwyt. Cofnął się chwiejnie i upadł, gorączkowo chwytając powietrze. Vithric stał nad nim, kołysząc się na nogach, przyciskając ręce do wbitej głęboko w ramię strzały.

– Odejdź od mojego brata.

Edmund odwrócił się i spojrzał za siebie. Geoffrey podszedł bliżej, napinając łuk z kolejną strzałą.

Vithric wydął pogardliwie usta, poruszył palcami, a potem zawrócił i umknął w ciemność za drzwiami.

Geoffrey podbiegł do Edmunda.

– Czy on cię zranił? Jesteś ranny?

– Nie, nie ranny. Przynajmniej nie ciężko. – Agonia zaklęcia wciąż przelewała się przez niego, rana, którą tylko on widział i czuł. Z pomocą Geoffreya usiadł, rozglądając się dokoła – dzieci budziły się z krzykiem na ramionach gwiazdy, wśród poniszczonych, potrzaskanych skarbów pełzało robactwo, z czerwonopomarańczowych węgli ulatywał gęsty dym, a blask płomieni zamieniał cienie w rozedrgane potwory. Ogień pojaśniał, kilka węgli padło na księgę, która zaczęła płonąć. W wielu korytarzach słychać było wrzaski i głośne tupoty, z każdą chwilą robiły się coraz głośniejsze.

– Szybko, podnieś ich! – Edmund pchnął Geoffreya na drugą stronę gwiazdy, sam potykając się ruszył w przeciwną stronę. Stało się tak, jak liczył – i czego się obawiał. Pięcioro z siedmiorga dzieci ocalało, ale zaklęcie pochłonęło dwójkę, która zmarła ze starości. Obok Tilly Miller leżał bezzębny staruszek o głęboko pomarszczonej twarzy; w ostatnich męczarniach zgiął się niemal wpół.

Katherine już się niezdarnie poruszała – przekręciła się powoli na bok, sięgając po upuszczony miecz, toteż Edmund dopadł kolejnego promienia gwiazdy i znalazł na nim dziewczynę w swoim wieku. Pomógł jej wstać, Geoffrey zrobił to samo z chłopcem młodszym o jakiś rok.

Dziewczyna padła na kolana, łkając obok ciała bezzębnego staruszka.

– Elwy! – Chwyciła pomarszczoną rękę. – On ma siedem lat, tylko siedem!

Edmund powiódł wzrokiem po dzieciach, które przeżyły zaklęcie, i z powrotem po dwójce zmarłych. Siedmioletni chłopiec i Tilly Miller, najmłodsza z przyjaciół Geoffreya.

Nagle pojawiło się zrozumienie – zaklęcie najpierw pochłaniało najmłodszych.

– Wstań. – Odciągnął dziewczynę od trupa. – Możesz płakać później – teraz musimy uciekać!

– Niech ktoś... Niech ktoś weźmie mojego papę. – Katherine obracała się dokoła, unosząc miecz i obserwując kolejne wejścia. Tom usiadł sam, wyciągnął włócznię z palców powalonego bolguga. Tupot zbliżających się stóp brzmiał głośniej, nadciągał ze wszystkich stron.

Edmund zbliżył się do Johna Marshalla. Odkrył, że mężczyzna żyje, choć jest oszołomiony. Wśród siwych włosów czerwieniały strużki krwi. Edmund wcisnął ramię pod pachę Johna i pomógł mu wstać. Nim jednak postąpili choćby krok, drzwi obok stanęły otworem i do środka wpadły bolgugi dzierżące przed sobą włócznie. Nie było dokąd uciec – nawet gdyby puścił Johna, nie zdołałby uskoczyć na czas. Stał zatem jak wryty, patrząc beznadziejnym wzrokiem na pędzący w stronę brzucha grot włóczni.

Błysnęło ostrze, odtrącając włócznię tak, że wbiła się w podłogę. Bolgugowi starczyło czasu, by się obejrzeć, nim klinga świsnęła ponownie i przecięła mu gardło.

To była Katherine – stanęła między Edmundem i następnym stworem i wbiła mu piętę w kolano. Rozległ się obrzydliwy trzask, bolgug poleciał naprzód, nabijając się na miecz dziewczyny. Chwyciła konającego stwora za ramię i obróciła, przez moment używając jego ciała jako tarczy, by móc zerknąć na Edmunda.

– Którędy do wyjścia?

Szybko pozbierał myśli.

– Tędy!

Pociągnął Johna do drzwi, którymi przyszli. Tom zajął pozycję z boku Katherine, powstrzymując bolgugi, które przedzierały się przez trupy swych dowódców. Edmund nigdy nie widział wyrazu takiej furii na twarzy przyjaciela i nigdy nie przypuszczał, że ją zobaczy. Z jakiegoś powodu widok ów go ogromnie zasmucił.

– Po prostu unieś przed siebie włócznię, Tom. Niech widzą, że im grozisz.

Katherine zaczęła przesuwać się w bok, oskrzydlając stwory, jej oczy błyszczały groźnie.

– Idźcie z Edmundem.

Dziewczyna i chłopiec – Edmund zgadywał, że oboje pochodzili z Roughy – ruszyli za nim do drzwi.

Pozostałe bolgugi zebrały się po drugiej stronie komnaty – dwa trzymały w rękach włócznie, a dwa krótkie, ciężkie miecze. Jeden padł ze strzałą Geoffreya sterczącą z wyłupiastego żółtego oka, reszta rzuciła się naprzód, kłapiąc złowrogo szczękami.

– Wszyscy za mnie!

Katherine zakołysała się na piętach. Wyprowadziła fintę czubkiem miecza, zatrzymując dwa pierwsze bolgugi i udając, że nie zauważyła trzeciego, który skradał się z boku. Dopiero po chwili cofnęła miecz i odtrąciła na bok jego włócznię. Stwór obrócił się – i upadł ze strzałą przeszywającą gardło.

– Ta była ostatnia.

Geoffrey zanurkował z powrotem za osłonę włóczni Toma. Dwa pozostałe bolgugi atakowały niestrudzenie, dźgając i uskakując, szukając jakiejkolwiek luki. Jeden z nich z wrzaskiem skoczył naprzód, wymachując bronią na prawo i lewo. Katherine cofnęła klingę, aby odparować jego pchnięcie, nie miała czasu szacować sił, wykorzystała je jednak, by odwrócić miecz, a potem uderzyć, wymierzając potężny cios w paszczę rękojeścią. Bolgug zachwiał się, przyciskając łapę do potrzaskanych zębów i wyjąc z bólu.

Tom cofnął się szybko, cały czas dźgał włócznią, by nie dopuścić do siebie bolguga. Geoffrey pierwszy przebiegł przez drzwi. Edmund poczuł, jak ciężar na jego ramieniu zelżał – najwyraźniej John już się budził i odzyskiwał siły. Jeszcze kilka kroków i opuścili komnatę Otchłannego.

Spojrzał, bo ktoś przeraźliwie krzyknął. Walczący z boku bolgug odwrócił się od Toma i złapał dziewczynę z Roughy za jej sięgający pasa warkocz. Szarpnął, powalił ją na ziemię i otworzył paszczę, by przegryźć jej gardło.

Katherine odwróciła się i puściła pędem, nie zwracając uwagi na bolguga o połamanych zębach, choć doszedł już do siebie i napierał na nią z boku. Ciął w udo – krzyknęła, ale dokończyła skok, odbijając się drugą nogą i powalając bolguga atakującego dziewczynę.

Nim Edmund zorientował się, co robi, pchnął Johna Marshalla przez drzwi, zawrócił, i z gołymi rękami wpadł do komnaty. Katherine wbiła miecz w plecy potwora i wraz z nim runęła na ziemię. Potem przekręciła się, próbując wyrwać klingę na czas, by zablokować kolejny cios ostatniego bolguga. Za późno – tamten uniósł miecz, chcąc przyszpilić ją do posadzki. Edmund zdążył tylko wykrzyknąć jej imię. Miecz nigdy nie opadł – tuż obok przemknęła włócznia, trafiając bolguga w sam środek piersi. Stwór zakasłał, pomachał rękami i runął na wznak.

– Podnieś ją!

John Marshall opierał się ciężko o ścianę, z ręką jeszcze wyprostowaną po rzucie. Tom doskoczył do Katherine i wciągnął ją z powrotem w tunel. Gdzieś zza dogasającego ognia dobiegł świergot, jakieś drapanie, krzyki, a następnie kolejne zbliżające się kroki.

– Katherine... – Edmund podparł ją ramieniem.

Rana wyglądała paskudnie, wypływało z niej zbyt wiele jasnej krwi.

Dziewczyna zagryzła wargę, wykrzywiając twarz w grymasie.

Wcisnęła mu w ręce miecz.

– Chodźmy.

Podniosła się ciężko na zdrowej nodze, Tom złapał ją z drugiej strony i wszyscy ruszyli naprzód, zbici w jedną grupkę.

Rozdzierające krzyki bolgugów zdawały się dobiegać zewsząd, odbijając się echami w korytarzach. Czasem uciekinierzy mieli wrażenie, że się zbliżały, ale nigdy nie dotarły do tunelu, którym gramolili się i biegli. Panowała w nim absolutna ciemność – Edmund kopnął coś twardego i ciężkiego, czego nie zobaczył. Przez moment podskakiwał z bólu, potem postawił szybko stopę, nim ciężar Katherine zdążył powalić go na ziemię.

– Gdzie dalej? – Głos Geoffreya odbił się echem od ścian biblioteki. – Nic nie widzę.

– Prosto między regałami! – Edmund zakasłał: mocny uchwyt ręki Katherine uciskającej jego pierś, posyłał falę bólu przez żebra, choć jednocześnie był najlepszym dotykiem, jakiego doświadczył w życiu. – Niech wszyscy złapią się za ręce. Chodźcie za mną.

Nie miał czasu wątpić w swoją pamięć – pobiegł po schodach i przez drzwi, obijając mieczem ścianę, gdy w rozpędzie wymachiwał rękami. Dzieci chwyciły go mocno za koszulę; poruszały się jak jeden mąż, ręce trzymały na ramionach sąsiadów, ściskając palcami ubranie. Katherine skakała naprzód, opierając niemal cały ciężar ciała na zdrowej nodze, dyszała z wysiłku po długiej wspinaczce. Nim dotarli do drabiny w palenisku, krzyki bolgugów ucichły, zamieniając się w zawodzące echa.

– Teraz na górę! – Edmund poprowadził ich do drabiny i wymacał szczeble. – Geoffrey, idź pierwszy, na górze skręć w prawo i czołgaj się naprzód. No już, wszyscy.

Czuł, jak przechodzą obok, kolejno, aż w końcu na dole został z nim tylko John Marshall. Nie widzieli się nawzajem – nie musieli się widzieć.

– Dobra robota, Edmundzie. – Mężczyzna mocno uścisnął mu dłoń, po czym odwrócił się i rozpoczął wspinaczkę.

Edmund uniósł miecz, strzegąc ich ucieczki, choć nie widział niczego w tunelu za sobą i nie słyszał odgłosów pościgu. Złapał się szczebla i nie zdołał oprzeć się pokusie – posłał wyzywające spojrzenie w ciemność.

– To było kłamstwo. Miałem zginąć, a wciąż żyję! **Na razie.**

Odpowiedź sprawiła, że poczucie tryumfu minęło i zaczął jak najszybciej wspinać się po drabinie. Tom pomógł mu wejść do górnego tunelu. W długim, męczącym szeregu przed nim dzieci przesuwały się i szurały w mroku, a choć nie musiały już trzymać się za ręce, nadal to robiły.

Geoffrey zaśmiał się radośnie.

– Światło!

Stłoczyli się wszyscy – fala entuzjazmu przebiegła przez nich niczym wstrząs. Jasność w oddali z błędnego ognika zamieniła się w bezkształtną plamę, a potem w blask poranka.

Edmund wyszedł ostatni, z pomocą Toma. Przez chwilę wszyscy chwiali się niczym banda pijaków, wreszcie runęli na siebie w mroźnym świetle jesiennego świtu. Gdy po zboczu wbiegł ujadający Łach, nie mieli nawet dość sił, by się zdziwić.

Dziewczynka z Roughy tuliła do siebie brata – nie dało się jednoznacznie stwierdzić, czy płacze z ulgi, czy z rozpaczy.

– Jak nas znaleźliście?

– Opowiem wam później.

Edmund przykucnął, miecz wysunął mu się z rąk. Opuściła go siła, jaką dawała panika: uzmysłowił sobie, że o mało nie zginął. Z palców rąk i nóg po całym ciele rozeszło się bolesne mrowienie, potem chłód i fala mdłości. Umęczone wspomnienia zrodzone z wchłonięcia czaru krążyły na skraju jego myśli, gromadząc się, gdy tylko przymknął oczy. Łach podbiegł go powitać, polizać po twarzy i podać łapę, ale zamiast tego tylko go przewrócił.

– Nie jest tak źle. – Katherine usiłowała odepchnąć Toma, który pochylał się nad jej nogą. – Najpierw pomóż innym! Pomóż papie!

– Przestań! – Tom odtrącił rękę dziewczyny i zaczął obmacywać krawędzie rany. Katherine jęknęła.

– Nie jest tak źle – oznajmił.

– Właśnie to powiedziałam!

– Nic ci nie będzie, jeśli tylko powstrzymamy krwotok. – Rozejrzał się szybko. Dziewczyna z Roughy ściągnęła z głowy chustkę i podała mu. – Dziękuję. – Tom zręcznie obwiązał nią ranę.

Katherine skrzywiła się, a potem ostrożnie położyła na brzuchu.

– Papo, jesteś ranny?

– Chyba przeżyję, dziecko.

John dźwignął się z ziemi, chwycił deskę i z hukiem zastawił nią dziurę.

Edmund oparł się ciężko o kamienne rumowisko. Wiał silny wiatr – strzępy chmur pędziły po niebie

w stronę słońca. Obejrzał się na brata, a potem na gięt-
kie drzewce łuku w jego dłoniach.

– To mój łuk?

Geoffrey prychnął.

– Już nie.

Rozdział 29

Wciąż pozostawało wiele do zrobienia. Ani zwycięstwo nad Vithrikiem, ani ucieczka przed Otchłannym nie sprawiły, że zbocza góry stały się nagle mniej strome. Ani nie zapewniły im bezpiecznej przeprawy przez dolinę w dole. Edmund czekał ze swym bratem na końcu ścieżki, w miejscu, gdzie zdjęli z Indygo siodło i uprząż. Nie śmiał nawet krzyczeć zachęcająco do kolejnych osób pokonujących niebezpieczną przeprawę, by ich nie wystraszyć i nie posłać w przepaść. Pomagając dzieciom z Roughy wyjść na ścieżkę, poznał ich imiona – byli to Sedmey i jej brat Harbert. Edmund oświadczył, że żałuje, iż nie mógł zjawić się wcześniej – Sedmey uciszyła go, całując w policzek.

Nim zjawiła się Katherine, słońce całkiem już wzeszło – ojciec pomagał jej, jak tylko mógł, ale nadal musiała przekuśtykać większość ścieżki na własnych, poranionych nogach. Edmund zaciskał w dłoniach gałązkę, wykręcał ją tak, że aż pękła.

Dziewczyna dotarła w bezpieczne miejsce, choć kiedy wyciągnął do niej rękę, dostrzegł, jak mocno poszarzała na twarzy. Pochód zamykał jej ojciec; wyglądał niewiele lepiej. Edmund pozwolił im się położyć i złapać oddech, potem spojrzeniem odciągnął na bok Toma i Geoffreya.

– Jak myślicie, ile potrwa marsz do domu? – Poprowadził ich na skraj skał. – Trzy dni?

– Co najmniej pięć. – Tom ocenił wzrokiem resztę grupy. – Wkrótce będziemy potrzebowali wody. Pamiętam, że w dole widziałem rzekę.

– Kiedy nas tędy nieśli, zapamiętałem kilka innych rzeczy. – Geoffrey wynalazł gdzieś kolejną strzałę. – Na pewno jesteśmy bezpieczni?

Edmund odwrócił się z powrotem do góry. Kiedy wytężył słuch, słyszał szept Otchłannego, nie wydawał się tak głośny jak wcześniej, ale rozbrzmiewał wszędzie.

– Koń! – krzyknął Harbert znad krawędzi skał. – Nadjeżdża koń!

Geoffrey założył strzałę, Tom pociągnął Harberta za osłonę kamieni. Edmund nie miał najbledszego pojęcia, czy jakiekolwiek zaklęcie, którego spróbuje, zadziała, toteż sięgnął po kamień. Koń wyskoczył stępa spomiędzy drzew – pozbawiony jeźdźca, przecinający otwartą przestrzeń bez najmniejszych oznak lęku.

Edmund zszedł ostrożnie na drogę.

– Indygo! – Kiedy John Marshall się śmiał, jego głos brzmiał niemal młodo. – Nie powiem nawet, że jestem zaskoczony. – Pomógł córce wstać. – Ten koń nigdy mnie nie słucha. Edmund wiedział dostatecznie dużo, by nie zagradzać Indygo drogi. Istniało tylko jedno miejsce, w które mógł kierować się ogier.

– Indygo. – Katherine objęła ramionami jego szyję, ogier położył wielki szary łeb na jej ramieniu, wyglądał niemal potulnie.

– To rozwiązuje część naszych problemów. – Edmund zwrócił się ponownie do Toma i Geoffreya: – A skoro Indygo tam przeżył, to i nam się uda.

Geoffrey obrócił strzałę w palcach.

– Jeżeli szybko ruszymy w drogę, może do zachodu słońca dotrzemy na drugą stronę. – Wyciągnął rękę, pokazując koniec doliny. – Moglibyśmy rozbić obóz o tam, u stóp przełęczy.

– Przeprawa przez nią też wymaga mniej więcej jednego dnia marszu. – Edmund usiłował zlokalizować źródło podniecenia, które go ogarnęło. – Pojutrze pójdzie nam już łatwiej.

– Jutro będzie ładnie. – Tom zerknął w niebo, potem rozejrzał się dokoła. – Później nie mam pojęcia. Im szybciej zejdziemy z wyżyn, tym lepiej.

Edmund rozważył wszystko.

– Nie widzę, jak dalsze czekanie miałoby w jakikolwiek sposób zmniejszyć ryzyko. Ciernice nie muszą jeść tak jak my, jeśli któraś tam jest, nie ma powodów sądzić, że jutro sobie pójdzie.

Powiódł wzrokiem od Toma do Geoffreya. Obaj potakująco kiwali głowami. Nagle Edmund zrozumiał, skąd ta radość i podniecenie. Udało im się, przeżyli. Wiedział, że powinien się bać czekającej ich wędrówki, ale nie potrafił się do tego zmusić.

– Mości Marshallu? – Okrążył z boku Indygo, zostawiając miejsce Katherine, by przekuśtykała obok z siodłem w ramionach. – Mości Marshallu, rozważaliśmy plany.

– Wiem. Słyszałem. – John Marshall stał kawałek od dzieci, zwrócony ku wylotowi w zboczu góry.

– Ach... – Edmund odczekał chwilkę. – Zatem... Co pan o nich sądzi?

Mężczyzna klepnął go w plecy.

– Sądzę, że przypominasz moich paru starych przyjaciół. Prowadź.

Schodzili drogą pośród pierwszych zarośli i krzaków, a potem dalej, przez rozrzucone kości. Edmund opowiedział innym o ostatniej ucieczce Różyczki. Nie zdziwiło go, że Katherine ją opłakiwała, ani nawet, że zrobił to Tom – ale Geoffrey naprawdę się rozpłakał, długo i szczerze.

– Była dobrym koniem, naprawdę dobrym koniem. – Otarł oczy rękawem. – Czasem z Milesem karmiliśmy ją jabłkami.

Wyciągnęli z juków resztki zapasów i nie dyskutowali dłużej nad dalszym planem marszu. Nieważne, co czekało w dolinie poniżej – bolgugi, ciernice, Vithric we własnej osobie, dalsza zwłoka pod górą oznaczała głodówkę albo śmierć z pragnienia. Katherine kolejno sadzała na konia dzieci z Roughy, sadowiąc je przed sobą i pozwalając, by trochę odpoczęły na szerokim grzbiecie Indygo. Potem zaproponowała to samo Tomowi, on jednak odparł, że chętnie pójdzie pieszo. Jej ojciec zaprotestował, że jest zbyt ciężki, by jechać z kimś w dwie osoby. Z kolei Geoffrey odmówił, tłumacząc się, że nie potrafiłby strzelić celnie z konia. W związku z czym Edmund uznał, że nie ma wyboru i też musi zrezygnować. Wydawało się to okropnie niesprawiedliwe – po tym, czego dokonał i co przecierpiał, aż nadto zasłużył sobie na leniwą milę w siodle w ramionach Katherine, choćby obejmowała go tylko po to, by przytrzymać wodze.

W pierwszym obozie było wietrznie i zimno. Dopiero tam, w końcu najbezpieczniejsi od kilku dni – choć wcześniej niektórzy wątpili, by kiedykolwiek poczuli się znów bezpieczni – w pełni odczuli, co uratowali i co stracili.

– Dlaczego Tilly? – Geoffrey przykucnął przy ogniu. Spojrzał na dzieci z Roughy. – Czemu ich młodszy braciszek? Dlaczego umarli pierwsi?

– Byli najmłodsi, mieli najwięcej życia do oddania.

– I wtedy Edmund uczynił coś, czego nie robił nigdy wcześniej: objął ramiona brata. – Geoffreyu, muszę ci o czymś powiedzieć.

Mówiąc, patrzył, jak twarz brata posępnieje – kiedy wrócą do domu, może się tak zdarzyć, że znajdą ojca w grobie. Geoffrey ukrył twarz w dłoniach, Sedmey i Harbert szlochali z boku, opłakując małego Elvy'ego, i nawet Katherine zdawała się przygnieciona smutkiem. Być może byłoby znacznie gorzej, gdyby nie John Marshall, który uniósł rękę i rozpoczął opowieść. Edmund nie uwierzyłby w nią, gdyby nie fakt, iż traktowała głównie o jego własnych wyczynach. Zarumienił się – pod koniec ledwo mógł słuchać dalej, tak mocno czuł na sobie spojrzenie Katherine. Miejscami sam uzupełniał luki, podkreślając niezłomne przewodnictwo Johna i przysięgając, że bez Łacha obaj dotarliby na miejsce zbyt późno, by kogokolwiek ocalić. Przez jakiś czas Łach skupiał na sobie uwagę wszystkich, do tego stopnia, że oszołomiony wycofał się i zasnął na kolanach Toma.

Edmund zaproponował, by wyznaczyli warty; wyobrażał sobie, że tak właśnie postępowało Dziesięciu. Zgłosił się na ochotnika jako pierwszy i usiadł, dorzucając drew do ognia, owinięty w koc z grzbietu Indygo. Jakiś czas sądził, że wszyscy inni zasnęli, potem jednak John Marshall wstał i usiadł na kamieniu.

– Mości Marshallu? – Edmund odniósł wrażenie, że tamten chce z nim pomówić. Zrzucił koc i podszedł bliżej.

John odwrócił się częściowo, pokiwał głową.

– Posiedź tu chwilę.

Edmund usiadł posłusznie.

– Nie jest pan zmęczony?

Wokół oczu Johna rozeszły się delikatne promieniste zmarszczki.

– Kiedy dożyjesz mojego wieku, być może przekonasz się, że sen nie zawsze chce ci towarzyszyć. – Edmund czekał, John obserwował górę, po jego twarzy wędrowały pory roku, w końcu odezwał się: – Masz zaledwie czternaście lat.

– W lecie skończę piętnaście, mości Marshallu.

John obejrzał się na śpiącą córkę.

– Czy będziesz jej strzegł? Czy przysięgniesz nad nią czuwać?

Edmund odkrył, że się tego spodziewał.

– Nie wraca pan z nami do domu.

– Wiesz równie dobrze jak ja, że to dopiero początek – oznajmił John. – Zaklęcie Vithrica zdawało się w jakiś sposób karmić Otchłannego, dawać mu siłę i postać. Nie wiem, jak działa, ale wiem, że nie mogę pozwolić, by się to wszystko powtórzyło.

Góra Otchłannego sterczała w milczeniu po drugiej stronie doliny. Jakże miło byłoby jakiś czas napawać się tryumfem. Miło byłoby wyobrażać sobie, że świat odzyskał równowagę.

Edmund spróbował uporządkować wszystko, czego się dowiedział.

– Vithric musiał już raz wcześniej rzucić to zaklęcie. Do tej pory powinien mieć ponad sześćdziesiąt lat, ale nie wyglądał tak staro.

– Powiedziano mi, że Vithric zmarł na suchoty. – John poruszył się, potem skrzywił i owinął ciaśniej bandażem zranioną dłoń. – Musiał udać swą śmierć wiele lat temu, gdy za pierwszym razem poczuł się chory. Zaklęcie dało mu parę dziesiątek lat, a potem choroba ponownie zaczęła go pochłaniać. I z pewnością znów to zrobi, kiedy przeżyje lata wykradzione Tilly i drugiemu chłopcu.

Edmund poczuł, jak dumę z powodu zwycięstwa przesłania rozpacz.

– Dlaczego świat jest taki? – Zadrżał. – Czemu wydaje się taki zimny, taki twardy?

Po twarzy Johna przemknął uśmiech, niewyrażający radości ani smutku.

– Ileż byłaby warta dobroć w świecie, który zawsze ją nagradza?

Edmund zaczął obracać jego słowa raz po raz w umyśle. Zastanawiał się chwilę, czy po powrocie do domu nadal będzie się czuł tak bardzo dorosły.

– Wiedz, o co proszę, nim się zgodzisz – odezwał się John. – Zobowiązuję cię do chronienia mojej córki, pozostania jej przyjacielem, nawet jeśli nigdy nie odwzajemni twoich uczuć. Nie przysięgaj, póki tego nie zrozumiesz.

– Przysięgam. – Edmund wyciągnął rękę, John chwycił ją w swoją.

Edmund obejrzał się na Katherine.

– Kiedy jej pan powie?

– Będę zwlekał, ile się da, pozwolę, by choć na krótko poczuła się spokojniej. Spróbuję utrzymać to w sekrecie, póki nie odprowadzę was bezpiecznie do Elverainu.

Edmund nie zdołał powstrzymać uśmiechu.

– Z całym szacunkiem, mości Marshallu, ale nie zna pan własnej córki. Z całą pewnością domyśli się, co pan zamierza.

Okazało się, że miał rację, choć przez następne cztery dni John Marshall nie reagował na coraz bardziej zatroskane spojrzenia Katherine. W chwili, gdy dotarli do tunelu w drugiej dolinie, spadł deszcz ze śniegiem i choć miejsce to nadal budziło przerażenie, czuli pokusę, by jakiś czas pozostać w schronieniu. Tom jednak nie pozwolił na to – wyszedł, sprawdzając, skąd wieje wiatr, i powrócił zbyt ponury, by ktokolwiek stawił opór. Przy drugim łuku deszcz zamienił się w śnieg, a potem, w czasie długiego zejścia znów w marznący deszcz. Nim ujrzeli przed sobą Upenough, zjedli resztki solonego mięsa, a wciąż jeszcze czekały ich dwa dni marszu. Tom zebrał trochę korzonków, które smakowały tak paskudnie, że Edmund uznał głód za mniejsze zło. W gospodzie znaleźli na podłodze odcięty palec Johna; nikt nie wiedział, co z nim zrobić, więc pogrzebali go przy drodze.

Na skraju Thicket deszcz w końcu ustąpił. Wszyscy byli przemoczeni, obolali i przemęczeni, a mimo to dzieci aż podskoczyły na widok dymu ulatującego z palenisk sioła. Wiatr nie niósł z sobą nawet najlżejszego zapachu strawy, jednak sama woń siana i ogniska domowego wystarczyły, by Edmundowi zaburczało w brzuchu.

– Spójrzcie! – niemal wrzasnęła Sedmey. – Tam są ludzie!

Mieszkańcy wychodzili z domów, gapiąc się na nich. Inni obracali się ku nim na pastwiskach, część nawet machała. Edmund był pewien, że nigdy wcześniej nie zaznał równie czystego szczęścia. Powoli gasnący strach i rosnąca nadzieja nie przygotowały go na tę chwilę – pola i pastwiska, żywopłoty i krowy. Dom.

– Papo. Papo, nawet o tym nie myśl.

Odwrócił się i zobaczył Johna Marshalla. Zbliżał się poboczem – pochylony nisko, jakby wiatr wiał z naprzeciwka, nie z tyłu. Pół bruzdy dalej, pośród pierwszych pól, od gościńca odchodziła ścieżka.

– Papo, wracasz do domu – głos Katherine rozdzierał Edmundowi serce. – Nie waż się zejść z tej drogi!

John uniósł głowę.

– Przykro mi, dziecko. Naprawdę.

Reszta grupy zatrzymała się, spoglądając kolejno na Katherine, potem na Johna, choć zaledwie kilkadziesiąt kroków dalej czekał pierwszy porządny posiłek od tygodnia.

Geoffrey zerknął na Edmunda.

– On nie wraca?

– Zbyt długo spałem – oznajmił John. – Żyłem we śnie, jak człowiek, który sądzi, że jeśli nie będzie się wychylał i dobrze wychowa dzieci, świat będzie mu winien spokój. Teraz, gdy lepiej rozumiem, czym naprawdę jest Otchłanny, muszę odnaleźć korzenie tego zła i wyrwać je, póki mogę.

Katherine skrzyżowała ręce na piersi.

– W takim razie idę z tobą.

– Nie mogę na to pozwolić.

– A kto twierdzi, że zdołasz mnie powstrzymać? Mam konia.

Dzieciom ze zdumienia opadły szczęki. Katherine i jej ojciec przygważdżali się wzrokiem. Edmund odkrył, że są w tej chwili bardziej podobni do siebie niż kiedykolwiek wcześniej.

John Marshall pierwszy ustąpił.

– Myliłem się, zostawiając cię wtedy, w Elverainie. Jeśli tym razem powiem ci, dokąd zmierzam, zgodzisz się na mnie zaczekać?

– Jeżeli znów maszerujesz w jakieś góry, to nie.

– Bynajmniej. Wybieram się do Tristana. Jego ziemie leżą niedaleko, Katherine, całą drogę przebędę królewskimi gościńcami. Nie martw się o mnie.

Katherine zagryzła wargę, przez chwilę mrugała szybko, patrząc w dal. Jej ojciec zachwiał się i z wysiłkiem zapanował nad sobą.

– Przyślę wieści, obiecuję.

Zeskoczyła na ziemię.

– W takim razie weź Indygo. – Podała ojcu wodze.

– Proszę, papo.

– Nie jest mój, nie mogę go wziąć. – John uścisnął jej rękę. – Podczas mojej nieobecności pozostajesz w pieczy lorda Aelfrica. Cokolwiek się stanie, nie zostawi cię samej – zbyt wiele mi zawdzięcza. Słuchaj jego i przyjaciół i nim się zorientujesz, ja już wrócę do domu.

Katherine skłoniła głowę, ojciec objął ją i odwrócił się do Toma.

– Chodź. Czeka nas wiele mil, nim zatrzymamy się na noc.

Tom odłączył od dzieci i stanął obok Johna; Łach biegł przy jego nodze. Na moment Edmund zamarł wstrząśnięty – potem poczuł ulgę i wdzięczność. Twarz Katherine nie zdradzała podobnych emocji.

– Mnie wysyłasz do domu, ale zabierasz Toma.

- Ty masz dom, do którego możesz wrócić – wyjaśnił jej ojciec. – Tom nie. Gdybym pozwolił mu wrócić do jego pana, równie dobrze mógłbym sam chwycić bat i go okaleczyć. Biorę go, by dać mu szansę nowego życia – zaprowadzę go do Tristana w nadziei, że znajdzie mu miejsce wśród swych domowników. Może powinienem był to zrobić dawno temu, ale lepiej teraz niż nigdy.

– Żegnajcie. – Tom wydawał się bardziej zasmucony niż zachwycony tą perspektywą. – Będę za wami tęsknił.

– Ja też będę tęsknił. – Edmund złapał go za rękę.

– Bezpiecznej podróży.

Katherine chwyciła w objęcia kościste ramiona Toma. Próbowała coś powiedzieć, błogosławić go na drogę, ale nie zdołała znaleźć słów, toteż raz jeszcze go przytuliła i wypuściła.

Tom pomaszerował za Johnem na początek ścieżki – stali tam jeszcze chwilę, a potem jakby nie zostało nic do powiedzenia i jakby nie chcieli przedłużać bólu rozstania, odwrócili się i odeszli.

Geoffrey i dzieci z Roughy pobiegli naprzód do domów, krzycząc, że bardzo potrzebują strawy i że ich rodzice z pewnością za nią zapłacą. Edmund został z Katherine, patrzyli razem, jak jej ojciec i ich przyjaciel maleją, aż w końcu zniknęli za najdalszym ze wzgórz.

Zostawili Sedmey i Harberta śpiących w zagrodzie Thicketów, przyrzekając, że rano prześlą wiadomość ich rodzicom. Nim dotarli do zakrętu przy Kamieniu Życzeń, cienie wydłużyły się, rzucając całun mroku na domek i drzewo. Katherine prowadziła Indygo kilkanaście kroków z przodu, zostawiając braci samych.

– Mama będzie potrzebowała pomocy, jeśli... – Geoffrey nie był w stanie dokończyć.

Edmund patrzył, jak noc nadchodzi ze wschodu. Miał nadzieję, rozpaczliwą nadzieję. Dłuższy czas zastanawiał się nad tym, czym właściwie jest nadzieja. Zastanawiał się, czy los z góry rządzi wszystkim, czy też tylko czasem się tak wydaje. Rozmyślał nad tym całą drogę do domu. W gospodzie panował spokój – tak wielki, że obawa ścisnęła mu serce. Nikt nie siedział na schodkach, zza okiennic nie dobiegał gwar rozmów. Geoffrey skulił się na drodze, wydawał się bardzo mały. Katherine zeskoczyła z siodła i ujęła go za rękę. Edmund odetchnął głęboko i pchnął tylne drzwi.

W środku było spokojnie, ale nie pusto. Kilku sąsiadów siedziało z kuflami przy ogniu, na jego widok wszyscy wstali, jakby lord Aelfric we własnej osobie przybył na wieczorne piwo. Wystarczyło jedno spojrzenie na ich twarze, by zrozumiał, na co czekał i co miał nadzieję usłyszeć. Nicky Bird zaczął coś mówić, ale Martin Upfield zatkał mu usta dłonią i wskazał ręką na górę.

Edmund z wysiłkiem wspiął się do sypialni. Najpierw skierował się do pokoju rodziców, potem dostrzegł światło przenikające spod jego własnych drzwi. Pchnął je i odkrył, że pokój zamieniono w izbę chorych. Ojciec leżał na swoim sienniku, opatulony porządnie wielką pierzyną, a matka pochylała się nad nim, próbując okryć go jeszcze staranniej.

– Jeśli chcesz piwa, poproś Martina, a gdybyś chciał kolację, zapomnij.

Stała zwrócona plecami do wejścia, toteż to ojciec zobaczył go pierwszy. Harman zapatrzył się, jedno przeciągłe spojrzenie mówiło więcej niż wszystkie słowa tego świata; potem ścisnął dłoń żony.

Matka Edmunda odwróciła się i o mało nie wywróciła lampy, Edmund musiał ją złapać, żeby nie zemdlała i nie upadła na ojca.

Ojciec wyciągnął z łóżka drżące ręce.

– Zbuduję ci tu półki. Zastanawiałem się nad tym i jest tam sporo miejsca. Trzymaj na nich książki, jakie tylko zechcesz, synu. Jakie zechcesz.

– Mamo, mamo, au! – Edmund wywinął się, jej uścisk był niemal równie mocny jak Vithrica. – Żebra. Zraniłem się w żebra.

– Och, och, mój synu, och, Katherine! – Sarra spotkała dziewczynę przy drzwiach i ucałowała jej dłonie. – Myśleliśmy... Tak bardzo się baliśmy.

Edmund ukląkł przy łóżku ojca. Harman wyglądał blado i chudo – ale był cały, oddychał miarowo, na bandażach, którymi owinięto mu brzuch, nie pozostał nawet ślad krwi. List, który napisał Edmund, leżał obok niego na sienniku.

– Miałem czas wszystko przemyśleć, dokładnie przemyśleć rzeczy, które chciałbym ci powiedzieć, jeśli... kiedy wrócisz do domu. – Harman spróbował się pod-

nieść, skrzywił się i opadł z powrotem na posłanie. –
Miałem czas, by wszystko przemyśleć.

Edmund skinął głową w stronę drzwi.

– Powiedz nam obu.

Harman spojrzał zdumiony na Katherine. Odstąpiła na bok, przepuszczając Geoffreya.

Rozdział 30

E dmund odstawił dzban.
– Należą się dwie ćwiartki za cały stół.
– Na pewno nie zechcesz trochę z nami posiedzieć?
– Nicky Bird klepnął go w plecy – dokładnie w gojącą
się ranę na łopatce. – No dalej, Edmundzie, opowiedz
jeszcze raz tę historię!
– Opowiadałem ją zeszłego wieczoru, i poprzedniego. – Edmund zaczął rozstawiać kufle na blacie.
– Chcemy posłuchać porządnie, ze szczegółami, zanim dorwą się do niej minstrele i wszystko pozmie-
niają – Martin Upfield ukląkł, dokładając do ognia.
Ktoś zaproponował dzielną piosenkę, radosną piosenkę i wkrótce potem Horsa Blackkalf zaczął wygrywać
na skrzypkach skoczny taniec.
– Przestańcie już hałasować, do diaska! – zawołała
z kuchni matka Edmunda. – Mój mąż śpi na górze.

Edmund zaczął krążyć po sali, odrzucając kolejne prośby o opowieść albo piosenkę. Wyszedł na dwór odetchnąć świeżym powietrzem i ujrzał brata siedzącego samotnie na schodku i patrzącego w dal, na Kamień Życzeń i na Pas.

Przysiadł obok niego.

– O czym myślisz?

– Chyba o domu. – Geoffrey obejrzał się. – Nie wydaje się już taki zły.

Edmund wyciągnął nogi, odpoczywając na stopniach. Z gospody za plecami dobiegał głośny gwar – słyszał raz po raz wymieniane własne imię.

– Będziesz czarodziejem – oznajmił Geoffrey. – Prawdziwym.

– Oczywiście, że tak. – Edmund popatrzył na niego.

– Zawsze tego pragnąłem.

– To już nie tylko kwestia twoich pragnień. Zostaniesz czarodziejem, bo tego od ciebie potrzebujemy.

Edmund prychnął.

– Kiedy zdążyłeś aż tak dorosnąć? – Gdy tylko wypowiedział te słowa, pożałował, ale Geoffrey jedynie się uśmiechnął.

Edmund wciągnął w płuca zapach domu – zaoranych pól, stogów siana, drewna i ziemi.

– Kiedyś marzyłem, żeby coś się wydarzyło, coś, co zamieni moje życie w wielką przygodę.

Geoffrey szturchnął go w ramię.

– Twoje życzenie się spełniło, głupku.

– Powiedziałem to do Katherine i Toma owej nocy, kiedy Vithric porwał ciebie i Tilly. – Edmund popatrzył na Pas. – Powiedziałem im, że chcę uciec gdzieś, gdzie czeka mnie podnieta i niebezpieczeństwo. Góry wznosiły się wysoko, wyczekujące, groźne.

– Zmuszę cię do nauki – oznajmił Edmund. – Nim z tobą skończę, pożałujesz, że nauczyłeś się czytać.

– A ja zmuszę cię do ćwiczeń z tym łukiem – odparł Geoffrey. – Następnym razem musisz go trafić w serce.

Horsa namówił ich matkę, by pozwoliła mu zagrać choć jedną spokojną melodię – i była to dobra melodia, z rodzaju tych, które budzą w słuchaczach i smutek, i radość, sugerując, że stanowią one dwie połówki jednej całości. Wzeszedł księżyc, witając ostatnią pogodną noc roku. Ocieplenie, które pobłogosławiło ich powrót, właśnie dobiegało końca; jesień wkrótce zetrze się w walce z zimą depczącą jej tuż po piętach.

Edmund zamknął oczy. Wiatr pędził uliczkami wioski i szumiał w gałęziach drzew dokoła: pojedyncza nuta radości, darów, końca ciężkich czasów. I byłoby niemal doskonale, gdyby nie szept, który chłopak słyszał między podmuchami.

Od tłumaczki

Świat „Nethergrima" odpowiada poziomem rozwoju mniej więcej naszemu średniowieczu. Mamy tu rycerzy, panów lennych, chłopów pańszczyźnianych i niewolników. A także pierwowzór używanych przez nas dzisiaj nazwisk – przydomki rodowe, przechodzące z ojca na syna wraz z konkretnym fachem.

Większość nazwisk bohaterów książki to słowa znaczące, aby więc przybliżyć je czytelnikowi, przygotowaliśmy krótki słowniczek.

Ludzie:

Bale............. od nazwy miasta. Bale oznacza belę, np. siana czy materiału, ale też wielkie zło, nieszczęście, niedolę

Marshal .... masztalerz

Bird .... ptak
Blackcalf .... czarne cielę
Cooper........... bednarz
Wainwright ..... stelmach
Dyer .... farbiarz
Miller .... młynarz
Twintree .... podwójne drzewo
Russet........... rdzawy
Tailor............ krawiec
Upfield .... w głąb pola
Green .... zielony
Windlee .... osłona przed wiatrem
Piper............. fleciarz

Miejsca:

Moorvale .... Dolina na Wrzosowiskach
Northend .... Północny Kraniec
Upenough .... Dość Wysoko
Thicker.......... Gęsty Zagajnik
Swift .... Bystra, Szybka
Rushing .... Rwąca
Longsettle....... Długa Osada
Burnwater....... Płonąca Woda

Wydawnictwo Jaguar poleca:

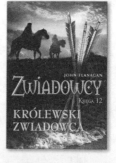

Wydawnictwo Jaguar poleca: